afgeschreven

D0310791

Annabel

KATHLEEN
WINTER

the house of books

Oorspronkelijke titel
Annabel
Uitgave
BLACK CAT, New York

Vertaling
Mariëlla Snel
Omslagontwerp
Studio Jan de Boer BNO, Amsterdam
Omslagillustratie
Bill Douglas, The Bang
Auteursfoto
Juliette Dandenault
Opmaak binnenwerk
ZetSpiegel, Best

ISBN 90 978 90 443 3392 3
D/2012/8899/13
NUR 302

www.thehouseofbooks.com

Voor mijn moeder en vader

Annabel, waar ben je naartoe gegaan? Ik heb hier gekeken
En ik heb daar gekeken.
Ik heb daar gekeken en ik heb hier gekeken...
– Kat Goldman

Hoe verschillend de seksen ook zijn, ze vermengen
zich met elkaar.
Ieder menselijk wezen weifelt tussen de ene en de andere
sekse, en vaak zijn het alleen de kleren die de gelijkenis met
een man of een vrouw in stand houden, terwijl de sekse
daaronder heel anders is dan die erboven.
– Virginia Woolf

Proloog

'PAPA!'

De blinde man in de kano droomt.

Waarom zou een witte kariboe naar de Beaver River komen, waar de bosrendieren leven? Waarom zou zij de toendra in het noordpoolgebied, waar het licht heel fel is, verlaten om rond te waren in deze schaduwen? Waarom zou een kariboe haar kudde verlaten om in haar eentje duizenden kilometers te lopen? De kudde is veiligheid. De kudde is als stof die je niet kapot kunt snijden of scheuren. Als je de kudde vanuit de lucht kon zien, als je een valk was of een koningseider, zou die lijken op een zacht zwevende mist boven de sneeuw, niet tastbaarder dan een wolk. 'Wij zijn zacht,' fluistert de kudde. 'Wij hebben geen scherpe tanden. Wij verscheuren geen vlees. We maken het leven niet kapot. We zijn de vriendelijkheid in eigen persoon. Waarom zou een van ons zich van de kudde losmaken? Losmaken, alleen en apart zijn zulke nare woorden. Iemand van ons zou slechts alleen blijven en geen deel meer uitmaken van de kudde als ze verdwaalde.'

De kano, die op het diepe midden van de rivier drijft, is omringd door donker, rustig water met een laagje belletjes, afkomstig van het schuim eromheen, erboven en eronder. De witte kariboe staat stil, in een streep zonlicht tussen zwarte boomstammen, en kijkt strak naar de man en het meisje in de kano. Het mos onder de hoeven van de kariboe is wit en lijkt van hetzelfde materiaal te zijn gemaakt als het dier waarvan de omtrek nauwelijks te zien is door het licht erboven en eronder. Ze leek alsof ze uit het licht zelf voortkwam en van licht was gemaakt, alsof Graham Montague en zijn dochter haar al dromend tot leven hadden gewekt.

'Papa?' Annabel gaat in de boot staan. Van jongs af aan, nog voordat ze kon lopen, heeft ze te horen gekregen dat ze dat niet moet doen, maar ze doet het toch. Even blijft de kano in balans. Dan strekt het meisje haar armen uit naar die betoverende kariboe die nu, ziet ze, een mantel van sprankelende rijp om haar schouders en schitterende borst draagt. Zelfs haar hele vacht glinstert van de rijp en Annabel kan niet geloven dat haar vader blind is en slaapt. Ze gelooft gewoon niet dat het leven zo oneerlijk kan zijn dat iemand zoiets prachtigs moet missen. Terwijl ze haar handen strekt, die lange slanke handen die haar vader zo mooi vindt en waarvoor hij hard heeft gewerkt in de hoop dat er ooit praktische en mooie dingen uit voort zouden komen, kapseist de kano in het kalme, diepe hart van de rivier. Hij slaat gewoon om, binnen een seconde. Het geweer zakt onder water, de etenswaren drijven weg of zakken naar de bodem, afhankelijk van het gewicht en de waterdichtheid van de verpakking.

Graham Montague heeft nooit hoeven zwemmen en hij weet niet hoe dat moet, en hetzelfde geldt voor Annabel, zijn dochter.

Deel een

1

Nieuwe wereld

WAYNE BLAKE WERD BEGIN maart geboren, bij het breken van het ijs in het begin van de lente, een heel belangrijke tijd voor de mensen in Labrador die op eenden joegen om eten te hebben. En net als de meeste kinderen werd hij daar in 1968 bij zijn geboorte omgeven door vrouwen die zijn moeder haar hele getrouwde leven had gekend: Joan Martin, Eliza Goudie en Thomasina Baikie. Vrouwen die konden ijsvissen, die mocassins maakten van de huid van een kariboe en hout zo konden opstapelen dat de voorraad niet zou omvallen in de maanden dat hun echtgenoten langs de uitgezette vallen patrouilleerden. Vrouwen die bij elke normale bevalling precies wisten wat er moest worden gedaan.

Het dorp Croydon Harbour aan de zuidoostkust van Labrador heeft de magnetische aarde die kenmerkend is voor heel Labrador. Je voelt een trilling, een pulseren, terwijl het land licht opslokt en vibreert. Soms kun je dat met het blote oog zien: strepen licht die van het land komen. Niet iedere reiziger voelt het aan, maar degenen die dat wel doen blijven er op andere plaatsen naar zoeken en vinden het nergens, behalve in woestijnen en op hoogvlakten. Een reiziger kan uit New York komen en het voelen. Ontdekkingsreizigers, docenten en mensen die bekend zijn met goede hete koffie en dichtbedrukte kranten, maar die iets fundamentelers willen: een injectie van een nieuwe wereld in hun bloed. Een echt bestaande nieuwe wereld, niet een mythe die tot snelwegen en nog meer snelwegen heeft geleid, of tot de lage radioactieve gebouwen langs die snelwegen die pannenkoeken, hamburgers en benzine te koop aanbieden. Een reiziger kan naar Labrador komen en die magnetische energie voelen of niet. Je moet er wel voor openstaan. De bezoeker moet een open circuit zijn waar de energie uit de aarde bij kan komen, en dat is niet iedereen. Hetzelfde geldt voor iemand die in Labrador is geboren. Sommigen weten vanaf hun geboorte dat hun thuisland een ademhalingssysteem heeft, dat het energie haalt uit rotsen, bergen, water en zwaartekracht buiten de aarde, en op zijn beurt energie uitademt. Anderen weten dat niet.

Wayne werd, in badwater, geboren in het huis van zijn ouders: Treadway en Jacinta Blake. Treadway was afkomstig uit Labrador, maar Jacinta niet. Treadway had de vallenroute van zijn vader in stand gehouden en voelde zich aangetrokken tot de rotsen, terwijl Jacinta op haar achttiende vanuit St. John's was gekomen om les te geven op de kleine school in Croydon Harbour. Omdat ze – voordat ze Treadway had ontmoet – dacht dat het een avontuur zou zijn en het haar na een jaar of drie, vier ervaring te hebben opgedaan in staat zou stellen op een school in St. John's te gaan lesgeven.

'Ik zou elke dag met brood en jam lunchen,' zei Joan Martin tegen Eliza en Thomasina terwijl Jacinta in het bad haar hevigste weeën had. Iedere vrouw in Croydon Harbour had het er wel eens over hoe heerlijk ze het zou vinden om alleen te leven. De vrouwen gaven zich over aan die droom wanneer hun mannen te lang thuis waren gebleven, weg van hun vallen. 'Dan nam ik als avondeten alleen een paar gekookte eieren, en ik zou elke avond in bed een tijdschrift lezen.'

'Ik zou een week lang dezelfde kleren dragen,' zei Eliza. 'Mijn blauwe wollen broek en mijn grijze shirt, over mijn nachtpon. Van september tot juni zou ik die nachtpon nooit uittrekken.

En ik zou een kat nemen in plaats van onze honden en gaan sparen voor een piano.'

De vrouwen wilden niet uit vijandigheid van hun echtgenoten af – het kwam gewoon doordat de ondraaglijke winters alleen maar bestonden uit het slepen met hout, het bewaren van de laatste restjes merg en het hunkeren naar de intimiteit die ze associeerden met de thuiskomst van hun echtgenoten, terwijl ze heel goed wisten dat die intimiteit alleen maar in hun verbeelding bestond. Daarna kwam de korte zomer, waarin wilgenroosjes, bladurnen en zonnedauw tot bloei kwamen en in één korte zucht hun verlokkelijke geur verspreidden ten teken dat het leven kon beginnen, maar dat was niet zo. De planten waren vleeseters. Dat moment in de zomer bevatte verlangen, vruchtbaarheid en dood maar de vrouwen trapten er niet in. Ze wachtten tot de zomer om hen heen uitbundig genoeg werd om een vrouwenleven te omvatten, maar dat gebeurde nooit.

Wanneer Jacinta niet kreunde van de pijn omdat haar bekken door de komende baby bijna uit elkaar werd gescheurd, gaf zij zich ook over aan de droom. 'Ik geloof niet dat ik dan hier zou blijven,' zei ze tegen haar vriendinnen terwijl ze gloeiend hete koffie uit een emaillen pot schonk. Onder haar blauwe, met witte bloemetjes bezaaide schort was haar buik zo groot als een jonge zeehond. 'Dan zou ik weer verhuizen naar Monkstown Road en als ik geen werk als onderwijzeres kon krijgen, zou ik mijn oude baan in de Duckworth Wasserij weer oppakken en witgoed gaan wassen voor het Newfoundland Hotel.'

Thomasina was de enige vrouw die immuun was voor de droom. Ze had haar vader niet gekend en ze had veel respect voor haar man, Graham Montague. Ze vond het geweldig dat hij alles kon maken, dat hij het huis niet koud liet worden, dat hij als laatste zijn vallen ging controleren en als eerste weer terug was, dat hij blind was en haar nodig had en dat hij haar Annabel had gegeven: een roodharige dochter die ze mijn ziel en zaligheid noemde en die haar vader nu hielp met het besturen van zijn kano. Ze was inmiddels elf jaar oud en even rustig en verstandig als Thomasina. Graham was nu van huis, net als alle jagers uit Croydon Harbour. Hij zat in zijn witte kano op de rivier en Annabel was bij hem. Zij zat altijd voorin en vertelde hem welke kant hij op moest sturen, ook al wist hij al voordat Annabel het tegen hem zei welke beweging hij met zijn peddel moest maken, want voor haar geboorte had hij door te luisteren over de rivier gevaren en hij kon elke steen, ijsschots en stroomversnelling horen. In de kano vertelde hij haar verhalen en haar lievelingsverhaal ging over een witte kariboe die zich bij de bosrendieren aansloot. Haar vader was die kariboe één keer tegengekomen, als jongen, voor het ongeluk dat hem blind had gemaakt. Elke keer wanneer ze er met de kano op uit trokken zocht Annabel naar de witte kariboe en toen Thomasina tegen haar zei dat het dier misschien niet meer leefde of was teruggegaan naar de kudde in het poolgebied, draaide haar man zijn gezicht naar haar toe en waarschuwde haar zwijgend hun dochter het dromen niet te beletten.

Toen de kruin van haar baby te zien was, baadde de badkamer van Jacinta in het licht van de sneeuw. Scheermesschelpen op de vensterbank straalden wit licht uit, net als de tegels, het porselein, de blouses van de vrouwen en hun huid. Wit licht scheen pulserend door de vitrage, zodat de haartjes en het gezicht van de baby in de witte ruimte een kleurrijk middelpunt werden. Goudbruin haar, rood gezicht, zwarte wimpertjes en een rode mond.

Verderop in de gang gloeide de keuken van Jacinta door de hitte van het vuurhout. Treadway legde kariboekoekjes in het spettende varkensvet, deed kokend water bij zijn theezakje en sneed een dikke plak patrijsbessenbrood af. Hij was niet van plan tijdens de bevalling in huis rond te lummelen, hij was hier om te eten en over een uur zou hij in zijn witte kano weer over de Beaver River varen. Zijn muts was wit, net als zijn jas van zeehondenbont, zijn canvas broek en zijn laarzen. Zo waren generaties mannen in Labrador in de lente op jacht gegaan.

Een eend kon een witte kano niet onderscheiden van een ijsschots. De kano, met de jager erin weggedoken, gleed gevaarlijk door het donkere water, stilletjes vaart minderend in de buurt van de groep eenden, of die nu door de lucht vlogen of met hun dikke buiken in het water lagen. Treadway leefde voor al dat wit en de stilte. Anders dan Graham Montague kon hij niet met zijn oren kijken, maar als hij alle begeerte uit zijn binnenste weerde, kon hij diep landinwaarts ijs horen smelten. Hij kon de medicinale geur van theeplanten met hun leerachtige bladeren en oranjekleurige behaarde onderkanten opsnuiven en uit de manier waarop de eenden vlogen, opmaken wat een jager te doen stond. Duiken, draaien, verschillen in snelheid en aarzelingen vertelden hem precies wanneer hij zijn wapen omhoog moest brengen of het juist verborgen moest houden. Hun patronen stonden duidelijk zichtbaar in de lucht geschreven, maar Treadway kon best begrijpen dat Graham Montague eenden kon raken, ook al was hij blind. Hij had zelf ook de constante mathematische relatie tussen de positie van de eenden en het holle, vegende geluid van hun vleugels opgemerkt – een ander geluid voor elke draai – en het geluid van hun stemmen die de stilte doorbraken. De bewegingen van de eenden waren de kalligrafie van de witte jager.

Dit was een soort boodschap die jongere mensen niet meer herkenden, maar Treadway ving elke lijn en nuance op. Er waren woorden voor elke beweging van een eend en Treadway had al die woorden van zijn vader geleerd. Mensen die vijf jaar jonger waren dan hij kenden slechts de helft van die woorden, maar hij kende ze allemaal. Hij kon ze gebruiken, hij kon ze met zijn lichaam aanvoelen. Zo leefde hij geleid door de nuances van wilde vogels boven land en water en door de pootafdrukken en sporen van takken in de sneeuw langs zijn vallen, en het deel van hem dat die talen verstond, walgde van elk uur dat hij binnenshuis moest doorbrengen. Klokken tikten, op meubels stonden snuisterijen, verschaalde lucht slipte zijn poriën binnen en verstikte hem. Het was in feite helemaal geen lucht maar een verstikkend gaas vol stofjes en altijd te warm. Als de vrouwen die droomden over een leven zonder hun echtgenoot wisten wat hij dacht, zouden ze niet zo opgewekt over een vrijgezellenleven fantaseren. Treadway praatte er nooit over met andere mannen, die onder het genot van warm brood en potten koffie met elkaar zaten te lachen, maar hij droomde wel degelijk. Hij droomde ervan dat hij zijn leven over zou kunnen doen en dan zou hij leven als zijn oudoom Gaetan Joseph, nooit getrouwd maar eigenaar van een kleine hut, honderdvijftig kilometer verderop langs de vallenroute. Een man die leefde op hard brood, meel, spliterwten en thee, die een tafel had die was gemaakt uit de stam van een spar met tweehonderd jaarringen, een slaapbank van zeehondenvel en een kleine kachel. Dan had Treadway gelezen en gemediteerd, vallen uitgezet, huiden hebben geprepareerd en gestudeerd. Gaetan Joseph had Plutarchus, Aristoteles en Pascals *Pensées* bestudeerd, en Treadway had een paar van die oude boeken in zijn eigen jachthut. Hij had ook andere boeken die hij tot diep in de nacht las, gezegend door de eenzaamheid van zijn vallenroute. Dat deden veel jagers. Ze gingen van huis, ze zetten vallen uit, ze mediteerden en studeerden. Treadway was een van hen: een man die niet alleen woorden bestudeerde maar ook de paden van in het wild levende wezens, het pulseren van het noorderlicht, de banen van de sterren. Maar hij wist niet hoe je vrouwen moest bestuderen, hij kon de banden van een gezinsleven niet begrijpen en hij was niet in staat binnenshuis echt gelukkig te zijn. Er waren momenten waarop hij wenste dat hij nooit was verleid door de mooie nachtponnen die Jacinta droeg en die waren gemaakt van zulke dunne lintjes en stof dat je er nog niet eens de allerkleinste ouananiche-zalm in zou kunnen dragen. In zijn buitenwereld kwam het licht dat als een sluier om de Plejaden hing nog het dichtst in de buurt van die nachtponnen. Tot zijn bibliotheek behoorde ook een bijbel en hij moest altijd aan de schoonheid van zijn vrouw denken bij de regels 'Kunt gij de banden der Plejaden binden, of de boeien van de Orion slaken'. Hij had die woorden op zijn harde slaapbank gelezen wanneer hij maanden van haar weg was en toen herinnerde hij zich weer meteen hoe mooi ze was. Maar vertelde hij haar dat ooit? Nee, dat deed hij niet.

Wanneer Treadway thuis was en was bijgekomen van al die eenzaamheid, had hij zijn vrouw lief omdat hij had beloofd dat te doen. Maar het hart van de wildernis lokte hem en daarvan hield hij meer dan van welke belofte ook. Dat wilde hart was een gemoedstoestand, maar het had ook een geografische plek. Het was een meer dat geen naam had. Canadese kaartenmakers hadden het meer een naam gegeven, maar de mensen die in het binnenland van Labrador woonden, hadden er een andere naam aan gegeven, een naam die een geheim blijft. Vanuit een draaikolk midden in het meer stroomt rivierwater twee kanten op. Het stroomt in zuidoostelijke richting naar de Beaver River en via de Hamilton Inlet en langs Croydon Harbour de Atlantische Oceaan in en de andere stroom gaat in noordwestelijke richting naar Ungava Bay. Het kolkende midden van het meer was niet alleen de geboorteplaats van seizoenen en spieringen en kariboes, maar ook van een diepe kennis waar iemand in een huiselijke omgeving niet bij kon. Aan het eind van het seizoen verliet Treadway die plek en ging trouw terug naar zijn huis dat hij bereidwillig had gebouwd toen hij twintig was, maar hij zag dat als het huis van zijn vrouw, terwijl de plek waar water van richting veranderde van hem was en later van een zoon die hij misschien zou krijgen.

Nu glinsterde het hoofd van de eerste baby van hem en Jacinta heel mooi in de witte badkamer, zonder dat hij dat zag, en hetzelfde gold voor de schouders, de buik met de navelstreng, de penis, dijbenen, knieën en tenen. Thomasina verwijderde met haar pink een slijmprop uit de mond van de baby, streek met haar grote hand over het gezicht, de buik en de billen alsof ze boter op een van haar warme broden smeerde, en bracht de baby terug naar zijn moeder. Toen de baby werd aangelegd aan de borst van Jacinta zag Thomasina iets bloemachtigs. Een testikel was niet ingedaald, maar er was ook nog iets anders. Ze wachtte die eeuwige seconde die vrouwen wachten wanneer ze door iets afschuwelijks worden besprongen. Het is een moment waarin mannen nooit wachten, een moment dat een deur opent naar leven of dood. Vrouwen kijken naar binnen, omdat daar iets kan leven. Wat Thomasina begreep toen ze deze keer door de opening keek, was dat er ook iets mis kan gaan. Niet alleen met het kind dat je ziet, het kind van een andere vrouw, maar ook met je eigen kind – op elk moment, hoeveel je ook van dat kind houdt.

Thomasina boog zich op de zorgzame manier van een vroedvrouw over Jacinta en de baby heen en wikkelde een deken om het kind: een katoenen deken die al vele keren was gewassen. Ze vond het geen goed idee om iets nieuws of synthetisch in aanraking te brengen met de huid van een pasgeborene. Terwijl ze de deken beter op zijn plaats bracht, duwde ze het ene testikeltje opzij en zag dat de baby ook schaamlippen en een vagina had. Dat verwerkte ze terwijl Treadway in een andere kamer zijn theezakje in de afvalemmer deponeerde, de korst van zijn snee brood aan de hond gaf en de voordeur dichtdeed om voor de laatste keer op een perfecte eendenjacht te gaan. Ze liet hem gaan. Thomasina vroeg Eliza en Joan om warme handdoeken voor Jacinta. Zij overhandigde die zelf aan Jacinta om ze het bloed na de bevalling te laten opzuigen en hielp haar toen in de badjas die ze de eerste paar dagen zou dragen.

Daarna zei ze: 'Als je het niet erg vindt, vraag ik de anderen nu om weg te gaan. Wij moeten even praten.'

2

De Beaver River

Als Wayne niet in 1968 was geboren op een plaats waar rendiermos zich als een wit en groen tapijt uitspreidt, waar rookpluimen uit de huizen komen en goudkleurig zand zo ver weg is dat er geen grote groepen mensen naartoe gaan – het zand ligt eenzaam uitgestrekt onder het noorderlicht – was alles misschien anders gegaan. Treadway was geen onvriendelijke man. Zijn buren zeiden dat hij bereid was je zijn laatste cent te geven. En als zijn hemd niet doorweekt was geweest van zweet door het slepen met hout, het villen van dieren en het hakken van wakken in het ijs, had hij dat misschien ook wel weggegeven. Hij was teerhartig als het om mensen ging die naar zijn gevoel minder getalenteerd waren dan hij en dat waren veel mensen. Hij hielp iemand hout te hakken, een huis te bouwen of op de juiste plaats een gat in het ijs te boren. Niet om duidelijk te maken dat hij daar beter in was, maar om die persoon tijd te besparen. Die dingen deed hij omdat hij behulpzaam wilde zijn, en misschien gewoon uit vriendelijkheid.

Pure vriendelijkheid bewaarde hij voor zijn honden. Tijdens een jacht had hij per ongeluk in het oog van zijn oude Engelse setter geschoten, een zachtaardige hond wiens bek teder trilde rond elke vogel die hij van Treadway moest apporteren. Treadway had de jacht meteen gestaakt, ook al hield dat in dat hij later opnieuw zou moeten beginnen en dat het hem veel tijd zou kosten om voor de winter voldoende eenden in voorraad te hebben. Hij was met de hond in zijn slee honderdvijftig kilometer verder naar dierenarts Hans Nilsson gegaan en had hem honderd dollar betaald om midden in de nacht op te staan en de wond te behandelen. Toen Hans hem had verteld dat de hond het oog kwijt zou raken, had hij gehuild omdat het zijn schuld was en hij was zelf pas weer gaan eten toen de hond kon eten, ook al had Jacinta vleesballetjes met jeneverbessen gebakken in zuiver wit varkensvet. Hij geloofde dat de hond het fijn vond te kunnen kijken, dat waardevol vond en er zelfs van genoot, en het deed hem erg veel verdriet dat hij het vermogen van het dier om het talent in de praktijk te brengen waarvoor jachthonden zijn geboren teniet had gedaan. Hij hield de hond, ook al kon die niet langer jagen en had geen van zijn voorouders ooit een hond gehouden die alleen een huisdier was. Pas toen het dier zoveel last van reuma kreeg dat hij niet zonder pijn kon lopen, gaf Treadway toestemming hem te laten inslapen. Op die dag liep hij naar de rivier en staarde meer dan een uur naar het water, waarbij hij niet alleen dacht aan het feit dat hij jegens zijn hond had gefaald, maar zich ook afvroeg hoe hij een betere man zou kunnen zijn door meer aandacht te besteden aan elk detail en niets te laten passeren wat niet in orde was.

Nadat Treadway die hond had verloren, zeulde hij met hout, vilde dieren, zweette en beminde op zijn eigen manier. Hij hield van Jacinta omdat ze fatsoenlijk en aardig voor hem was en het laatste wat hij wilde was haar verdriet doen. Hij speelde spelletjes met haar als hij thuis woonde: spelletjes die zij leuk vond, zoals cribbage, wat ze hem had geleerd toen ze net getrouwd waren. Daarvoor moest hij zichzelf geweld aandoen. Hij moest zichzelf dwingen niet te denken aan de manier waarop hij van plan was de ribben van zijn slee scherper te maken of de kaken van zijn vallen met zeehondenolie te bewerken. Dat zette hij van zich af om haar, als hij bij haar was, niet het idee te geven dat hij met zijn gedachten heel ver weg was. Hij had tedere gevoelens voor haar, die deels voortkwamen uit het feit dat hij met haar te doen had omdat zij binnen moest blijven en een leven moest leiden dat niets te maken had met alles wat groots en wild was en hij niet kon begrijpen dat zij daarvan kon genieten. Door de spelletjes en de momenten waarop ze intiem met elkaar onder de lamp aan tafel aten, wist hij dat ze graag iets meer had gewild, maar wat dat was wist hij niet. Hij wist niet dat ze dacht aan de stad waar ze vandaan kwam, aan de regen op de leistenen daken van de winkels aan Water Street daar, aan een man die gedichten en filosofische werken las en haar dat ook vertelde, aan een man die het boek gewoon op de tafel zou leggen, naast het brood, de restanten geroosterd eend en de wijn, en er met haar over sprak.

Soms kunnen geheimen voor een echtgenoot verborgen worden gehouden en Treadway had dagen na de geboorte de waarheid over zijn kind nog niet gehoord. Met voorzichtige vingers onderzocht Jacinta haar baby als Treadway niet in de kamer was. Wanneer hij er wel was, of als er bezoekers waren met zelfgemaakte appeltaarten, patrijsbessencake en kariboeragout onder een dikke laag bladerdeeg met jus die uit de met een mes gemaakte inkepingen borrelde, keek ze volkomen geconcentreerd naar haar kind en niets kon die concentratie verbreken. Buren liepen om haar heen en praatten, maar het leek alsof zij zich onder water bevond en de anderen niet. Maar dat verschilde niet echt met de normale houding van een vrouw die net moeder was geworden naar haar kind toe. Niemand verwachtte van haar dat ze over koetjes en kalfjes zou babbelen.

Thomasina voerde de gesprekken en door zich in wonderbaarlijke bochten te wringen slaagde ze erin het eerste wat over een pasgeborene werd gezegd niet over haar lippen te laten komen. Treadway vond haar de verstandigste van de vriendinnen van zijn vrouw.

'Eliza Goudie geeft veel te veel geld uit aan witte sandaaltjes en die jurken uit een catalogus, die met bobbeltjes zijn bedekt,' had hij een keer tegen Jacinta gezegd.

'Je bedoelt seersucker.'

'En witte sandalen. Dingen die in dit klimaat niet praktisch zijn om te dragen.' En hij kon er ook niet over uit dat Joan Martin haar man verboden had hout in de buurt van hun huis op te stapelen, zodat zij een eigenaardig soort tulp kon planten die alleen ergens in een botanische tuin hoorde te staan.

'Keizertulpen,' zei Jacinta. 'Zo heten ze.'

Hoe sterk Thomasina was, bleek uit het feit dat ze acht dagen in het huis van Treadway kon blijven zonder dat hij daartegen protesteerde. Dat was zelfs de moeder van Jacinta niet gelukt toen ze nog leefde. Treadway schopte niemand regelrecht de deur uit, maar hij kon wel zo kil en vijandig reageren op een gast die te lang bleef dat niemand dat volhield, al waren ze nog zo onverstoorbaar. Hij was een man die niet wilde dat vreemden hem op de vingers keken, ook al hadden zijn vaste gewoontes niets opmerkelijks. Hij wilde gewoon in zijn eigen huis wonen als dat moest en zijn dagelijkse bezigheden verrichten zonder dat iemand naar hem keek of iets tegen hem zei. De uitzondering was zijn eigen vrouw, die het niet erg leek te vinden wanneer hij haar aanwezigheid negeerde.

'Als ik niets tegen hem zei,' had Jacinta wel eens tegen Joan en Eliza gezegd, 'zou hij volgens mij een jaar lang tegen niemand anders dan zijn honden praten.' Hoewel het als verraad aanvoelde, zei ze dit als de vrouwen spottend over echtgenoten in het algemeen spraken. En omdat Joan en Eliza dergelijke dingen over hem wisten, bejegenden ze hem een tikje geamuseerd. Dat ontging hem niet en daardoor kon hij hen niet in zijn huis velen, dus kwamen ze nauwelijks wanneer hij thuis was. Maar omdat Thomasina serieuzer was dan zij, en omdat ze niets voor zichzelf deed en alles voor Jacinta en de baby, kon zij acht dagen blijven zonder dat Treadway dat afkeurde, ook al betekende het dat hij uitsluitend het halfuurtje voordat ze gingen slapen echt met zijn vrouw alleen kon zijn.

'Is alles oké?' vroeg hij op de achtste dag aan Jacinta terwijl hij met zijn immense, troostende hand haar buik verwarmde, van haar huid via haar baarmoeder en haar eileiders tot haar onderrug. Ze praatte met haar vriendinnen niet over die kalme warmte van hem, en evenmin over haar grote vertrouwen in zijn vermogen een veilig thuis te scheppen. Bij Eliza thuis was alles veel onstabieler. Haar echtgenoot dronk en ze werd telkens weer verliefd op een andere man. Dit jaar was het de nieuwe aardrijkskundeleraar van haar kinderen, een man die tien jaar jonger was dan zij, die uit Vermont kwam en in een kamer woonde in het souterrain van de plaatselijke functionaris van het Natuurfonds. De verliefdheden van Eliza kwamen altijd van één kant, maar ze inspireerden haar zoals het werkelijke leven dat niet kon. Als gevolg daarvan leek haar eigen huis niet echt door haar bewoond en liepen haar kinderen en haar echtgenoot er verloren in rond. Joan was minder geneigd verliefd te worden, maar dat gold niet voor haar echtgenoot. Heel Croydon Harbour wist dat hij in het binnenland een Innuvrouw had die hem drie dochters en een zoon had gegeven, terwijl Joan geen kinderen had.

'Alles is perfect.' Jacinta loog nooit tegen Treadway. Elke morgen at hij havermoutpap als ontbijt, met zout erop. Zijn onderkleding was gemaakt van schapenwol. Als ze de liefde bedreven, kwam ze elke keer klaar en dat wist hij. Als ze heel erg moe was, streelde hij haar voorhoofd en haar haren tot ze in slaap viel. Als hij iets deed wat haar irriteerde, zoals smerige sokken op de sprei leggen, vroeg ze hem dat niet te doen en vond hij dat niet erg. Ze was het met hem eens over de onpraktische sandalen van Eliza, maar niet over de tulpen. 'Het zal Harold Martin geen kwaad doen zijn hout bij het eind van de omheining te hakken en op te stapelen, zodat zij van die tulpen kan genieten,' zei ze. Treadway ging daarover niet in discussie en vatte het ook niet op als een belediging aan het adres van echtgenoten.

Maar over hun eigen pasgeboren baby loog Jacinta wel.

In het journaal was melding gemaakt van een Siamese tweeling met zo sterk met elkaar vergroeide schedels dat artsen overal ter wereld zich er geen raad mee wisten. De moeder – Jacinta had haar op de televisie gezien – had van die baby's gehouden en was tot de stellige conclusie gekomen dat het er niet toe deed dat ze aan elkaar vastzaten. Ze zou hen beiden, hoe dan ook, op deze wereld grootbrengen en Jacinta had geen medelijden met haar gehad. Ze wist dat je met niemand medelijden moest hebben. Dat was een van de dingen die ze had geleerd. Van medelijden werd niemand iets wijzer. Mensen moesten doorgaan. Ze had stiekem gedacht dat de vrouw op een dag wel bij haar positieven zou komen en de baby's zou toestaan te sterven.

Maar als jij de moeder bent, stap je daar gewoon overheen. Als jij de moeder bent, maal je niet om albinohaar. Als jij de moeder bent en niet iemand die naar die moeder kijkt, stap je over vreemd gekleurde ogen heen. Dat doe je ook als er een hand ontbreekt, of als er sprake is van het syndroom van Down, een open ruggetje of een waterhoofd. Je zou zelfs over vleugels heen stappen, of over een long buiten het lichaam, of een ontbrekende tong. Zoiets waren de penis, het ene testikeltje, de schaamlippen en de vagina voor Jacinta. Baby Wayne sliep in zijn wieg onder zijn groene dekentje. Zijn zwarte naveltje stak uit en Jacinta maakte het schoon met alcohol, wachtend tot het eraf zou vallen. Ze speelde met zijn rode voetjes en voelde zich met hem verbonden wanneer hij haar tepel in zijn mondje nam en dronk terwijl hij langzaam opkeek, naar haar sleutelbeen, naar het plafond, naar Thomasina of de kachel of de kat, terug naar haar sleutelbeen en dan weer omhoog, tot hij haar ogen had gevonden en haar strak aankeek. Dat leek bijna op vliegen, vliegen door het noorderlicht of langs een nachtelijke hemel van Chagall, met een kleine witte geit die je de zegen gaf. Alles tussen Jacinta en deze baby was een zegening en er waren momenten waarop ze helemaal vergat wat ze voor haar echtgenoot over hem verborgen hield.

'Alles is oké,' zei ze tegen Treadway en ze geloofde dat dat snel waar zou worden.

'Het enige wat ik nodig heb, is iets meer tijd,' had ze eerder tegen Thomasina gezegd. 'Dan zal alles duidelijk worden. Dan zal het vanzelf worden rechtgetrokken. Met de baby zal alles in orde komen. Op een manier die wij nog niet kennen.'

Treadway bleef dezelfde vraag stellen. 'Is de baby gezond?' Jacinta wist dat hij iets nooit zomaar vroeg en dat nu ook niet deed. Hij vroeg haar om een eerlijk antwoord. Maar wat was het meest eerlijke antwoord?

'Ja.' Ze probeerde dat met haar normale stemgeluid te zeggen, maar het kwam er fluisterend uit. De kracht van haar stem, haar echte, eenvoudige toon waarvan Treadway hield zonder dat ooit tegen haar te hebben gezegd, klonk in dat gefluister niet door. Ze wenste dat ze kon teruggaan in de tijd en nogmaals 'ja' kon zeggen. De hitte van Treadways hand straalde nog altijd door tot diep in haar buik.

'Hij is een grote baby,' zei Treadway, en de hitte verdween.

Waarom zeg je 'hij', wilde ze eruit flappen. Wacht je tot ik het beken? Maar dat zei ze niet. Ze zei weer ja, luider dan normaal deze keer omdat ze niet wilde dat nog meer gefluister haar zou verraden. Haar ja klonk als een schreeuw in hun stille kamer. Het was altijd stil in hun slaapkamer. Treadway wilde graag een plek hebben waar hij tot rust kon komen, rustig kon slapen onder een witte sprei, zonder muziek op de radio of rommel, en dat gold ook voor haar. Ze lag te wachten tot zijn hand haar buik weer zou verwarmen, maar dat gebeurde niet. Had hij hem bewust weggehaald? Treadway was een man wiens warmte haar altijd verwarmde, tenzij ze ruzie hadden.

De volgende morgen zei Jacinta tegen Thomasina: 'Ik verstijfde helemaal. Wat moeten we doen?'

Elke keer wanneer het fortuin Thomasina toelachte – als haar mandjes van gras door de handwerkcommissie geaccepteerd werden, of als een Perzische roos ineens bloeide in deze omgeving waar niemand een roos kon kweken, zelfs niet de geharde John Cabotklimroos – wist ze dat geluk slechts één kant van de medaille was en dat die medaille altijd keerde. Ze was tot lang na haar dertigste vrijgezel gebleven. Toen had Graham Montague tegen haar gezegd dat hij het niet erg vond dat ze een kromme rug had en zich oud voelde en dat hij met haar wilde trouwen als zij dat ook wilde. In het jaar daarna was Annabel geboren en had Thomasina alle redenen gehad om gelukkig te zijn. Maar haar hart had geen sprongetje gemaakt, omdat ze extreme gevoelens niet vertrouwde. Terwijl ze jam dun op hun toast smeerden omdat ze het allebei fijn vonden het goudkleurige brood nog te kunnen zien, zei ze tegen Jacinta: 'We zullen van dit kind van jou en Treadway houden zoals het is geboren.'

'Zullen andere mensen ook van het kind houden?'

'Het kind is goed zoals het is. Er is meer dan genoeg plaats op deze wereld.'

Zo zag Thomasina het en dat was wat Jacinta wilde horen.

Een aantal dagen na de geboorte wist Treadway dat er een geheim was. Hij moest er alleen aandacht aan schenken op de manier die voor hem buitenshuis gebruikelijk was voordat de waarheid over de baby hem begon te dagen. Hij hoefde het kind niet met zijn handen te onderzoeken of ernaar te kijken wanneer niemand in de buurt was. Wanneer hij in de wildernis zijn gedachten de ruimte gaf, was dat een spiritueel gebeuren: een manier om met je hele wezen te kijken. Dat hielp hem vogels, kariboes en vissen te zien die onzichtbaar waren voor alle mensen die niet jaagden en hun tweede paar ogen niet hadden geopend. Hij voelde het geheim in het huis aan, precies zoals hij de aanwezigheid van een witte sneeuwhoen achter zich in de sneeuw aanvoelde, en de details van het geheim drongen op dezelfde manier tot hem door als het besef dat de vogel een sneeuwhoen was voordat hij zich omdraaide en het dier zag. Hij wist dat zijn baby zowel een jongen als een meisje was en hij wist dat er een beslissing moest worden genomen.

Waar was dit toch vandaan gekomen? In het verleden was er geen soortgelijke bloedverwant, geen verhaal dat Treadway zou kunnen gebruiken. Het was alleen de vraag welk geslachtsorgaan het meest voor de hand liggend was, welk het meest praktisch was om te erkennen, waarmee voor alle betrokkenen het gemakkelijkst te leven viel. Want als er één ding was waar Treadway altijd rekening mee hield was het de invloed die een van zijn beslissingen op de rest van zijn omgeving zou hebben. Wat privacy was begreep hij, maar voor praktisch egoïsme kon hij geen begrip opbrengen. Elke vezel van hem wist dat hij een lichamelijke band had met alles aan deze kust – niet alleen de mensen maar ook de hemel, het land en de sterren. Hij was een

Schot en een Inuit. En hij was eerlijk. Voor hem was het land een universeel brood, voedzaam in alle opzichten en voor iedereen bestemd.

Het idee van Jacinta en Thomasina – zijn baby te laten leven zoals het kind was geboren – kwam geen moment in zijn hoofd op. Dat zou naar zijn idee geen beslissing zijn geweest. Dat zou besluiteloos zijn en schade veroorzaken. Welke schade, daar wilde hij niet eens aan denken. Hij was geen man met een grote verbeeldingskracht. Hij doorzag dingen, maar hij had geen zin een mogelijkheid in overweging te nemen die zich nog niet had aangediend. Hij wilde weten wat er was, niet wat er zou kunnen zijn. Dus weigerde hij zich voor te stellen welke ellende er in het verschiet lag voor een kind dat niet alleen een zoon of een dochter was maar beide. Hij vulde een zak met brood, vlees en thee en ging de deur uit. Hij nam zijn geweer niet mee en liep naar een hoger gelegen stuk land waar hij naar de adelaars en de vossen kon kijken en zich door die dieren het meest praktische en wijze pad kon laten wijzen.

Die eerste acht ochtenden werkte Thomasina in zijn keuken, kneedde brooddeeg, liet bonen weken, wrong luiers uit en zorgde voor de moeder omdat Jacinta zich zonder gezelschap erg veel zorgen zou zijn gaan maken. Jacinta piekerde al genoeg voor twee over alles wat Treadway weigerde zich voor te stellen. Terwijl hij er in zijn eentje op uit trok om te besluiten hoe die angstaanjagende tweeslachtigheid van hun kind ongedaan gemaakt kon worden, stelde zij zich voor dat ze er gewoon mee leerden leven. Ze stelde zich haar dochter voor, mooi en volwassen, in een jurk van felrode satijn, haar mannelijke kenmerken onder de kleding geheim gehouden voor een moment waarop ze de kracht van een krijger en de machtige agressie van een man nodig zou hebben. Of ze stelde zich haar zoon voor als een getalenteerde mythische jager, zijn borsten verborgen onder een strak vest, zijn kleding groen als teken van vooruitgang, zijn hart het hart van een vrouw die zijn pad richting kon geven door intuïtie en psychologisch inzicht. Als ze fantaseerde over hoe haar kind zou opgroeien zonder dat een bevooroordeelde wereld tussenbeide kwam, stelde ze zich ook voor dat zijn mannelijke en zijn vrouwelijke kant elkaar complementeerden en een geheime, bijna magische kracht hadden. Aan het opgroeien zelf wilde ze niet denken. Niet aan de sociale kanten ervan, aan het naar school moeten gaan in Labrador, aan het pesten, aan de vraag wat ze iedereen moesten vertellen, aan de vraag hoe ze het kind zoveel liefde konden geven dat het geen schade zou ondervinden van de wrede reacties van mensen die het niet wilden begrijpen.

Thomasina haalde Jacinta uit dergelijke overpeinzingen door er helemaal voor haar te zijn. Ze zorgde voor de keuken en voor de kachel waardoor het gewone leven zijn gangetje leek te gaan en haar ogenschijnlijk normale, huiselijke bezigheden maakten duidelijk dat zij het zonder meer accepteerde. Wanneer Thomasina het kind van Jacinta overnam om haar de kans te geven even te eten, naar de wc te gaan of een halfuurtje uit te rusten op de slaapbank, voelde ze gewoon dat Thomasina vond dat het feit dat het kind anders was een vreemde zegening was die moest worden beschermd. Dat het een voordeel was, zelfs een sterk punt. Thomasina verborg die onderhuidse opvatting achter een zakelijke en zo normale manier van doen dat zelfs de grootste tegenstander van toverij er niets van zou kunnen merken. Op het moment dat Treadway terugkwam van zijn tocht naar het hoger gelegen stuk land, stond ze patrijsbessen met suiker te koken waardoor de lucht in de keuken doortrokken was van hun bloederige, mosachtige geur die eerder aan spijt dan aan iets zoets doet denken.

Toen Treadway eindelijk het woord nam, werd het geen drama. Hij zat een hele tijd aan de tafel in zijn thee te roeren. Thomasina was bijna aan bidden toe, maar hulpeloos was ze niet. Ze bood de situatie het hoofd, zag die onder ogen.

Terwijl Treadway naar zijn blauwe schoteltje van Royal Albert-porselein keek, zag Thomasina dat hij wist wat er aan de hand was met de baby die Jacinta onder een gehaakte deken op de slaapbank bij de kachel zat te voeden.

‘Omdat geen van jullie een beslissing gaat nemen doe ik dat wel,’ zei hij. ‘Hij zal een jongen zijn. En ik noem hem Wayne, naar zijn grootvader.’

Jacinta bleef de baby voeden en op haar gezicht verscheen een opgeluchte uitdrukking. Niet vanwege de beslissing die hij had genomen, maar omdat hij had erkend dat hun baby was geboren zoals hij was. Thomasina ging staan, keek naar Treadway en zei: 'Wees voorzichtig.'

'We zullen de dokter erbij halen en dan zien we wel verder,' zei Treadway.

Nadat Treadway had gesproken daalde er een soort heilige rust over het huis. Treadway en Jacinta zorgden voor elkaar en voor de baby. Niemand keek toe of gaf raad en zelf zeiden ze ook niet veel. Treadway duwde de haren van Jacinta teder naar achteren, om te kunnen zien hoe het kind dronk, en hij onderzocht het kind niet één keer. Hij behandelde het ook niet kritisch. Ze kon zien dat hij van het kind hield. Er was niets mis mee, behalve dan de tweeslachtigheid. Het kind dronk, maakte geluidjes en sliep, en zijn huid was koel. Wanneer het in de keuken te heet werd, lieten de ouders het vuur in de kachel doven om te voorkomen dat er rode vlekken op de wangetjes verschenen en als het te koud werd wikkelden ze de baby stevig in een dekentje. Treadway hield het kind op zijn schoot, wiegde het en zong liedjes. Dat hij zo mooi kon zingen, was een van de dingen die andere vrouwen dan Jacinta niet wisten. Hij zong zijn eigen liedjes, liedjes die hij improviseerde als hij in zijn eentje in de wildernis was geweest en ook oude liedjes van Labrador, die waren doorgegeven door generaties pelsjagers, nomaden en jagers die de kariboe hadden horen spreken. De baby vond het prachtig en werd zo in zijn prille leven bij het wakker worden begroet met warmte en liedjes en kleuren. En als hij weer wegdoezelde, droomde hij dromen die waren geweven door liedjes van zijn vader.

Veertien dagen later ging Treadway weer weg om op jacht te gaan. Het was een van de laatste dagen dat je in de sneeuw kon jagen. Als het ijs ging smelten en de natuur een beetje minder wit werd, wist elke jager door een inwendig meetsysteem dat de jacht ten einde was. Niet omdat het niets meer zou opleveren – rond de kust was nog altijd veel ijs te vinden, waardoor een jager zich goed verborgen kon houden – maar omdat het oneerlijk was. Trekvogels kwamen in groten getale terug om te broeden en vele hadden jongen of moesten hun eieren warm houden. De vogels verlieten het nest alleen even om te jagen, om eten voor hun jongen te vinden, en de jagers in Labrador wisten wat er op het spel stond: de mogelijkheid om het jaar daarop weer te jagen én het voortbestaan van de dieren. Dat respect zat heel diep bij de jagers – los van elke vorm van eigenbelang.

Dus liet Treadway op deze dag tegen het eind van het jachtseizoen zijn gezin thuis achter, en dat deden de andere mannen uit Croydon Harbour ook. Hetzelfde gold voor Annabel, de dochter van Thomasina, en Graham Montague, haar echtgenoot, die in een witte kano de Beaver River op gingen.

3

Thomasina buiten de kerk

Bij de begrafenis van haar eigen man Graham en haar dochter Annabel ging Thomasina niet de kerk in, omdat buiten de blauwe vlinders waren die tussen de rietstengels dartelden die in de zonnige hoek bij de zee door de sneeuw heen staken. Thomasina stond bij die hoek, een kleine raamloze hoek op het zuiden, en ze leunde tegen de houten planken, met haar ogen dicht en haar gezicht opgeheven naar de zon. Jacinta had niet geprobeerd haar ertoe over te halen de kerk in te gaan. Maar alle anderen zeiden dat Thomasina tijdelijk krankzinnig was geworden, want hoe kon je anders verklaren dat een vrouw geen troost wilde putten uit de rode en blauwe glazen kaarsenhouders vol licht, uit de glas-in-loodramen met de apostel Marcus die met een bruine duif stond te praten, uit het gebedenboek en de dienst voor een overledene, uit het bijeenkomen van de parochianen, het plechtige gedrag van de acht slippendragers en de twee kisten die waren gemaakt van planken die Graham Montague met de hand had geschaafd omdat hij van plan was een bureau voor zijn vrouw te maken?

Thomasina had geen zwarte jurk aan. Ze had geen zwarte hoed op, niet eens een zondagse hoed van groen of lavendelkleurig vilt met een satijnen band. Ze had haar gewone jas aan: een jas van blauwe wol met platte knopen die van haar moeder was geweest. Daaronder droeg ze gewone kleren: een grijs-met-groene jurk zonder ceintuur, want ze haatte ceintuurs, en ook zonder mouwen, want ze hield van jurken waarin je kon werken zonder te worden gehinderd door naden of kleine openingen, vetergaatjes en lastige sluitingen. Ze gaf de voorkeur aan een jurk die je over je hoofd kon aantrekken en vervolgens kon vergeten.

Die dag kon ze het niet verdragen de kerk van binnen te zien. Op andere dagen vond ze het prettig in de kerk te zingen. Ze maakte deel uit van het kleine koor en dan droeg ze hetzelfde gewaad als alle anderen. Maar vandaag kon ze niet naar binnen. Ze wilde haar gedachten aan Graham en Annabel niet opsluiten binnen de muren die het licht van deze lentedag buitensloten. In de kerk rook het naar oude houten kerkbanken, het papier van oude gebedenboeken en de zeep en het parfum van mensen die zich goed genoeg hadden gewassen om een kerkdienst bij te wonen. Ze kon het niet verdragen het leven van haar echtgenoot en haar dochter tot dit ritueel gereduceerd te zien terwijl buiten de zon scheen, de hemel zich eindeloos uitstrekte, insecten na de lange winter weer terug waren en vogels zelfs vrolijk zongen, ook al waren Graham en Annabel verdronken. Dit was de litanie die ze wilde horen. Ze begreep er helemaal niets van, maar dit wilde ze horen en dat zou niet kunnen als ze naar binnen ging.

Als ze achteroverleunde, tegen de planken aan, kon ze horen wat er in de kerk werd gezegd. Ze hoorde laag gemompel, trieste muziek uit het traporgel dat Wilhelmina Simpson uit Boston had meegenomen en waarop ze binnenkort 'Christus onze Heer verrees' zou spelen omdat het dit jaar vroeg Pasen was – de maan was nu bijna vol en maart was nog niet ten einde. De mensen in die kerk beseften niet dat Thomasina met Pasen liederen ter ere van de verrijzenis zou kunnen zingen. Ze wisten niet dat zij een ander beeld had van de verrijzenis dan de kerk en dat hetzelfde gold voor Christus, het licht, onsterfelijkheid en heiligheid. Voor Thomasina was Christus niet zozeer een persoon als wel een open stukje in het gras, een streep zonlicht, een warme plek in de eenzaamheid. Ze had nooit respect kunnen opbrengen voor glas-in-lood of een altaar. De kleine vleugels van die vroege vlinders waren haar glas-in-lood. Het stukje aarde dat onder de smeltende sneeuw zichtbaar werd, was haar altaar. Haar moeder had haar niet voor niets de naam Thomasina gegeven. 'Als je een jongen was geweest had ik je ongelovige Thomas genoemd, naar de discipel die de spijkerwonden in de handen en voeten van Christus met zijn eigen ogen wilde zien. Maar je was een meisje. Dus heb ik je ongelovige Thomasina genoemd,' had haar moeder tegen haar gezegd toen ze nog klein was.

Na de begrafenisdienst, toen Wilhelmina Simpson Bachs 'Schäfe können sicher weiden' speelde – de hymne die ze bij elke begrafenis ten gehore bracht – liepen de mensen de heuvel af naar de begraafplaats. De grafdelvers Simon Montague en Harold Pierson lieten de kisten zakken en Thomasina keek vanaf haar door de zon beschenen hoekje naar het deel van de stoet dat ze kon zien. Ze stond daar terwijl de wind met haar jas speelde, vaag onheilspellend, iemand die buiten de grenzen was getreden van wat voor mensen op deze plek normaal was. Degenen die het waagden even haar kant op te kijken hadden het gevoel dat iemand iets moest doen, dat iemand naar haar toe moest gaan, een arm om haar heen moest slaan en haar moest meenemen naar de groep. Ze werden uiteindelijk geacht samen met haar te rouwen. Ze vonden dat iemand dat moest doen, maar niemand deed het. Toen de handjes aarde in de graven waren gegooid liepen de aanwezigen naar het kleine wijkgebouw tegenover de kerk. Ze liepen de heuvel op zoals ze die af waren gegaan, langs de oostelijke en noordelijke muur. Niet langs de zuidelijke en westelijke muur, op de hoek waarvan Thomasina stond. Met uitzondering van Jacinta, die de baby aan Treadway gaf.

'Ga een broodje eten en thee drinken,' zei ze tegen Treadway. 'En zeg tegen Harold Pierson dat het ijs van het dak van Thomasina's huis moet worden gehaald, voordat het ervan af valt en haar dood wordt.'

Jacinta liep voorzichtig tussen de distels van het vorige jaar door. Sneeuw belandde in haar enkelhoge laarzen terwijl ze naast Thomasina stond, haar gezicht net als Thomasina naar de zon ophief en tegen de muur van de kerk leunde, slechts een paar centimeter verwijderd van een spin met witte strepen die een regenboogkleurig web maakte. Niet veel plekken in Croydon Harbour konden de warmte vangen zoals dat hier gebeurde. Jacinta zag de blauwe vlinder – in werkelijkheid een motje, een motje dat je in modderpoelen zag, maar aantrekkelijk om te zien en even lichtblauw als de lentehemel – en ze wist wat Thomasina deed. Jacinta vond haar niet krankzinnig en ze probeerde niet haar mee te slepen naar de ontvangst, of haar weg te halen van dit moment van vrede. Vrouwen kregen in hun leven niet veel van dit soort momenten in een verborgen hoekje, met de zon die op hun oogleden scheen en niemand in de buurt die om iets vroeg. Niemand die om het zout vroeg, of vroeg te wachten op een man die over drie maanden naar huis kon komen of niet. De vrouwen in Croydon Harbour wisten altijd wat er van hen werd verwacht en ze deden wat ze moesten doen. Van de mannen werd ook verwacht dat ze dingen deden en dat deden ze ook, waardoor er geen tijd meer overbleef.

Jacinta deed haar ogen lang genoeg dicht om de vermoeidheid eruit te laten verdwijnen. Niet alle vermoeidheid, maar wel een deel ervan. Een lepeltje vermoeidheid uit elk oog. Kon ze hier maar zolang blijven staan als nodig was. Kon de zon maar aan de hemel blijven staan, kon de wind maar blijven liggen en waren er maar geen verplichtingen waaraan moest worden voldaan.

Het enige wat Thomasina nu wilde, was naar huis gaan. Ze wilde niet praten met mensen die haar het beste wensten. Ze wilde niet eten: koolrolletjes, rendierworst en rijst met kariboegehakt. Wie zou dat willen eten? Als zij iets te eten zou nemen, zouden dat melkbiscuitjes en thee zijn. De wind draaide en het moment van vrede in de zon was voorbij. De twee vrouwen kregen het koud. Thomasina liep naar haar huis en Jacinta ging met haar mee. Ze zeiden niets, maar ze liepen samen de keuken in: een eenvoudige keuken, schoon, met niets anders dan een theebus op het aanrecht. Thomasina kookte water en pakte biscuitjes en Jacinta en zij gingen zitten en zwegen tot Thomasina vroeg: 'Wat ga je met de baby doen?'

'Treadway wil dat hij als een jongen leeft.'

'Wat wil jij?'

'Ik weet niet hoe ik er met hem over in discussie moet gaan. Hij zou zeggen dat wat ik denk onzinnig is.'

'Onzinnig?' Gedurende de jaren die Thomasina met Graham Montague getrouwd was geweest had Graham haar daarvan nooit beschuldigd. 'Wat denk je dan?'

'Dat alles misschien zal veranderen als we gewoon wachten.'

'Dat zou kunnen.'

'Maar in mijn verbeelding blijft alles telkens weer veranderen. Andere dingen. Totaal andere dingen. De oren van de baby. Of zijn gezicht. Stel dat die – of andere dingen – veranderen, vraag ik me dan af. Ik wil niet dat er iets verandert. Ik wil de baby niets aandoen. Ik wil geen vergissingen maken.'

'Wil je alles meteen goed doen? Vindt Treadway dat wel zinnig?'

'Dat weet ik niet.'

'Als zinnigheid een patrijs in de wilgen is, moet je erachteraan gaan. Je weet niet waarheen het dier gaat. Noem je de baby een zij?

'Nee.'

'Heb je dat wel geprobeerd?'

'Niet hardop.'

'Misschien wil ze dat wel horen. Misschien wil ze horen dat je haar "mijn dochtertje" noemt.'

Jacinta zette haar beker met de ruitenkoningin erop neer. 'Thomasina, ik vind het heel erg dat je Annabel hebt verloren.'

Thomasina nam een slokje thee. Ze streek het eeuwig gekreukelde plastic tafelkleed glad. 'Je moet wel voorzichtig zijn met wat Treadway met die baby wil doen.'

Aan de muur hing een spiegel waarin Jacinta hun gezichten kon zien. Ze besefte dat uit het ene, dat van haar, alle kracht was verdwenen, terwijl Thomasina nog kracht over leek te hebben. Jacinta had onderweg hierheen gedacht dat ze de andere vrouw zou moeten troosten, maar troost had Thomasina niet nodig.

'Als hier nu een onbekende naar binnen liep, zou die denken dat ik degene was die een echtgenoot en een dochter had verloren,' zei Jacinta.

'Jij zult Treadway alleen verliezen als je dat wilt. Hij is een echtgenoot voor het leven.'

'Dat weet ik.'

'Maar ik heb de indruk dat ik niet de enige ben die een dochter heeft verloren.'

'Ik heb "dochter" altijd een heel mooi woord gevonden,' zei Jacinta.

Het eerste wat Thomasina na de begrafenis deed, was het huis ontdoen van etenswaren die zij niet lekker vond. Worstjes van wild, grote stukken geroosterde eland, zeevogels die Graham met zijn net had gevangen. Die vulden een derde van haar vrieskist. Graham had dat allemaal lekker gevonden en ze had het graag voor hem klaargemaakt. De helft van de tijd had hij zijn eigen maaltijden bereid. Binnen hun huwelijk waren er geen scherp afgebakende rollen geweest. De mannen van Croydon Harbour waren buitenshuis gewoonlijk koningen – koningen van hun eigen terrein, de schuren en de omheiningen. De vrouwen waren binnenshuis koninginnen – koninginnen van geschilderde vensterbanken, gordijnvallen en tapijtreinigers. Thomasina en Graham hadden precies gedaan wat ze wilden. Ze wisten allebei hoe je een mes moest gebruiken om vis schoon te maken of brood te snijden, hoe je een vloer moest aanvegen, hoe je een hek moest repareren of de schoorsteen moest vegen. Thomasina was gewoon verstandig, zeiden de mannen, en ze liep rond in bruine vesten en met een net maar niet bepaald modieus kapsel. Ze had geen enkel paar schoenen waarmee ze niet minstens vijftien kilometer over ruw terrein kon lopen.

In tegenstelling tot Eliza Goudie met haar seersuckerjurk en haar witte sandalen en Joan Martin die er een speciaal apparaatje op nahield om tulpen te planten, zou Thomasina niet instorten door het verlies van haar echtgenoot. Hoewel die eerste twee over hun echtgenoten klaagden, zouden een lekkende kraan, een lekkend plafond of een op hun terrein omgevallen boom hen voor onoverkomelijke problemen hebben gesteld. Ze waren het soort vrouwen over wie de apostelen hadden geschreven dat ze alleen vanaf veilige afstand konden worden geholpen. Zij hadden in hun huwelijk niets van zichzelf behouden. Als ze bij elkaar waren, praatten ze gekscherend over hoe fijn het zou zijn als ze niet meer voor hun mannen hoefden te koken, maar als deze vrouwen ooit hun echtgenoot kwijtraakten, zouden ze even verloren zijn als een verweesde jonge zeehond.

Thomasina was geen jonge zeehond. Ze was een felle, volwassen grijs-met-zilverkleurige zeehond, die met haar hele wezen voorbereid was geweest op een dag als deze. Ze had het idee dat Jacinta ergens tussen die andere vrouwen en haar in zat. Jacinta zou zelfstandig kunnen worden. Ze had een uitstekend beoordelingsvermogen, maar durfde daar niet volledig op te vertrouwen. Ze had zichzelf gedeeltelijk, maar niet met hart en ziel, overgegeven aan de wijsheid van haar echtgenoot. Thomasina had het idee dat Jacinta nooit helemaal vrede zou hebben met een beslissing waarover zij en Treadway van mening verschilden. Thomasina en Graham waren laat getrouwd. Dat was misschien de reden waarom het nooit bij hen was opgekomen om te twijfelen aan elkaars beoordelingsvermogen. Thomasina had nooit vraagtekens gezet bij het blinde jagen van Graham, noch bij het feit dat hij Annabel meenam in de witte kano of welke andere boot, en hij had er geen bezwaar tegen gehad wanneer Thomasina in haar eentje of samen met Annabel naar het binnenland reisde – wat geen enkele andere blanke vrouw deed. Graham, Thomasina en hun kind werden daarbij telkens met gevaren geconfronteerd, maar ze ontdekten ook van alles en dat deden ze zelfstandig. Thomasina nam Graham niets kwalijk.

Geen van de mensen in het dorp wist hoeveel verdriet Thomasina had, omdat ze in hun aanwezigheid niet instortte. Dat deed ze ook niet in haar eentje thuis. Ze ging op de slaapbank onder het kleine raam met uitzicht op de achtertuin en de baai zitten en bleef daar op de ochtend nadat Graham en Annabel waren verdronken een halfuur voor zich uit staren. Die avond deed ze dat weer, net als de ochtend erna. Ze zat op de slaapbank omdat die op een plek tussen de andere vertrekken stond – niet in de huiskamer of de keuken waar het gezinsleven zich had afgespeeld. Dit was een ruimte waar iedereen doorheen liep en die onpeilbaar was – precies zoals Thomasina over mensen dacht. Ze had geen onwrikbare mening over het karakter van andere mensen, ze was niet iemand die de een egoïstisch noemde, die vond dat een ander veel te weinig zelfvertrouwen had en dat weer een ander de waarheid sprak of juist onwaarheden debiteerde. Voor Thomasina waren mensen rivieren, die van het ene moment op het andere konden veranderen. Het was niet eerlijk, vond ze, om mensen te behandelen alsof ze volledig afgeronde wezens waren. Iedereen groeide voortdurend en kromp weer. Voor haar was het ondraaglijk dat ze Annabel en Graham had verloren, maar ze had al eerder ondraaglijke dingen doorstaan en ze wist hoe ze verder moest. Ze had haar eigen manier om afscheid te nemen van haar beminde doden en dat deed ze in afzondering. Daarna was ze er weer voor degenen die nog leefden. Zeker, besloot ze, voor Wayne, het baby'tje van Jacinta dat niemand een dochter wilde noemen.

4

Meetlat

JACINTA LIET PILOOT OBED Wilson achter op de landingsbaan en liep het ziekenhuis in alsof ze gewoon met haar kind naar het consultatiebureau moest. Ze ging door de gang op de begane grond naar de achteruitgang, zag dat je die niet kon openmaken zonder een alarm in werking te stellen, liep naar een zijingang die de mensen die in de cafetaria werkten voor een rookpauze gebruikten, maakte die deur open, zag een terrein vol uitgebloeide distels en sint-janskruid, en zette het op een lopen. Ze rende naar het gaashek dat om het ziekenhuis stond en stopte bij het hek dat tweeënhalve meter hoog was, alsof vrouwen altijd probeerden met hun baby te ontsnappen. Erachter lagen een greppel en een stuk braakliggend land vol afval en roestende buizen, waar mannen aan het graven waren om een nieuw afwateringssysteem rond het ziekenhuis aan te leggen. Er dwarrelden af en toe sneeuwvlokjes omlaag en de enige kleuren die ze zag, waren bruin, wit, grijs en een groen dat zo donker was dat het net zo goed zwart had kunnen zijn. Als ze het bos in kon komen, wist Jacinta, zou ze Innu-tenten vinden die lekker roken naar brandend hout en stoom die opsteeg uit zoete thee met suiker. De mannen zouden op jacht zijn en de vrouwen zouden ganzen plukken en vuurkuilen graven om de pennenveren te laten schroeien. Grootvaders lagen te rusten op hun bed van takken en kinderen speelden buiten met snavels, botten en klauwen van eenden en ganzen en maakten popjes van alle niet eetbare delen van de vogel. Jacinta was een keer in zo'n kamp geweest toen ze bessen was gaan plukken en in een van de tenten had ze een moeder gezien met een kleine baby en er was iets mis geweest met die baby.

Hij was geboren met een genetische afwijking, maar zijn moeder had hem vastgehouden en voor hem gezongen, een wiegeliedje in de taal van de Innu, en niemand had geprobeerd dat kind mee te nemen naar het Goose Bay General Hospital om hem te verminken of hem tijdens een operatie per ongeluk dood te laten gaan. Niemand vond het erg dat er iets mis was met hem. Zijn familie had voor hem gezorgd zoals hij was geboren. Dat kamp had bij Mud Lake gestaan, waar een kleine school was voor de kinderen. In de lente kon je er alleen met een helikopter komen, omdat het ijs te dik was voor boten maar te dun voor sleden. Jacinta was er met een kano naartoe gegaan, een beetje bang omdat het zo afgelegen was, maar ze had zich ook getroost gevoeld door de tedere en intieme sfeer, als van een moederschoot. Maar dat was in de tijd van het jaar geweest dat je bessen kon plukken: op een warme dag toen elke bes en elk blad nog doordrongen was geweest van de zomerzon. In de herfst, voordat het ging sneeuwen, kon je een verkeerd idee krijgen van een plek. Dan kon je het idee krijgen dat je daar altijd welkom zou zijn. Wie zou Jacinta verwelkomen als ze de weg daarheen weer wist te vinden, nu de vorst het land nog in de greep had? De Innu hadden haar die dag thee en brood gegeven, maar nu zou ze meer nodig hebben dan dat.

Jacinta had altijd de neiging gehad om de benen te nemen als iets haar boven het hoofd groeide. Nu vluchtte ze in gedachten naar de woestijn van Nieuw-Mexico, waar ze dan prompt een leegstaande woning zou vinden. Of ze kon teruggaan naar St. John's en een klein appartement zoeken waar ze havermoutpap en zoete worteltjes voor haar baby klaarmaakte. Maar ze was inmiddels vierendertig, geen twintig meer, en ze wist dat er na een romantische ontsnapping, na de eerste euforische vlucht, altijd een dag kwam waarop de gewone problemen weer de kop opstaken, problemen waarvan je dacht dat je ze was ontvlucht. Nu stond ze daar met haar baby bij het hek en vond het vreselijk dat ze er niet doorheen kon, dat ze er niet met haar baby vandoor kon gaan. Ze ging op de grond zitten, plukte een paar bloempjes van de lepeltjesboom en maakte er een kleine corsage van, zoals ze dat vroeger met klavertjes had gedaan. Ze drukte een kus op het hoofdje van haar baby en zong hetzelfde wiegeliedje voor hem dat ze in de Innu-tent had gehoord. In elk geval zouden die kleine baby en haar eigen baby dan hetzelfde liedje horen.

Bij een raam op de derde verdieping van het ziekenhuis stond een vage gestalte, een verpleegkundige die naar buiten keek. Jacinta hoorde de helikopter van Obed Wilson opstijgen en wegvliegen. Als die verpleegster Jacinta niet had gezien, zou ze hier op de grond kunnen blijven zitten tot ze een ons woog en dan zou niemand weten waar zij en haar baby waren gebleven. Het wiegeliedje had een melodie die iedereen altijd vaag bekend voorkwam, zonder dat je wist waar je het van kende. Een melodie die overal blijft hangen en waar je af en toe flarden van oppikt.

'Vind je dat liedje mooi, lieverd?' Jacinta kuste Wayne op zijn neusje. Hij keek haar vol vertrouwen aan met zijn donkere ogen die een andere kleur begonnen te krijgen. 'Alles aan jou zal veranderen,' zei Jacinta tegen hem. 'Niets aan je blijft hetzelfde.' De verpleegster kwam naar buiten door de deur die Jacinta eerder had gebruikt. Ze was klein, had zwart haar en was een jaar of dertig. Ze had witte schoenen aan met wel honderd ventilatiegaatjes en stapte voorzichtig over de half bemodderde half besneeuwde plekken en de distels heen.

'Is alles in orde?'

Jacinta keek alleen maar naar haar baby.

'Ik ben Tana. Kom je haar derdemaands prik halen?'

'Nee.'

'Voel je je echt wel goed? Zal ik haar van je overnemen? En misschien wil je wel een kopje koffie terwijl we haar inschrijven?'

Jacinta stond op en liep met Tana weg van het gaashek, weg van het land waarop niets anders te vinden was dan onkruid, stenen en rioolbuizen. Het was niet mooi, maar het was weids en onbestemd. Iedereen probeerde altijd alles zo duidelijk onder woorden te brengen dat Jacinta het gevoel kreeg dat alle vragen moesten worden uitgebannen. Toen ze dicht bij de deur waren, leken de muren van het ziekenhuis op haar af te komen en ze bleef staan.

'Waar ben je vandaag voor gekomen?' vroeg Tana. Ze klonk alsof ze iedere dag op het braakliggende terrein op de vlucht geslagen moeders kwam ophalen. 'Hoe heet je? Met welke dokter heb je een afspraak?'

'Dokter Simon Ho.'

'De chirurg?'

Jacinta bleef staan op een hoopje steengruis en distels en Tana sloeg een arm om haar heen. 'Wil je dat ik met je meega?'

'Weet ik niet.'

'Dat kan, hoor.'

'Oké.'

Jacinta stond toe dat Tana haar meenam door een gang met blauwe voetafdrukken die naar het noorden en gele die naar het zuiden gingen. Ze liepen over de röntgenafdeling en door een wirwar van smalle gangen waar stokoude vrouwtjes en mannetjes lagen met hun tandenloze mond wijd open, zonder dat iemand zich om hen bekommerde. Toen gingen ze door een oranje deur en er was weer kleur. Ze rook de geur van koffie en toast en zag fel verlichte informatiebalies.

'Wat is je achternaam?' vroeg Tana alsof Jacinta en zij samen een geheimpje hadden.

'Blake.'

'Wacht maar even, dan zorg ik ervoor dat je niet in de wachtkamer hoeft te gaan zitten.' Tana liep door naar de andere kant van de informatiebalie en zei iets tegen de vrouw die daar zat. De vrouw schoof haar bril omhoog en keek door de lobby naar Jacinta. Tana bladerde door een kaartenbak, pakte een telefoon, zei iets en kwam toen terug. Ze ging met Jacinta mee naar de cafetaria, haalde koffie voor haar en nam haar toen mee naar een kleine wachtkamer met gemakkelijke stoelen. 'Ik kan weggaan of hier samen met jou blijven wachten,' zei ze. 'Vind je het prettig als ik blijf?'

Jacinta keek naar de vierkante groene steen in Tana's ring. Het was een doffe steen. Die vond Jacinta mooier dan een steen die glinsterde.

'Dokter Ho heeft je om halfelf in zijn agenda staan,' zei Tana. 'Het fijne van hem is dat hij maar drie operaties per dag doet, een 's morgens en twee 's middags, zodat je nooit hoeft te wachten.'

Jacinta keek naar een exemplaar van het tijdschrift *Pediatrics Today*, dat op een tafel lag. Op het omslag stond een foto van een baby met buisjes die uit zijn neus, armen en hoofd kwamen. Waarom dachten ziekenhuizen dat mensen die hier met hun baby kwamen dat soort tijdschriften wilden zien? Aan het plafond hing een klein tv-toestel en een nieuwslezer meldde dat zevenenveertig Chinese arbeiders eerder die dag in een kolenmijn door verstikking om het leven waren gekomen. Er werden beelden uitgezonden van hun familieleden die krijsend op het hek van de mijn bonsden, dat door de autoriteiten was gesloten om hen tegen zichzelf in bescherming te nemen. In de muur onder het toestel zat een deuk en Jacinta vroeg zich af of iemand daar tegenaan had getrapt. Toen ging een deur open die haar nog niet eerder was opgevallen en een verpleegkundige riep: 'Jacinta Blake?' Haar stem klonk veel te luid. Tana legde haar hand op de schouder van Jacinta en haar hand was zo warm dat Jacinta dat gevoel eigenlijk niet wilde missen. Maar ze moest met die andere verpleegster mee. Van Tana's stem was ze rustig geworden. Zo ging dat vaak met stemmen. Het geluid van een stem kon levens redden of levens kosten. Witte gangen, ramen, een grote zilver-met-witte kamer, en dokter Simon Ho naast vier rolwagentjes met legplanken en vol instrumenten op witte doeken. Jacinta zag hoe ernstig dokter Ho was. Ze vond het prettig dat hij haar strak aankeek en dat hij jong, slank en niet opdringerig was.

Op de wagentjes lagen glinsterende messen en het schoot door haar hoofd dat Treadway daar dolgraag een paar van zou willen hebben voor vissen en zeehonden, voor het villen van stekelvarkens en het strippen van boomschors. Of om ze gewoon bij zich te hebben voor elke gelegenheid waarbij hij een vreemd, tweetandig, fraai gebogen mes nodig zou kunnen hebben, of een vlijmscherpe vijl van roestvrij staal met een mooi plat handvat. Ze overwoog even om er een te stelen, hoewel ze nog nooit van haar leven iets had gestolen.

Een zijdeur gaf toegang tot de wachtkamer voor ouders. Er waren comfortabele banken en aan een muur hing een schilderij met een oude molen, treurwilgen en een paar eenden, maar Jacinta weigerde naar binnen te gaan. 'Ik blijf bij mijn baby.'

De verpleegkundige vond dat niet prettig, maar dokter Ho keek respectvol naar Jacinta en zei dat ze in de operatiekamer kon blijven. De verpleegkundige probeerde de baby van haar over te nemen.

'Ik wil alles zien. Wat bent u precies van plan?'

'De bedoeling is om hem een geloofwaardig mannelijk lichaam te geven. Als u dat wilt kunt u hem zelf op de operatietafel leggen,' zei de dokter. 'Ik zal u precies laten zien wat er gaat gebeuren. Daarna laten we u zien hoe u uw handen en armen moet wassen en u kunt een masker voordoen en toekijken tot we aan de feitelijke operatie beginnen. Als u tenminste denkt dat u dat aan zult kunnen.'

Jacinta besefte dat de verpleegkundige kauwgum kauwde.

'Wat bedoelt u met "geloofwaardig"?'

'Daarmee bedoel ik dat we proberen de baby zich prettig te laten voelen bij het idee dat hij een man is, en dat de mensen die nu in zijn leven zijn of daar later deel van gaan uitmaken daar net zo over zullen denken.'

De verpleegkundige kauwde alsof ze haar tanden wilde verpulveren.

'Ik vond die andere zuster aardig. Deze niet,' zei Jacinta.

'Deze zuster heet Alma Williams,' zei dokter Ho zacht.

'Ze heeft malende kaken. Haar stem klinkt schril en ik vind haar niet aardig. Die ander vond ik wel aardig. De vrouw die me hier heeft gebracht. Ze kwam helemaal naar buiten om te vragen of alles in orde was. Ze heeft koffie voor me gehaald.

Ze heeft warme handen. Ik vind haar aardig en ik wil haar hier hebben in plaats van deze vrouw. Ik wil die aardige zuster hier hebben in plaats van deze. Ik ben blij dat u er zo aardig uitziet en ik vind het ook fijn dat u zo ernstig bent. Ik denk dat u eerlijk tegen me zult zijn. Maar als die zuster hier blijft, vertrek ik op staande voet en ik neem mijn baby mee, want ik vind haar niet aardig.'

'Alma, wil je alsjeblieft naar de derde bellen om te vragen of Tana hier kan komen en wil je dan zo vriendelijk zijn aan het verzoek van mevrouw Blake te voldoen?'

'Ik vind het wel een beetje raar.'

'Dank je, Alma.'

'Ik ben een bevoegd pediatrisch verpleegkundige.' Alma sprak dat 'pediatrisch' uit alsof ze de term voor een kleuterklas wilde verklaren.

'Het is in orde, Alma.'

'Terwijl Tana...'

'Alma, ik zou het echt waarderen als je haar opriep.'

Alma liet Jacinta, haar baby en de dokter alleen en meteen daarna gaf Jacinta Wayne aan hem. Ze had het idee dat al haar gedachten, angsten en wensen door dokter Ho begrepen zouden worden. Hij zou haar niet met een kluitje in het riet sturen.

'Dus volgens u moet het geslacht van een kind geloofwaardig zijn,' zei ze. 'Denkt u dan dat mijn kind – hoe hij of zij nu ook is – niet geloofwaardig is? Iets uit een sciencefictionhorrorfilm? En nu wilt u haar geloofwaardig maken. Als een echt mens.'

'We willen hem een kans geven. Zo snel mogelijk na de geboorte.'

'Hebt u dat al eerder gedaan?'

'Mevrouw Blake, bij een op de drieëntachtigduizend geboorten is sprake van interseksualiteit. Ik ben dit nog niet eerder tegengekomen. Maar wat we vandaag gaan doen is de normale medische respons.'

'Normaal?'

'En ik denk ook dat het de meest barmhartige respons is. We proberen de ware sekse van het kind te bepalen.'

'De ware en niet de valse.'

‘We gebruiken dit instrument.’ Hij pakte een kleine zilverkleurige meetlat van het karretje. Er stonden in het zwart getallen op.

‘Het lijkt net een liniaal.’

‘Dat klopt.’ Hij wees op een streepje op driekwart van de lengte van het instrumentje. ‘Als de penis zo lang is of langer beschouwen we hem als een echte penis. Zo niet, dan wordt hij beschouwd als een clitoris.’

Jacinta moest haar best doen de kleine streepjes te zien. ‘Eén komma vijf centimeter?’

‘Dat klopt.’

‘Wat gebeurt er als de penis kleiner is?’

‘Wanneer een penis kleiner is dan één komma vijf centimeter, met een marge van een zevenhonderdste centimeter...’

‘Zevenhonderdste?’

‘Ja. Als hij kleiner is, verwijderen we de mannelijke aspecten en bouwen we de vrouwelijke later op, tijdens de puberteit.’

‘Stel dat hij precies in het midden blijkt te zitten? Helemaal in het midden? Een punt vijf centimeter en geen zevenhonderdste erboven of eronder?’

‘Dan oordelen we op grond van kennis en ervaring. We kunnen endocrinologische proeven doen, maar bij een pasgeboren baby gaat het in feite om de beste inschatting die we kunnen maken. De afmeting van een penis bij de geboorte is het primaire criterium voor het bepalen van het geslacht.’

‘Meet u haar dan maar.’

Dokter Ho nam Wayne zo voorzichtig van haar over dat ze dacht dat hij wel van baby’s moest houden, ook al deed hij wrede dingen met hen. Hij moest nare dromen hebben. Hij moest midden in de nacht wakker worden, net voordat hij droomde dat hij in de baby ging snijden. Dan moest zijn vrouw, als hij die tenminste had, opstaan om een cognacje voor hem in te schenken. Maar misschien ook niet. Misschien kon het hem niets schelen. Misschien deed hij alleen alsóf het hem iets kon schelen.

Tana kwam de operatiekamer in. Haar kon het wel iets schelen. Dat kon iedereen aan haar zien.

'De fallus...' zei dokter Ho. Hij trok aan de penis van Wayne.
'Verdorie, wat doet u nou?'
'En het is echt een fallus. Hij is...'
'Hij moet hem wel voorzichtig strekken om de lengte exact te meten,' zei Tana.
'Hij doet haar pijn!'
'Nee, kijk maar, ze huilt toch niet?'
'Hij heeft de vereiste lengte.' Dokter Ho liet haar de lat zien. 'Net iets meer dan anderhalve centimeter.'
'Ik kan de cijfers niet eens zien. Ze zijn zo klein.'
'Deze baby kan als een jongen worden grootgebracht.'
Jacinta zweeg even. Toen zei ze zacht: 'Dat is wat zijn vader wil.'

5

De doop

TREADWAY WAS NIET ECHT lang van stuk en niet knap om te zien, terwijl Jacinta een lange hals had, haren die krulden als ze vochtig waren, een slanke taille en lange doelmatige ledematen, als van een danseres. Ze had hem als echtgenoot geaccepteerd omdat ze zich niet aangetrokken voelde tot mannen die wisten dat ze er goed uitzagen, lange mannen die van de hoed en de rand wisten, die naar een vrouw keken met vrolijke. uitdagende ogen die zeiden: ik kan iedere vrouw krijgen die ik wil, maar ik geef jou nu een kans. Dergelijke mannen waren voor Jacinta gevallen en hadden haar ten huwelijk gevraagd, maar ze had gewacht op Treadway, die nog geen een meter vijfenzeventig lang was en verlegen, en die moest worden aangemoedigd om naar een dansfeest te gaan of tijdens het winterfestival mee te doen aan een houthakkerswedstrijd. Als hij eenmaal danste, danste hij goed en wiegde als een kajak op de muziek. En als hij deelnam aan een houthakkerswedstrijd hakte hij minder houtblokken dan de winnaar, maar hij deed het wel beter en netter. Het stond haar aan dat hij aarzelde als hem iets goeds overkwam, alsof hij dat niet had verwacht. Ze vond het prettig te zien hoe hij een goede jas uitkoos, die dan vijf jaar droeg en er vervolgens net zo een uitkoos. Ze genoot van zijn donkere haren en de schone geur van zijn huid, en ze vond het fijn dat hij haar nooit zou bedriegen. Ze vond het prettig van een man te houden op wie andere vrouwen waarschijnlijk niet verliefd zouden worden, omdat ze haar hart niet wilde verspillen aan zorgen over de mogelijke ontrouw van een echtgenoot. Bij haar vader en moeder had ze daar meer dan genoeg van gezien.

Toch miste Jacinta de stad waar ze was opgegroeid. En het meest van alles miste ze de Majestic-bioscoop in Henry Street. Natuurlijk kon ze zich de andere genoegens van St. John's ook nog duidelijk herinneren: de stapels sinaasappels in Stokes Market, de leistenen daken en schoorstenen tussen Lemarchant Road en de haven, die glansden als het regende, het feit dat je als je buiten liep altijd mensen zag die je kende en die midden in het leven stonden, kinderen die touwtjesprongen, Spritzer, de zwarte kat van Emma Rhodenizer die tussen haar geraniums en kanten gordijnen op de hoek van Gower en Cathedral Street zat en de spitse torentjes overal. Al die dingen bewaarde Jacinta op een toegankelijke plaats in haar binnenste, want dat waren haar meest tastbare herinneringen. Zelfs de duiven die in de O van warenhuis Bowring huisden – ze kon hun purperen nekken voor zich zien, net als hun glanzende donkerblauwe kragen en hun vloeiende bewegingen, die toch gelardeerd waren met stevige sprongetjes en aanzetten – waren haar in Croydon Harbour bijgebleven. Kleurloos Croydon Harbour, waar je om kleuren te zien moest leren rood te vinden onder diepgroen, oranje onder blauw. In de stad schreeuwden de kleuren en het leven je toe. Menselijk leven. In Croydon Harbour kwam het menselijke leven op de tweede plaats, na het leven van het grote land, en dat leek niemand erg te vinden. Niemand vond het erg een bijrol te spelen in het verhaal van het land.

Toch herinnerde Jacinta zich van St. John's in de eerste plaats de bioscoop. Ze adoreerde het roodfluwelen koord waarmee het balkon was afgezet, de goudkleurig geschilderde pilaren met krullen, bladeren en Romeinse gezichten en de vier leeuwen die erop stonden. Alles was van gips. Hoewel het maar goudverf was en het gips zichtbaar was op de plekken waar de verf was verdwenen, was ze er dol op geweest. Net als op het roodfluwelen gordijn en de slanke piëdestal in de hal waarop een gastenboek lag, met een pen aan een goudkleurig koordje. Ze was helemaal weg geweest van de grote, rechthoekige karren met hun immense maar fragiele wielen, die voor de voorstelling langzaam naar binnen werden geduwd door jongens die ijs en popcorn verkochten. En ze was dol geweest op de voorstelling zelf, vanaf het moment waarop het licht achter het gesloten gordijn aanfloepte. Ze genoot van elke letter en komma van de titel en de titelrol tot en met het spannende drama, dat vanaf de zijkanten, de achterkant en de voorkant belicht werd door schijnwerpers die voor lichtvlakken en plekken vol duister mysterie zorgden. Ze had het prachtig gevonden van dichtbij te kunnen kijken naar de gezichten, de gebaren en de emoties van de sterren op het doek, die geen idee hadden dat zij, Jacinta Hayden, daar zat.

In Croydon Harbour kon je nergens naartoe om te ontsnappen aan het felle licht van een winterse of een hete zomerse dag. Nergens kon je stiekem en verborgen met je dromen in de schaduw zitten. En als je geen dromen meer had of ze waren vergaan, ontbrak het witte doek dat ze weer terug kon vinden of je fluisterend de weg kon wijzen naar nieuwe. In Croydon Harbour moest je het in je eentje zien te klaren. Als het om fantasie ging, was je aan jezelf overgeleverd en dat wilden de meeste mensen in Croydon Harbour ook. Daarom waren ze hierheen gekomen vanuit Schotland, Engeland en zelfs Amerika, om de collectieve droom van een oude wereld achter zich te laten en te genieten van hun eigen voetsporen op een land dat alleen was betreden door inheemse volken en wilde kariboes. En als je destijds een Innu of een Inuit was geweest, dan had je geen bioscoop nodig gehad. Film was een van de illusies van de blanke, als compensatie van zijn blindheid. Een blanke had bijvoorbeeld geen idee dat een steen leven bevatte. Moet je je voorstellen.

Maar Jacinta verlangde intens terug naar de bioscoop. Als ze een lijst moest maken van de dingen die ze kwijt was geraakt toen ze zich in Labrador vestigde, zou de Majestic in Henry Street bovenaan staan. Niet het gebouw, dat aan de buitenkant uit eenvoudige blauwe houten planken bestond en kleine houten vensters had, maar het interieur, verheven tot Romeinse glorie, en het scherm waarop de onbeantwoorde hartenkreten een tijdje konden bestaan in een omgeving die daar begrip voor had.

Als je de Majestic uit kwam en Henry Street af liep – een van de steile, vriendelijk ogende straten van St. John's die uitkomen op Duckworth en de trappen die naar Water Street en de haven vol trawlers, vrachtboten en zeilboten leiden, waar mensen pallets met meloenen opstapelen en kratten wijn inladen – leek de stad op een plaats waar dromen werkelijkheid konden worden. Je rook de verse teer die op het dak van Bowring's werd gesmeerd, de rook van een in wijn gedompelde sigaar van een man die onderweg was naar het advocatenkantoor, de vage zoete geur van meloenen die waren gevallen en op de grond bij de boten waren opengebarsten, en het parfum van een vrouw die net de hoek om was gelopen waar de krantenverkoper op zijn tas in de zon zijn boterham met warme worst en uien zat te eten. Je voelde je jong – je wás jong omdat je nog geen achttien was, nog niet naar Labrador was gegaan om te werken en nog niet de man had ontmoet die van je zou houden maar die het grootste deel van je ziel nooit zou begrijpen: het deel dat leefde op flarden van romantiek en dat verwelkte toen die werden weggenomen.

Je was nog niet op het idee gekomen dat de romantiek in elk van die elementen – de meloenen, het parfum, de rijke man met de sigaar, de arme man met zijn kranten – niet op zichzelf bestond maar al die andere dingen nodig had om tot bloei te komen. Het totaalbeeld was romantisch en elk onderdeel ervan was slechts een eenzaam verhaal, een verhaal dat vaak triest was en geen troost schonk, noch antwoorden, poëzie, betekenis of liefde.

Nu zat Jacinta in haar keuken in Croydon Harbour, met baby Wayne in haar armen. Ze kwam tot de ontdekking dat ze niet langer terugverlangde naar haar jeugd, de bioscoop en het straatbeeld dat ze had gekend. De oude weemoed was verdwenen en dat was moeilijker te verdragen dan het bestaan ervan. Als ze zich een andere wereld kon herinneren, een wereld die ze kwijt was geraakt, kon ze daar altijd in gedachten weer naar teruggaan. Dan kon ze zich voorstellen hoe gezellig het zou zijn om daar een weekje te zijn en vervolgens weer terug te komen om haar werkelijke leven onder ogen te zien. Maar nu was haar werkelijke leven, het werkelijke leven van de baby, veranderd en ze wist niet wat ze daarmee aan moest. Geen ijskarretjes meer, geen muziek en geen ouvreuse die je met een zaklamp naar de beste nog vrije zitplaats bracht.

Jacinta had haar bedenkingen over de doop van Wayne in St. Mark's Anglican Church in Croydon Harbour. Naar haar idee behoorde een kerk heel anders te zijn. Zij schepte geen behagen in de betekenis die eraan werd geschonken door de geloofsbelijdenis van de apostelen, de liturgie, of de rode, goudkleurige en blauwe spandoeken van de Bond van Anglicaanse Vrouwen met HIJ IS BIJ ONS. De schoonheid van een kerkgebouw was een kwestie van ruimte en architectuur en Jacinta vond dat die aspecten beter tot hun recht kwamen in de grote kathedraal in St. John's dan in deze kleine parochiekerk, hoewel ze haar best deed diezelfde schoonheid hier ook op te roepen door haar verbeeldingskracht optimaal te gebruiken.

De kathedraal in St. John's had waterspuwers, een crypte en schitterende ramen die vanuit Engeland naar Labrador waren gebracht in vaten vol stroop om te voorkomen dat het glas zou breken. Op die ramen stonden witte lammetjes, afgetekend tegen saffierblauwe luchten, Egyptische godinnen vermomd als christelijke toonbeelden van vrouwelijkheid, pelgrims met een staf en felrode gewaden die regelrecht uit de Thora en van tarotkaarten kwamen, duiven die hoop brachten, raven die onheil voorspelden en boodschappers met goudkleurige trompetten. De adelaar op de preekstoel, die met zijn sombere ogen en hongerige snavel ver boven de gelovigen uit torende, had haar angst aangejaagd toen ze als kind met haar tante Myrtle naar die kathedraal ging voor het zegenen van de dieren, rond de kerstdagen samen met andere kinderen hooi in de stal legde en rond Pasen de lelies rook waarvan de geur zich vermengde met de schaduwen en de sfeer binnen de grote stenen muren zodat het net een soort bloemkelk leek waarin de verbijsterde kinderen als kleine, dikke bijen zich te goed deden aan de mysterieuze nectar – bedwelmend, enerverend en sterk.

In Croydon Harbour was de adelaar op de preekstoel uit grenenhout gesneden door de vader van haar echtgenoot. Hij had de gladde vlakken en lijnen van stenen beeldhouwwerken van de Inuit, die op Jacinta altijd zowel een open als gesloten indruk maakten. De lijnen zeiden haar niets, de mythe net zomin als de woede, de spirituele vlucht en het verhaal van die adelaar in Croydon Harbour, en ze keek er ook niet graag naar. Hij was goudkleurig, want het grenenhout was onbewerkt, en dat vond ze ook niet bij een adelaar passen. Hij deed welwillend en onecht aan, anders dan de essentie van haar leven.

Jacinta wist dat Treadway niet op dezelfde manier als zij naar de adelaar van Croydon Harbour keek. Hij zag er andere dingen in, dingen die te maken hadden met zijn tochten over het land, dingen waarin hij en Graham Montague en de andere mannen die aan de baai woonden – en ook veel vrouwen – hun eigen geest herkenden, gevormd door de energie die het land uitstraalde. De uitstraling van de Engelse adelaar was heel anders dan die van de adelaar in Labrador. Ze waren zo verschillend dat iedereen wist – Treadway wist het en Jacinta wist het op een andere manier – dat de grenen adelaar helemaal niet in een anglicaanse kerk thuishoorde. Maar hij was er, net als de kerkbanken van sparrenhout, de eenvoudige ramen, het houten schip, de doodgewone vloerbedekking en de glazen potten met bloemen uit de vorstgevoelige maar rommelige tuinen die Moravische zendelingen in het begin van de twintigste eeuw langs deze kust hadden aangelegd. Er waren driekleurige viooltjes, klaprozen en Engelse madeliefjes, bloemen die naast de rotsen, de zee en de woeste luchten heel klein leken, maar die nodig waren geweest om te voorkomen dat de harten van de eerste Duitse en Schotse vrouwen op de stenen van Labrador zouden breken. Deze hele religie was volgens Jacinta meer afhankelijk van mensen dan andersom – iets dat Treadway wist zonder erover na te denken. Je had die religie alleen nodig als je het land niet in je hart met je mee droeg. Het land was zijn eigen god.

De geestelijke heette Julian Taft, een ontzettend Engelse naam. Hij had een klein vierkant gezicht en zijn lichaam onder het witte gewaad had geen rondingen. Hij is van hout gemaakt, dacht Jacinta opeens. Hij is een kleine houten geestelijke. Ergens was ze blij dat hij niet in haar hart kon kijken. Hij kende het geheim van haar baby niet, maar hij kende de geheimen van helemaal niemand in Croydon Harbour. Hij kon niet in het verleden kijken en evenmin in de toekomst. Hij wist niet dat haar baby in het ziekenhuis in Goose Bay was geopereerd, noch dat Eliza, de vriendin van Jacinta, na het volgende tuinfeest voor alle parochianen aan haar affaire met de aardrijkskundeleraar zou beginnen. En ook niet dat hijzelf over een paar jaar verliefd zou worden op diezelfde Eliza, nadat de aardrijkskundeleraar tijdelijk was verhuisd naar Assumption High op het schiereiland Burin. Dus was het waarschijnlijk, hoopte en bad Jacinta, dat de kleine houten geestelijke ook niet in het heden kon kijken. Ze verbaasde zich over zijn purperen sjaal, het gouddraad in zijn gewaad, zijn stijfheid en de vorstelijke stoffen die zo loodrecht naar beneden vielen.

Maar nu waren ze hier bijeen, zij en Treadway en baby Wayne samen met alle andere parochianen, en op de een of andere manier geloofden ze dat de geestelijke hen kon zegenen. Jacinta wenste dat er een andere kerk was: een geel gebouw met blauwe vensterbanken en een open deur. Ze wenste dat die het eigendom zou zijn van een grote vrouw, een vrouw die niet bladzijde 254 van het gebedenboek van de anglicaanse kerk zou opslaan om te citeren: 'Beminde gelovigen, aangezien alle mensen in zonde zijn verwekt en geboren...' Wat waren dat nu voor woorden bij het begin van het leven van een baby? Ze wist dat Treadway de tekst niet had uitgezocht, maar hij zat er wel bij. Iedereen uit Croydon Harbour zat erbij. Het licht dat door de ramen naar binnen viel, bescheen hun hoofden en de duisternis in de kerk maakte alles onzichtbaar, behalve de zij- en bovenkanten van hun gezichten. Het was donker en de geestelijke was van hout gemaakt. Buiten, achter de openstaande deur, lag een stralende maar angstaanjagende vrijheid te wachten, overgoten door zo'n felle zon dat je er verblind van kon raken.

Na de dienst liepen Jacinta en Treadway samen met de ooms en tantes en Thomasina naar voren waar dominee Taft de ouders vroeg het kind een naam te geven.

'Wayne,' zei Treadway.

Dit is het laatste moment van het bestaan van mijn dochter, dacht Jacinta. Ze keek naar de deur. Waar was haar kleine meisje in het zonovergoten jurkje? Kom gauw naar me toe! Maar de deuropening bleef leeg. Jacinta sloot haar ogen en richtte zich tot Isis in het raam van de kathedraal in St. John's. Niet tot Maria. Tot Isis, met haar zoon Horus die zowel kind als valk was.

Julian Taft pakte koud water en tekende een kruisje op het voorhoofd van de baby. 'Ik doop je Wayne Blake.'

Thomasina stond in haar koorgewaad achter Julian Taft. Haar borst raakte zijn schouder en ze fluisterde in zijn oor.

Julian Taft wist dat hij zijn lippen niet moest bewegen en dat hij zo gedempt moest praten dat alleen Thomasina hem kon horen. Hij was handig genoeg om zijn ware stem voor de andere aanwezigen te verbergen. 'Wat zei je?'

Maar Thomasina was nog gewiekster dan hij en fluisterde: 'Annabel', zo zacht dat hij haar niet kon verstaan. Thomasina geloofde dat er kracht school in een naam.

De naam Annabel daalde geruisloos als stuifmeel op het kind neer, naast de naam die Treadway hem had geschonken.

Deel twee

6

Gehaktbrood

THOMASINA ÉN TREADWAY BEHANDELDEN Wayne vanaf het begin als een volwassen mens en niet als een baby. Als Jacinta Wayne in zijn wagen meenam om bij Thomasina op haar kleine veranda aan de achterkant van het huis brood te eten, doopte Jacinta de geroosterde boterham in melk om die aan Wayne voerde, terwijl Thomasina hem het verschil liet zien tussen klein hoefblad en paardenbloemen. Ze stopte een stuk kwarts in zijn handjes en liet het hem vasthouden, glinsterend in het zonlicht. Toen gaf ze hem een stuk labradoriet.

'In deze steen kun je de bomen en de hemel zien,' zei ze tegen hem. 'En ook water en het noorderlicht.'

'Ik heb het gevoel dat het helemaal geen zomer is geworden,' zei Jacinta. 'Ik blijf maar bang dat iemand het te weten zal komen.'

Waynes wagen stond in het klein hoefblad. Hij had een stevige kap van canvas met groene en witte strepen die Jacinta deden denken aan de luifel van Lar's Fruit Mart aan de voet van Barters Hill in St. John's.

'Hoe zouden ze erachter kunnen komen?'

'Dat tuinfeest was een regelrechte kwelling.' Jacinta had de baby op Allerheiligen meegenomen naar het tuinfeest en met hem gepronkt te midden van de picknickdekens, de ham en de limonade op het grasveld. 'Ik was constant doodsbang dat iemand het duidelijk kon zien.'

'Was het zo erg?'

'Ik was er zeker van dat iemand hem heel aandachtig zou opnemen en dan zou zeggen: "Jacinta, dat is een meisje! Hadden jij en Treadway dat niet in de gaten?"'

'Maar dat is niet gebeurd.'

'Nee. Eliza Goudie en Grace Montague reageerden zoals ze op iedere normale baby reageren. Zelfs Kate Davis had niets aan te merken.'

Kate Davis had zelf geen kinderen en ze was tot haar pensioen hoofd verpleegkunde geweest van het Goose Bay General Hospital en je kon haar niets wijsmaken over medische toestanden. Kate Davis was bij de theetafel naar Jacinta toe gekomen en had met haar raspende, bazige stem gezegd: 'Dat ziet eruit als een gezond kind.' Wayne had naar haar gekeken zoals hij naar alle onbekenden keek, met die strakke blik die zei: Omdat ik nog nooit slecht ben behandeld, moet ik zelfs jou vertrouwen.

'Je raakt aan ongewone dingen gewend als je er constant mee wordt geconfronteerd,' zei Jacinta tegen Thomasina. 'Als Wayne twee hoofden had, zou ik daar na een paar maanden wel aan gewend zijn en me afvragen waarom iemand hem zou willen veranderen. Alles heeft zijn goeie kanten, zo denk ik er tenminste over.'

Maar ze wist heel goed dat niet iedereen er zo over dacht en dat zou ook voor haar hebben gegolden als een andere vrouw in Croydon Harbour een baby had die hermafrodiet was. Soms moest je gewoon jezelf blijven en accepteren wat jou – en jou alleen – overkwam zonder dat je er ook maar iets van begreep. Dus werd het feit dat Wayne ooit een jongen én een meisje was geweest verborgen gehouden en werd er nooit over gesproken. Niemand in Croydon Harbour wist het, alleen zijn ouders en Thomasina.

In Waynes tweede zomer liet Jacinta Thomasina op hem passen terwijl zij de was deed en Treadway hielp met het afschaven van palen voor een nieuwe omheining. Thomasina liet Wayne zien hoe je honderden zwarte rupsen netels kunt horen verorberen. Als je je hoofd dicht naar die diertjes toe bracht, was hun geknabbel het luidste wat er op een zomerdag te horen was.

'Zie je dat, Annabel? Al die knabbelaars veranderen in admiraalvlinders.' Wayne dacht dat ze hem 'Amble' noemde. Dat Amble het speciale koosnaampje van Thomasina voor hem was, net zoals Jacinta hem 'Lassiebun' noemde omdat hij dol was op brood en stroop, en net zoals Treadway hem 'Littleman' noemde wanneer ze in de schuur van Treadway ballen van zeen maakten.

Treadway had Wayne bewust eerder meegenomen naar de schuur dan dat hij dat met een meisje zou hebben gedaan. Hij nam Wayne mee naar alle vertrekken van het huis die voor mannen waren bestemd: de kelder, waar beenzagen en hoefijzers aan grote spijkers hingen, de zijkamer, waar hij huiden spande en droogde en de schuur met zijn sneeuwmobiel en bijlen, ribben voor de slee, grote palen en achterin de ruimte waar hij wild ophing. Hij nam hem niet mee uit genegenheid, want hij vond het helemaal niet prettig om zo'n jong kind mee te nemen naar zijn werkplekken en normaal gesproken zou hij hebben gewacht tot zijn zoon een jaar of vier, vijf was voordat hij hem de dingen leerde die een man moest weten. Maar met dit kind wilde Treadway geen enkel risico nemen. Hij behandelde hem serieus en vertelde hem met een grimmig gezicht hoe hij een dierenhuid moest snijden, hout moest schaven en de juiste schroevendraaier voor een bepaalde klus moest gebruiken. Op die manier zou Wayne tegen de tijd dat hij naar de kleuterschool ging meer over die dingen weten dan elke andere jongen in Croydon Harbour.

Toen Wayne tandjes had gekregen, gaf Thomasina hem koude sinaasappels die in partjes waren gesneden en rabarberjam op zijn brood. Met een bordje op zijn knie zat hij op haar vloerplanken van jeneverbeshout dat Graham uit Lewisporte had laten komen. Vroeg in de herfst mocht hij 's avonds door een telescoop kijken die Thomasina bij een postorderbedrijf had besteld. Het was een Polar Star 140X: een model dat de sterrenbeelden tien keer vergrootte.

Toen hij vijf was, liet Thomasina hem zien hoe hij de sterren met elkaar kon verbinden. Ze vertelde hem dat de sterrenbeelden verhalen in de lucht waren. Orion was een jager met een hond, net als Treadway. De Plejaden – zeven zusters – hadden hun jongste zus Merope verloren omdat die op de aarde was gevallen.

'Waar is ze gevallen?' vroeg Wayne.

'Dat weet ik niet. Kijk, daar is Cygnus.' Thomasina tekende het sterrenbeeld op papier.

'Een eend?'

'Een zwaan. In St. John's, waar je moeder vandaan komt, zijn zwanen. Je kunt ze kersen en zaden voeren.'

'Houden zwanen van kersen?'

'Ze zijn er dol op. Je moeder heeft me verteld dat ze als klein meisje de zwanen met Kerstmis handenvol kersen voerde. Van die gekonfijte kersen die je in een kerstcake doet. Zie je dat Cygnus aan de rand van de hemel staat? Hij maakt aanstalten om zich voor de winter te verbergen. Maar in China is hij geen zwaan. Daar is hij een brug.'

'Zoals de brug die ze bij North West River gaan bouwen?' Er werd altijd over bruggen gesproken in dat deel van Labrador, waar mensen al honderden jaren over rivieren en moerassen waren gegaan met behulp van wagens op glijders, platbodemvaartuigen, kano's en zelfs een kabelbaan.

'De Chinese brug is gemaakt van eksters.'

'Wat zijn dat?'

'Dat zijn vogels, Annabel. Er zijn twee geliefden, Niu Lang en Zhi Nu, ieder aan een kant van een rivier. Ze horen bij elkaar, maar alleen de eksters begrijpen dat. De eksters vliegen boven de rivier en maken met hun vleugels een brug.'

'Dat moet je voor me tekenen!'

'Misschien kun je dat zelf wel.' Ze gaf hem haar potlood. 'Als je naar school gaat, moet je zelf tekenen, en ook zelf kunnen lezen.'

'Ik heb een nieuwe spijkerbroek en een boekentas. Maar mam zegt dat ik na school nog steeds naar jou toe mag.'

'Annabel, ik moet je moeder iets vertellen, maar jij mag het als eerste weten. Ik ga ook naar school.'

'Ga je ook naar school?'

'Ja. Naar de kweekschool.'

'Wat is dat?'

'Daar ga je heen om te leren hoe je onderwijzer moet worden. Het duurt vier jaar en daarna ga ik misschien reizen. Ik heb altijd al de wereld willen zien. Toen mijn man nog leefde, zeiden we telkens dat we dat een keer zouden gaan doen, maar daar is het nooit van gekomen. Annabel, ik ga mijn huis verkopen. Een gezin met een dochtertje komt vanuit Deer Lake hierheen. Haar vader reist op en neer omdat hij in Quebec werkt. Ze heten Michelin en zij gaan mijn huis kopen.'

'Kom je wel weer terug?'

'Als ik na mijn studie en mijn reizen een baan kan krijgen op de school hier.'

'Kom je dan ook weer hier wonen?' Wayne vond het huis van Thomasina mooi.

'Daar zal ik tegen die tijd wel over nadenken. Ik zal je ansichtkaarten sturen van interessante dingen in alle landen die ik bezoek.'

'China?'

'Ik weet niet of ik dat haal.'

'Daar zou je de eksterbrug kunnen zien.'

'Annabel, die brug staat aan de hemel. Hij bestaat niet echt. Er zijn geen foto's van.'

'Ik ben mijn adres vergeten.'

'Dat is Postbus 43.'

'Op die ansichtkaarten kun je beter Wayne zetten.'

'Natuurlijk, want dan zal het postkantoor zeker weten dat ze voor jou zijn.'

'Ik heb tegen mijn vader gezegd dat je me Amble noemt en hij zei dat hij dat niet prettig vond.'

'Maak je geen zorgen. Ik noem je alleen Annabel als er verder niemand in de buurt is.'

Na Thomasina's vertrek maakte Wayne met zijn vader sneeuwschoenen en messenhouders en zat hij samen met zijn ouders aan tafel gehaktbrood te eten terwijl de visserij- en de weerberichten ondertussen uit de radio en de televisie schalden die allebei op het aanrecht stonden. Aan het plafond hingen vliegenvangers vol aasvliegen die wel hun poten maar niet hun vleugels bewogen. Als ze met hun drieën waren, hing er altijd een vreemde gespannen sfeer en stelde Treadway vragen als: 'En ben je nog in de kelder geweest om te zien of de catgut al droog is, Wayne?'

Het kind wist dat zijn vader een grimmige, zakelijke houding van hem eiste en hij leerde die houding aan te nemen. Hij vond dat niet erg, want het was nu eenmaal niet anders, maar in feite was hij helemaal niet zo.

Wat hij echt fijn vond, was papier vouwen en daar ingewikkelde symmetrische vormen uit knippen: krullen, geometrische vormen, architectonische vlakken met onderaan ingewikkelde dorpels en bovenaan opvallende toppen. Sommige knipsels hadden heel smalle stukjes die een vijfjarig kind per ongeluk zou kunnen doorknippen, maar Wayne werkte nauwkeurig en zorgvuldig. Hij knipte langzaam en voorzichtig en zijn moeder bewaarde alles in een map. Ze kocht een veilige schaar voor hem die hij in zijn kamer mocht bewaren. Daar was hij elke avond een kwartier aan het knippen nadat hij zijn tanden had gepoetst, totdat Treadway brulde: 'Doe dat licht uit!'

Voor Wayne vormden Croydon Harbour en alles wat erbij hoorde een merkwaardige mengeling van veiligheid en gevaar. De wegen waren onverhard en er was stof dat rauw aanvoelde. De berken voelden daarentegen ongelooflijk zacht aan. Hun schaduwen zorgden voor een koel knisperend groen dat een tegenwicht vormde voor de uitgedroogde wegen. Afwisselend hoorde je het lawaai van vrachtwagens en Ski-doos en het getjilp van vinken die een nest in de grond maakten. Een gefluister van vleugels en dan een geweerschot. De liefde die hij voor zijn vader voelde en de koude precisie waarmee Treadway hem dingen leerde te doen, zoals met de punt van een mes roest van vallen schrapen. Goudkleurige thee onder rondwervelende stoom drinken langs de vallenroute, en dan kilometers lopen, zonder rustpauze, tot de blaren op zijn enkels stonden. Als ze in de jachthut aankwamen, behandelde zijn vader die blaren met een mengsel van talg uit de lende van een kariboe en hars van een zwarte spar, die hij op de punt van zijn jachtmes had opgevangen nadat hij een inkeping in de boomstam had gemaakt. Treadway smeerde die zalf zwijgend op de blaren zonder te zeggen: 'Je had eerder moeten zeggen dat je pijn had.'

Toen ze weer thuis waren en Jacinta de wonden zag, hoorde Wayne haar sissen: 'Probeerde je te wachten tot zijn huid tot op het bot afgeschaafd was? En heeft hij wel gegeten? Kijk eens naar zijn ribbenkast en zijn schouderbladen. Het lijkt alsof ze dwars door zijn huid proberen te steken. En hij hoest.'

Dat was waar. Treadway kon zonder problemen vijfendertig kilometer lopen bij twintig graden onder nul. Hij droeg wol op zijn blote huid en zijn lichaam was compact en opeengepakt, alsof hij zichzelf om zijn binnenste had gekruld. Er waren nachten dat hij in de open lucht sliep, in een slaapzak gevoerd met kariboehuid, en dan werd hij de volgende ochtend gesterkt door de wilde, koude lucht en het licht van de sterren wakker. Hij had Wayne niet in de open lucht laten slapen, maar er waren wel avonden geweest dat hij de moeite niet had genomen het kacheltje aan te steken omdat hij daar zelf geen behoefte aan had gehad. Dan was de lucht niet alleen koud maar ook klam geworden door hun adem en het gecondenseerde vocht van hun eigen lichamen. Tegen de tijd dat ze thuiskwamen, had Wayne een gemene hoest die op hoog gekreun leek wanneer hij inademde. Zijn moeder hield hem thuis van school, kookte de hele dag water in haar grote ketel om voor stoom in het huis te zorgen, zette hem ingepakt in een deken in de stoel van zijn vader en dan aten ze samen brood en luisterden naar de radio.

De eerste twee ansichtkaarten van Thomasina kwamen tegelijkertijd aan, uit het zuiden van Frankrijk. Op een ervan stond Picasso's *Les Demoiselles d'Avignon*, omdat Thomasina logeerde in een hotel in Avignon.

'Ik moest even weg van de kweekschool, Wayne,' schreef Thomasina. 'Het is zo saai. We krijgen les in statistiek, maar ik vind het veel leuker om over mensen en geschiedenis te leren. Ik denk dat je best een diploma zou kunnen krijgen zonder te weten waar alle landen te vinden zijn. Ik heb besloten twee semesters per keer te doen en daartussendoor te reizen. Hier heeft Picasso zijn modellen gevonden voor het beroemde schilderij op deze kaart.'

Treadway, die met armen vol sparrenhout de keuken in en uit liep, vroeg: 'Wie stuurt er nu zo'n kaart naar een kind?' Hij pakte hem op en bekeek hem aandachtig. 'Naakte vrouwen?'

'Het is een schilderij van Picasso,' zei Jacinta.

'Zijn het wel vrouwen? Wat hebben ze op hun gezicht?'

'Papa, wat is statistiek?'

'Feiten, jongen. Feiten die verband houden met getallen. In Croydon Harbour wonen bijvoorbeeld 217 mensen. Het kunnen er een paar meer of minder zijn door een geboorte of een sterfgeval, maar je weet waarmee je te maken hebt. De wetenschap kent wel interessantere vragen, maar het zou geen kwaad kunnen als Thomasina Baikie op één plek bleef om meer over statistiek te leren.'

Op de tweede ansichtkaart stond de Pont d'Avignon.

'Deze brug is gebouwd in de twaalfde eeuw,' schreef Thomasina. 'Er is nog maar een klein stuk van over, maar denk je eens in hoe oud dat al is! Het is niet de eksterbrug, Wayne, maar vleugels hebben wel geholpen bij de bouw ervan. Engelenvleugels. Er was een jongen die ongeveer even oud was als jij. Ik ben zijn naam vergeten, maar engelen zeiden tegen hem dat hij de brug moest bouwen. Hij kon heel grote stenen optillen en hij bouwde de brug. Er bestaat een beroemd liedje over, dat je later misschien wel tijdens de Franse les zult leren.'

'Wat voor ideeën probeert die vrouw Wayne aan te praten?' Treadway zat onder het zaagsel van sparrenhout en de geur van koude, zoete buitenlucht hing om hem heen.

'Ik zou ze maar opbergen als ik jou was,' zei Jacinta tegen Wayne. 'Wil je er een doos voor hebben?' Ze gaf hem een koekblik en daar stopte hij de kaarten van Thomasina in.

'De kans is groot dat het geld van Thomasina op raakt en ze op een van die plekken strandt,' zei Treadway. 'Sommige mensen doen toch maar rare dingen.'

7

Elizaveta Kirilovna

Wayne was dol op symmetrie en dus genoot hij toen zijn onderwijzer in de derde klas driedimensionale geometrische vormen besprak. Toen Jacinta op een avond rabarber inmaakte, vroeg hij: 'Hebben wij van die ijzerdraadjes met papier eromheen die je gebruikt om vuilniszakken dicht te maken?'

'Kijk maar eens in de doos met vuilniszakken,' zei Jacinta, die met een tang deksels voor weckpotten uit een pot viste.

'Hebben wij brood dat we niet zelf hebben gebakken?'

'Ja, dat van je vader.' Treadway roosterde iedere avond om negen uur een paar sneetjes fabrieksbrood.

'Ik heb maar een paar boterhammen nodig.'

'Achter de worst.' Jacinta stond te wachten tot de deksels op een stuk of twintig weckpotten dichtfloepten. Dat vond ze een leuk geluid. Het klonk definitief en abrupt en hield in dat niemand van haar gezin vergiftigd zou worden. En ze vond het ook leuk om die glanzende potten naast elkaar op het aanrecht te zien staan. Dat schonk voldoening. Als Treadway langs zijn vallenroute zoekraakte, zou er genoeg eten zijn. Ze waste de grote rabarberpan af en borg de suiker, de kruidnagelen en de overgebleven rozijnen op. Toen ze naar Wayne keek, zat hij op de grond en de vloer van de huiskamer was bedekt met tienvlakken en kubussen en zeshoeken, helemaal vanaf de stapel *Reader's Digest* van Treadway tot aan de televisie. Wayne had het papier van de sluitbandjes af gehaald. Daarna had hij van het brood kleine deegballetjes gemaakt en daarmee de draadjes aan elkaar gezet. De vormen waren fragiel en indrukwekkend.

'Die zijn heel mooi.'

'Juf zei dat we tandenstokers en boetseerklei moesten gebruiken. Maar ik heb geen boetseerklei en tandenstokers hebben we nooit in huis.'

'Die zijn echt bijzonder.' Jacinta ging op haar knieën zitten en keek naar de vormen. Ze leken afkomstig uit een andere wereld. Uit de lucht. 'Ze doen me denken aan planeten. Banen van planeten. En sterren. En de lijnen die sterren verbinden tot sterrenbeelden. Hoe ben je op het idee van die sluitingen en brood gekomen?'

'Zo eet Gracie Watts tijdens de lunchpauze haar brood. Ze maakt kaboutertjes en honden van haar boterham. Je kunt er alles mee maken. Als zij worteltjes eet, doet ze daar ook iets geweldigs mee. Ze krijgt van haar moeder schijfjes wortel mee en dan drukt ze het lichtoranje stuk in het midden eruit, zodat er alleen een knaloranje ring overblijft, met een gat erin.'

Toen Treadway weer vanuit de schuur naar binnen kwam en de hemelse symmetrie op de vloer van de huiskamer zag, zei hij: 'Wat heeft dat in vredesnaam te betekenen?'

'Dat is huiswerk, Treadway,' zei Jacinta. 'Natuurkunde.'

'Wiskunde, mammie. Het is wiskunde. Geen natuurkunde.'

Treadway pakte de zak met brood van de grond. Het was inmiddels negen uur en er zat alleen nog een kapje in de zak. 'Als dat wiskunde is, moeten de onderwijzers op die school hun hoofd eens laten nakijken.'

De wereldkampioenschappen zwemmen werden op tv uitgezonden en Wayne zat er samen met Jacinta naar te kijken. Voor het eerst zag hij mensen synchroonzwemmen. Het Russische team veranderde in een lelie. De lelie draaide binnenstebuiten en werd een tienvlak. Boven op de badmutsen van de Russische zwemmers waren glittertjes vastgezet, en ze waren turquoise. De badpakken hadden een paisleymotief. Wayne werd er volledig door betoverd.

'Mam, ze maken patronen met hun eigen lichaam.'

'Ik heb een vriendin gehad die dat deed,' zei Jacinta. 'In St. John's. Maar niet zo mooi als zij het doen. Ze heette Eleanor Furneaux.'

Wayne keek naar zijn handen en zijn benen en wenste dat hij meer dan twee van elk had. Het Russische team was geweldig. Veel geweldiger dan het Engelse, het Amerikaanse of het Canadese team. Het Russische team had een symmetrie die imposanter was dan Wayne voor mogelijk had gehouden. Hij droomde er 's nachts van en de volgende dag vroeg hij zijn moeder waar ze in hadden gezwommen.

'Wat was dat voor plek?' Hij wilde er meteen heen.

'Hoe bedoel je?'

'Het water had dezelfde kleur als hun badmutsen. Wat voor water was dat?'

'Het was een zwembad. Bedoel je dat?' In de buurt van Croydon Harbour was geen zwembad te vinden.

'Waar hebben ze zo'n zwembad vandaan gehaald?'

'Dat soort zwembaden vind je overal ter wereld, Wayne.'

In twee weekenden werden de hoogtepunten van de kampioenschappen uitgezonden. Wayne keek naar de halve finales en naar de finales. Alle details van de zwemkleding vielen hem op, net als de muziekkeuze. Hij wees op alles wat de zwemmers niet perfect deden, ook als hij in zijn eentje voor de televisie zat.

Toen Treadway met zijn thee en zijn boterham bij hem kwam zitten, vroeg Wayne: 'Waar komt hun muziek vandaan?' Dat had hij zich al een tijdje afgevraagd. Bij het zwembad was geen band te zien, maar toch hoorde hij trompetten, piano's, trommels, allerlei andere muziekinstrumenten en zelfs stemmen.

'Waarom wil je daarnaar kijken?'

'Papa, waar halen ze die muziek vandaan?' De muziek klonk luid en leek de zwemmers net als het water te omgeven. En hij hoorde een echo.

'Die gebruiken ze gewoon voor hun optreden.'

'Ja, maar waar komt hij vandaan?'

'Ergens vanaf de zijlijn. Je kunt veel beter naar ijshockey kijken, Wayne.'

'Hoe weten ze welke beweging ze elke keer met hun armen moeten maken? Hoe kunnen ze alles precies tegelijk doen?'

'Ze tellen,' zei Jacinta vanuit de deuropening. 'Het is allemaal gechoreografeerd.'

'Dat verklaart alles,' zei Treadway met volle mond.

'Wat is gechoreografeerd?' vroeg Wayne. 'Heeft dat iets met grafieken te maken?' Die maakte hij op school. Hij kleurde de zijne in met strepen, kleine stippen en verschillende kleurnuances. Zijn onderwijzer had op zijn rapport geschreven dat het mooi zou zijn als hij zijn werk iets sneller kon afmaken.

'Ze oefenen maanden,' zei Jacinta. 'Jaren. Gechoreografeerd betekent dat iemand alle bewegingen bedenkt en ze opschrijft, en dat de zwemmers ze telkens weer oefenen. En als ze onder water zijn, tellen ze.'

'O. Dus het doet er niet toe als er water in hun oren komt of ze de muziek niet kunnen horen?'

'Dat klopt. Ze tellen en dan komen ze allemaal tegelijker weer boven water. Alles is identiek en alles past perfect bij elkaar.'

'Ze zouden hun tijd beter kunnen spenderen,' zei Treadway, 'als ze een secretaresseopleiding gingen volgen en steno leerden.'

'Er is voortdurend een patroon, hè, mammie?'

'Ja. Een ingewikkeld patroon.'

'Wie zorgt voor de choreografie?'

'Ze hebben verschillende choreografen. Ik weet het niet precies. Maar toen wij veertien waren, moest Eleanor Furneaux voor haar solo-optreden zelf voor de choreografie zorgen.'

'Solo-optreden?' zei Treadway. 'Ik dacht dat het de bedoeling was jezelf voor aap te zetten door met acht of tien andere mensen allemaal precies hetzelfde te doen. Iets synchroon doen kan niet als je in je eentje bent. Hoe moet je je horloge gelijk zetten als dat het enige horloge op de hele wereld is?' Hij zette zijn kop en schotel in de spoelbak en ging naar de wc. Hij deed de deur niet dicht en ze hoorden hem plassen en vervolgens rochelen en in de wc spugen.

Die avond lag Treadway op zijn rug in bed naast zijn vrouw. Hij deed geen poging om te gaan vrijen, dat liet hij aan haar over. Dat was een van de dingen die Jacinta prettig vond, zeker nu haar hormoonspiegel was veranderd. Ze had de raad van Eliza Goudie opgevolgd en bij Eaton's drie satijnen slipjes en kanten bolero's besteld. Ze had drie goede beha's gekocht en droeg die elke avond, omdat haar borsten erdoor werden opgetild alsof ze een cadeautje waren. Eliza had gezegd dat ze overdag, wanneer ze alleen was, hardop moest zeggen: 'Ik ben ongelooflijk sexy.' Eliza had ook gezegd dat het niet alleen aan de hormonen lag als een vrouw minder zin in seks had. En ook niet omdat haar echtgenoot kaal werd of een buikje kreeg. Het kwam doordat een vrouw haar eigen lichaam in de steek liet. 'Als je geen valium wilt slikken, koop dan op zijn minst wat chic ondergoed en mooie negligés en prent jezelf in dat je de meest aantrekkelijke vrouw bent die je man ooit heeft gekend.'

'Er zijn mannelijke schaatsers,' zei Treadway.

'Schaatsers?'

'Olympische schaatsers. Daar zijn mannen bij.'

'Kunstschaatsers?'

'Ook al zijn ze zoals... hoe heet hij ook al weer?'

'Toller Cranston.'

'Ja, en ze zijn niet allemaal zoals hij. Er zijn ook normale kunstschaatsers.'

'Maar Toller Cranston is de beste.'

'Dat is een kwestie van smaak. Heeft hij de gouden plak gewonnen? Wat ik bedoel, is dat het niet zo erg zou zijn als Wayne stapel werd op schaatsen. Maar nee. Hij kiest de enige sport ter wereld waarvoor je een meisje moet zijn als je die wilt beoefenen. Jongens doen toch niet aan synchroonzwemmen?'

'Dat was nog niet bij me opgekomen.'

'Denk er dan maar eens over na.'

'Ik weet het niet.'

In zijn eigen bed keek Wayne naar de kapotte plafondtegel. Daar zaten slechts 209 gaatjes in, in plaats van de 224 in alle andere. Dat had hij ontdekt toen hij zeven was, difterie had gekregen en negen dagen in bed moest blijven. Hij zag in gedachten het badpak van Elizaveta Kirilovna voor zich, de soliste van het Russische team. Het was de eerste keer dat hij wenste dat hij ergens anders woonde dan in Croydon Harbour. Overal ter wereld waren zwembaden, had zijn moeder hem verteld. Zelfs in St. John's.

'Mam?' zei hij de volgende ochtend tegen Jacinta. Hij probeerde het verschil uit tussen mam en mammie. Zijn moeder schrobde harde zeeprestjes uit haar zeepbakje van Engels porselein. 'Waar is jouw vriendin Eleanor Furneaux nu?'

'In Brampton, in Ontario, geloof ik.'

'Wat doet ze?'

'Volgens mij is ze getrouwd met een man die banden maakt.'

'Maar wat doet ze?'

'Dat weet ik niet.'

'Doet ze nog steeds aan synchroonzwemmen?'

Jacinta veegde de randen droog. Het zeepbakje was een van de weinige dingen die ze nog van haar moeder had. 'Wayne, ze moet nu ergens in de veertig zijn, net als ik.'

Wayne sneed om de eierdooier heen. Als je dat met de punt van je mes goed deed, kon je het eiwit opeten en de dooier als een perfect cirkeltje in stand houden. 'Gaat ze nog wel eens synchroonzwemmen?'

'Misschien heeft ze er nog belangstelling voor. Het kan zijn dat ze een coach helpt of zoiets.'

'Moet je jong zijn om te kunnen synchroonzwemmen?'

'Dat hoeft niet per se, maar voor veel van dat soort dingen moet je meestal wel heel mooi zijn. En jong.'

'Elizaveta Kirilovna is mooi, hè, mammie?'

Ze hadden samen met een wijnglas vol citroenlimonade en een bakje chips naar de Russische soliste gekeken. Elizaveta Kirilovna had gekozen voor *Sheherazade* van Rimski-Korsakov. Het had geklonken als zwevende sneeuw voor een sneeuwstorm. Wayne had aandachtig geluisterd naar de beschrijvingen die de verslaggever gaf van de choreografie van Elizaveta Kirilovna. Die man had de magische poëzie etiketjes opgeplakt en ontleedde die, gaf de diverse onderdelen namen en getallen die Wayne zo interessant vond dat hij ze opschreef in de kantlijn van bladzijde 176 van de telefoongids van Labrador. *Deckworth* acht. *Pretzel tuck* twee. Rechts links rechts links *eggbeater* acht. Diagonale lijn. *Tub* twee. *Front flutter* draai. *Flowerpot*. Verticale spin.

'Ja, Wayne. Ze is mooi. Als je die dooier niet wilt opeten, moet je dat niet aan je vader laten zien. Kom maar.' Jacinta schraapte hem in het kommetje waarin ze etensresten voor de honden van Treadway verzamelde en legde er een stuk brood op.

'Ik wou dat ik haar was.'

Jacinta zette de kom op het aanrecht en bleef met haar rug naar hem toe staan. 'Dat mag je niet wensen, Wayne.'

'Ik wil het wel. Ik zou er zo goed in zijn. Als we een zwembad hadden. Misschien kunnen we een zwembad kopen. Er zijn mensen die er eentje in hun achtertuin hebben. Ze staan in de catalogus. Hoe krijgen ze het water zo blauw?'

'Ze kosten vijftienhonderd dollar en ze zijn niet praktisch in Labrador. Eigenlijk zijn ze nergens in Canada praktisch. Je kunt ze twee maanden per jaar gebruiken en dan gaan ze in de winter kapot. Helemaal kapot, Wayne.'

'Doen ze er blauwe verf in?'

'Ze doen er in elk geval veel chloor in.'

'Als ik Elizaveta Kirilovna was, zou ik een oranje badpak kopen. Knaloranje. En een goudkleurige badmuts. Oranje en goud vind ik echt mooi. Ik zou die eggbeater ook willen doen. Die ziet er geweldig uit. Zou ik dat hier in de zomer in de rivier kunnen doen, mam?'

'Wat zei je, Wayne?'

'Zou het oké zijn als ik een echt mooi badpak kocht dat oranje was en dat net zo zat als dat van Elizaveta Kirilovna? In plaats van mijn zwembroek?'

'Nee.'

'Echt niet?'

'Nee, Wayne.'

'Dragen jongens die niet?'

'Het zou wel kunnen als de mensen het goed vonden.'

'Maar dat is niet zo?'

'Nee.'
'Ook als ik het alleen maar aandeed als niemand het zag?'
'Dat weet ik niet, Wayne, maar ik denk het niet.'
'Zou jij het wel goedvinden?' Hij wierp haar een vurige blik toe die haar hart brak. 'Ik weet dat papa het niet goed zou vinden. Maar jij? Jij begrijpt het toch, mammie? Dat Elizaveta Kirilovna echt fantastisch is? Ik zou best net zo kunnen zijn.'
'Daar heeft je vader het ook al met me over gehad. Volgens hem zijn er geen mannelijke synchroonzwemmers.'
'Misschien zijn er wel een paar en hebben we hen alleen nog niet op tv gezien. Misschien zitten de jongens op een ander kanaal.'
'Volgens je vader niet.'
'Maar dat weet hij niet zeker.'
'Hij weet het bijna zeker.'
'Dat papa hen niet heeft gezien betekent nog niet dat ze er niet zijn.'
'Dat is waar.'
'Er zijn veel dingen die papa niet heeft gezien, maar dat betekent niet dat ze niet bestaan. Hij heeft nog nooit een giraf gezien, of een nijlpaard. Hij heeft Bobby Orr nooit in levenden lijve gezien, en het Entire State Building ook niet.'
'Empire.'
'Heeft hij dat wel gezien?'
'Het heet het Empire State Building, Wayne.'
'Echt waar?'
'Ja.'
'Kunnen we een badpak voor me kopen zoals dat van Elizaveta Kirilovna zonder dat aan papa te vertellen?'
'Dat denk ik niet.'
'Betekent dat misschien?'
'Dat denk ik niet, Wayne.'
'Ook als ik er echt graag een wil hebben en het nooit tegen hem zal zeggen en hij het nooit te weten komt en ik het met mijn eigen geld betaal?'
'Wayne, ik weet niet of ik aan zoiets medeplichtig kan zijn.'
'Wat is medeplichtig?'

Jacinta schroefde het deksel op de pot pindakaas. 'Medeplichtig betekent dat je akkoord gaat met iets wat geheim is en dat voor iemand anders verborgen houdt.'

'Is dat altijd fout?'

'Dat kan het zijn, als je iets belangrijks verborgen houdt voor iemand van wie je houdt.'

'Maar het zou ook goed kunnen zijn?'

'Het zou iets kunnen zijn wat je doet om je leven te redden.'

'Kan het ook ergens daartussenin zitten?'

'Wayne, hier krijg ik hoofdpijn van.'

'Is het mogelijk dat je iets belangrijks verbergt voor iemand van wie je houdt om in zekere zin je leven te redden?'

'Wayne!'

'Omdat ik echt, echt, echt, echt, echt...'

'Hou daarmee op.'

'Een badpak wil hebben als dat van Elizaveta Kirilovna. Meer dan wat dan ook ter wereld.'

'Er is iets wat je waarschijnlijk erg leuk zult vinden.' Treadway stond in de deuropening van de keuken en dronk zijn kop leeg.

'Wat dan, papa?'

Treadway zette zijn kop in de spoelbak en liep op een geheimzinnige manier de kamer uit. 'Als je mee wilt, kom op dan.'

'Wat is het?'

Dat wilde Treadway niet zeggen. Hij had zo zijn manier om Wayne zonder verdere verklaring het huis uit en het bos in te lokken. De ene keer om op het ijs bij Bereneiland naar spiering te vissen. De andere keer om zijn neef Lockyer de naden van een sloep te zien teren. Wayne wist dat het ook dit keer weer buiten zou zijn, waar het heet en winderig was. Hij wist eveneens dat het lang zou duren. Hij wist dat hij voordat alles achter de rug was, zou wensen dat hij niet was meegegaan. Toch had de manier waarop Treadway aan een missie begon iets onweerstaanbaars. Het was niet alleen geheimzinnig. Er was ook sprake van een ongrijpbare belofte dat Treadway van Wayne zou houden als hij meeging en hem zou prijzen. Tegen het eind van de meeste uitstapjes had die belofte plaatsgemaakt voor teleurstelling, maar misschien zou het deze keer anders zijn.

'Papa, waar gaan we heen?'

Treadway reed met de pick-up langs Hudson's Bay Store, het meest westelijk gelegen gebouw in Croydon Harbour, en toen het bos in naar de plek waar de weg begon die iedereen de Trans-Labradorsnelweg noemde, hoewel die slechts voor de helft af was en voor het merendeel niet meer was dan een onverharde eenbaansweg. Stofwolken waaiden op en ook al had Wayne zijn raampje nog zo stijf dichtgedraaid, er kwam toch stof in de wagen, die langs zijn gesloten lippen en ogen drong en in zijn tranen en tussen zijn tanden terechtkwam. Dat haatte hij.

'Gaan we naar de tent van de Penashues?'

De Innu hadden overal langs deze weg tenten opgezet. Ze gebruikten de route al lang voordat iemand erover dacht een weg aan te leggen. Treadway was niet degene die Wayne een keer had meegenomen naar de tent van de Penashues. Dat hadden Jacinta en Joan Martin gedaan, om bij Lucy Penashue thee te drinken. De vrouwen hadden Wayne donkere thee gegeven die op een tinnen kacheltje was opgewarmd, en hompen van het brood dat Lucy had gekneed en op het kacheltje had gelegd.

'Nee.' De pick-up schommelde heftig.

Wayne wilde een glas water hebben, maar zei niet tegen zijn vader dat hij dorst had. 'Papa, heb je iets meegenomen tegen de muggen?' Hij wreef over de plek achter zijn oor en zijn vinger zat meteen onder het opgedroogde bloed.

'DEET.'

Wayne pakte de DEET uit het handschoenenvakje en smeerde het spul achter zijn oren, op zijn nek, langs zijn haargrens en in zijn haren. Hij vond het verschrikkelijk stinken.

'Jij ook, papa?'

'We zijn er.'

De pick-up draaide een brede doodlopende weg op, waar mannen met graafmachines aarde uit de zijkant van een heuvel haalden en op de weg deponeerden zodat de bulldozers ermee aan de slag konden. Deze weg moest na elke winter worden gerepareerd. Op een dag, zeiden de politici in Newfoundland, zou hij met twee banen dwars door Labrador tot aan Quebec lopen, en in hun kristallen bol konden ze ook zien dat het wegdek werd geplaveid, zodat het nooit meer in de zomer hersteld hoefde te worden. Maar nu maakten vliegen, hitte en stof de mannen bezweet en smerig. Ze zaten hoog in hun machines en dronken water uit plastic flessen. Ze aten boterhammen met worst en mosterd die onder de zanderige vingerafdrukken zaten. Het was twaalf uur 's middags en de mannen waren blij een jongen te zien. Tegen Treadway zeiden ze gekscherend dat het joch hier wel werk kon krijgen. Treadway was een man die in de stad meestal zweeg, maar met de wegenbouwers en met andere mannen in een groep kon lachen en grapjes maken. Hij was geschapen om deel uit te maken van een ploeg die hard aan de slag was, met honden op het ijs of met machines in de aarde. Dan voelde hij zich op zijn gemak. Dan hoefde hij zich niet af te vragen wat hij moest zeggen. Dan was niet één man aan het woord, maar de groep. Wat de ene man zei kon gemakkelijk door een van de andere zijn gezegd. In de zon speelden ze met hun stemmen als honkbalspelers met een bal. De zomers in Labrador waren kort en er waren niet veel dagen waarop een man in hemdsmouwen met zijn vrienden gekheid kon maken en overal op zijn lichaam zweet kon voelen.

'Treadway, is de jongen er klaar voor?' vroeg Clement Brake.

Treadway knikte, ging op een heidestruik zitten, viste een pakje kauwgum uit zijn zak en bood Wayne er een aan.

'Klaar waarvoor, papa?'

'Ga zitten, jongen. Je bent toch zo dol op synchroonzwemmen? Dan moet je nu eens goed kijken.'

Wayne ging naast zijn vader zitten en de mannen zetten hun graafmachines in werking. Ze reden hun holen uit en gingen door naar het midden van de aangestampte aarde.

'Muziek graag!' brulde Clement Brake naar Otis Watts.

'Komt voor elkaar,' brulde Otis, en hij zette Creedence Clearwater Revival in zijn cabine keihard aan. De graafmachines vormden een lijn.

'Papa, wat zijn ze aan het doen?'

Treadway kauwde op zijn kauwgum. 'Goed opletten, jongen.' De armen van de graafmachines gingen omhoog. Ze draaiden de bakken naar rechts en toen naar links. Ze brachten hun armen omlaag en weer omhoog. Wayne besefte dat het werd geacht op de maat van de muziek te gaan. De muziek liep op hen voor, maar dat leken ze niet erg te vinden. Een halve maat achter de muziek aan draaiden de graafmachines een volledige cirkel, reden weer achteruit en lieten hun armen maniakaal de lucht in gaan en weer zakken. Treadway kauwde met open mond en keek waarderend naar de mannen. Wayne zag dat zijn vader half glimlachte, op een manier waarop hij hem nog nooit had zien glimlachen. Zijn vader keek naar hem. Wayne besefte dat hij werd geacht eveneens te glimlachen en dat probeerde hij ook, maar het was een ware marteling. Hij had korreltjes in zijn ogen en hij haatte de graafmachines. Het lied was een paar seconden eerder afgelopen dan de machines halt hielden. Door het glas van alle cabines zag Wayne de tanden van de mannen in hun bruine gezichten. Ze waren zo trots dat ze geen woord konden uitbrengen. Treadway zwaaide naar Otis, die het voortouw had genomen. Het was een high five-achtige zwaai die Wayne absoluut niet had verwacht.

'Vond je het mooi, jongen?'

Wayne wist dat hij ja moest zeggen, maar dat lukte hem niet. Hij zag de rimpeltjes bij de ogen van zijn vader verdwijnen. Zijn vader kauwde nu op een tandenstoker.

'Je vond het niet mooi.'

Dat kon Wayne niet ontkennen.

'De jongens hebben er de hele week op geoefend en ze doen het behoorlijk goed. Ik dacht dat je het mooi zou vinden. Ik heb gevraagd of ze speciaal voor ons een voorstelling wilden geven.' Hij boog zich naar voren. 'Ga tegen Otis zeggen dat je het mooi vond.'

'Papa...'

'Zeg gewoon dat je vindt dat de jongens het goed hebben gedaan. Toe nou.'

'Dat wil ik niet.'

'Ga maar mee, dan zeg ik het wel.' Treadway pakte Wayne

bij zijn elleboog en trok hem overeind. Wayne liep mee naar de graafmachine van Otis.

'Otis, mijn zoon wilde het niet zelf tegen je zeggen, maar weet je wat hij zei?'

'Papa!'

'Dat je voor dat ballet met de graafmachines een uitstekende choreografie hebt bedacht.'

Otis gooide een banaan de cabine uit. Wayne probeerde hem te vangen, maar hij belandde in het stof. Hij was al bruin, en nu was hij ook nog eens smerig. Wayne pakte hem op en bleef hem de hele terugweg vasthouden. Thuis legde hij hem op de keukentafel, ging naar zijn kamer en wachtte tot hij zijn vader de grendel op de achterdeur hoorde doen. Toen viste hij de catalogus van Eaton onder zijn bed vandaan en zocht de badpakken op. Die namen slechts twee bladzijden in beslag en hij had het mooiste omcirkeld. De andere waren onopvallend: frambozenrood met een crèmekleurig streep, groen met een gele bies, veel blauw. Wayne had een feloranje badpak omcirkeld met langs de halslijn ovalen glittertjes in de kleuren van de ogen van een pauwenveer: smaragdgroen en kopersulfaatblauw. Het badpak kostte zesentwintig dollar, en hij had al negentien dollar gespaard.

8

Wally Michelin

JACINTA LUISTERDE NIET NAAR commerciële zenders of naar talkshows waarin mensen konden bellen over de politiek van die dag, de toestand van kuilen in de weg of de ziektes van hun kamerplanten. Ze stemde de radio af op een station dat Chopin, Tsjaikovski en Schubert uitzond.

'Ik weet dat de radio niet echt gezelschap is,' zei ze tegen Wayne, 'maar het is in elk geval iets. Het is een troostgevende stem die je laat weten dat je niet helemaal alleen op deze wereld bent. Dat heb ik nodig.'

Terwijl ze naar hem keek, dacht ze dat alle kinderen een jongen of een meisje konden zijn, met blozende wangen en krullende natte haartjes. Wayne keek haar zo vol vertrouwen aan dat ze heel graag naast hem wilde gaan zitten om hem aan te kijken en eerlijk alles uit te leggen wat er sinds zijn geboorte met hem was gebeurd. Als een kind negen was, meende ze, kon het de waarheid verwerken. Als het tien was, waren het babystadium en de kinderlijke fase voorbij en was er sprake van een directheid die volwassenen niet hadden. Je kon Wayne aankijken en alles zeggen wat waar was, hoe moeilijk dat ook was, en dan zouden die ogen jou eveneens recht aankijken en de mededeling in zich opnemen met een wetenschappelijke schoonheid die op de muziek van Schubert leek.

Toen Treadway en Jacinta net waren getrouwd had hij gezegd dat hij van klassieke muziek hield. Dat was ook zo. Hij had het gevoel gehad dat de radio de kamers in zijn huis mooier maakte. Hij had het mooi gevonden dat de muziek door een openstaande deur van de ene naar de andere kamer zweefde. Maar Jacinta had de radio altijd aan en Treadway verlangde ook naar stilte. In zijn huis was geen stilte te vinden. Die radio stond altijd aan. Nu beschouwde hij de radio als iets waarop voortdurend hard piano werd gespeeld en dwaze opera's ten gehore werden gebracht, en dat irriteerde hem. Hij vroeg haar echter niet het ding uit te zetten. Treadway had zijn buitenwereld, zijn schitterende wildernis, en daar kon hij op elk gewenst moment naartoe. En hij kon zich ook inhouden.

Omdat Treadway geen man was die zijn vrouw om aandacht kon vragen en Jacinta haar eigen innerlijke wereld had – haar herinneringen aan de stad en haar gekwelde verlangen naar een wereld waarin haar kind kon zijn wie hij was – groeide het stel in de jonge jaren van Wayne uit elkaar. Ze werden allebei uiterlijk zwijgzamer en onafhankelijker, maar vanbinnen eenzamer. Op het eerste gezicht leken ze een gewoon echtpaar van middelbare leeftijd. Ze gedroegen zich allebei goed en verstandig. Treadway werd beschouwd als zo'n goede echtgenoot dat veel van Jacinta's vriendinnen wensten dat ze met iemand zoals hij waren getrouwd en dat ze zich niet in de maling hadden laten nemen door gratie, hartstocht of een knap gezicht. Hun eigen echtgenoten zorgden niet voor zoveel hout als Treadway dat deed voordat hij naar zijn vallenroute ging. Ze kwamen ook niet zo vroeg of zo trouw weer naar huis. Ze bewerkten hun huiden en bontvellen niet zo zorgvuldig als hij dat deed en verdienden daardoor minder geld, en het geld dat ze verdienden besteedden ze niet aan dingen die in het huishouden nodig waren maar aan sigaretten, cognac en bier. Dat hun echtgenoten met hen praatten, met hen gingen dansen en intiem met hen waren op een leuke manier vol geheimtaal die alleen zij beiden kenden, was iets dat de andere vrouwen als vanzelfsprekend aannamen. Ze beseften niet dat Treadway en Jacinta uit elkaar waren gegroeid, hoewel ze uiterlijk bleven vasthouden aan de gulden draad die als een huwelijk oogde.

Jacinta meende dat haar eenzaamheid haar eigen schuld was. Als ze niet buiten Labrador was opgegroeid, dacht ze, zou ze misschien tevreden zijn geweest met het feit dat ze geïsoleerd onder haar eigen dak moest leven. Dus moffelde ze het gevoel van eenzaamheid weg. Het zat in haar hart, samen met de onderdrukte zekerheid dat Wayne weliswaar werd grootgebracht als een jongen, maar dat een deel van hem even vrouwelijk was als zij. Als Wayne niet naar school kon omdat hij ziek was, deed ze woordspelletjes met hem, ze zongen en ze maakten samen tekeningen van willekeurige leuke dingen: broeken met noppen, vliegende paraplu's, circushonden waarover ze in boeken hadden gelezen en de piramides van fruit in de etalages van winkels die Jacinta zich uit haar jeugd herinnerde.

'Kunnen we het blik van Thomasina pakken?' vroeg Wayne toen ze bladzijden vol hadden getekend. 'Ik wil naar de bruggen kijken.'

Thomasina had een kaart gestuurd met een tekening van de oude London Bridge. 'Deze hadden ze helemaal niet gepland,' had ze geschreven. 'Ze voegden er gewoon elke keer iets aan toe. Hij was zo zwaar dat de rivier moest vechten om tussen de pilaren door te komen. Daardoor stroomde het water zo snel dat mensen met hun boot tegen de brug op vlogen.'

Veel bruggen op de ansichtkaarten van Thomasina waren niet meer intact. Ze waren door de eeuwen heen kapotgegaan, of ze waren helemaal verdwenen en bestonden alleen in de fragiele vorm van tekeningen op ansichtkaarten. Dat sprak Jacinta aan. De fragmenten stelden haar gerust, omdat haar eigen leven ook uit allerlei onvolledige delen leek te bestaan. Ze herinnerde zich het verhaal in de Bijbel waarin Christus broodkruimeltjes en stukjes vis verzamelde nadat hij van een paar broden en vissen duizenden mensen te eten had kunnen geven. Ze vond het fijner om aan die stukjes te denken dan aan het uiteindelijke wonder. Die fragmenten hadden iets heiligs, deden denken aan honger, aan niet afgemaakte bruggen of bruggen die in verval waren geraakt. De ansichtkaart met een nog bestaande brug uit het stenen tijdperk in het Engelse Somerset, waarvoor neolithische mannen immense brokken steen op rotsblokken hadden gestapeld, stond haar niet aan. Hun duurzaamheid had iets bruuts wat haar bang maakte en ze wenste dat Thomasina die kaart niet had gestuurd.

'Waar is de kaart uit Turkije?' Jacinta was dol op die kapotte Turkse boogbrug: de oudste nog bestaande stenen boogbrug ter aarde.

Maar Wayne was dol op een Italiaanse brug: de Ponte Vecchio in Florence. 'Ik wist niet dat er gebouwen en winkels vol goud op een brug konden staan.' Hij vond het prachtig dat er mensen in die gebouwen op de brug waren, met lichtjes achter de ramen die in het water weerspiegeld werden. Hij had niet geweten dat je op een brug kon wonen, maar Thomasina had geschreven dat dat wel kon.

'Ik wil op zo'n brug wonen,' zei Wayne tegen zijn moeder. 'Ik wil vanuit een raam kunnen vissen.'

'Op de Ponte Vecchio werd muziek gemaakt,' had Thomasina geschreven. 'Ik heb een vioolspeler een paar muntjes gegeven en toen speelde hij iets dat hij, volgens hem, zelf had gecomponeerd.'

Jacinta zat met Wayne in de gemakkelijke stoel van Treadway en ze lazen elkaar voor uit de boeken van A.A. Milne en Lewis Carroll die Jacinta in het laatste lege hoekje van haar kist had meegenomen naar Labrador. Zo moest het zijn als je een dochter had, dacht Jacinta, maar dat gevoel hield ze binnen en ze wist niet wat het meeste kwaad zou doen: die poel laten veranderen in een vrijuit stromende rivier of hem langzaam laten verdampen, tot hij op een dag misschien helemaal zou zijn opgedroogd.

Toen Wayne in de vijfde klas zat, zweeg hij tenzij er tegen hem werd gesproken, want dat had hij van zijn vader geleerd. Zijn onderwijzers lieten hem aan het touwtje trekken waarmee de wereldkaart werd afgerold en hij mocht het filter schoonmaken van het aquarium met de neonkleurige tetra's en de vuurbuik-salamanders. Ze wisten niet dat hij het niet leuk vond om dat filter schoon te maken en als ze wisten dat hij romans las die hij in een geopend wiskundeboek stopte, zeiden ze daar niets van, want hij maakte zijn huiswerk en haalde voor zijn proefwerken goede cijfers. Ze wisten niet dat hij dol was op een meisje dat op de voorste rij zat en Wally Michelin heette, en dat hij niets liever wilde dan haar vriendje worden.

Wally Michelin was geboren op de derde juni en daarom had haar moeder haar vernoemd naar Wallis Simpson, met wie Edward VIII op die dag was getrouwd na troonsafstand te hebben gedaan. Wally Michelin had dat verteld op de kleuterschool, toen de juf – juffrouw Davey – had gevaagd waar haar naam vandaan kwam. Ze had het trots gezegd, met haar zwarte haren, haar roomblanke gezicht vol sproetjes en haar hoge laarzen, alsof ze zo uit een Amerikaanse catalogus was gestapt. Wally Michelin had de kleuterschool en de eerste twee klassen van de lagere school doorlopen met een vanzelfsprekendheid die Wayne fascinerend vond. Toen ze een bril met dikke glazen en een zwarte rand ging dragen, werd zo'n bril direct cool en niet iets waar je om werd uitgelachen. Toen ze haar arm brak na van de glijbaan op de speelplaats te zijn gevallen, stonden er op haar gips meer namen dan iemand in Croydon Harbour ooit op gips had gezien. Haar vader had haar meegenomen voor een reis naar Quebec en elke keer wanneer ze halt hielden om iets te eten hadden de serveersters en de vrachtwagenchauffeurs er hun handtekening op gezet – een ervan met Rainbow-inkt. Wally kreeg als eerste in de klas de bof, waterpokken en mazelen, en ze was de enige die kinkhoest kreeg – waaraan je dood kon gaan. Ze had een volle nicht die in Boston woonde en haar boterhammen met worst waren altijd van Maple Leaf. Ze was de knikkerkampioen van de lagere school van Croydon Harbour en ze had een grote groene draak en een zeldzame zwarte en oranje bonk. Wayne was verliefd op haar geworden zodra hij haar broze stem hoorde. Zo verliefd dat hij wenste dat hij haar kon worden. Als hij zichzelf op de een of andere manier kon veranderen in een geest zonder lichaam – een schaduw – of zichzelf doorschijnend kon maken zoals het aas dat zijn vader gebruikte om zalmforel te vangen, zou hij dat hebben gedaan. Dan zou hij onder de huid vol goddelijke sproetjes van Wally Michelin zijn gekropen om in haar te gaan leven en alles door haar ogen te bekijken.

Wally Michelin had niets aantrekkelijks, maar het duurde heel lang voordat iemand dat in de gaten kreeg. Voor Wayne was het duidelijk dat niets Wally over zichzelf aan het twijfelen kon brengen. Niet eens de komst van Donna Palliser.

Donna Palliser kwam halverwege de vijfde klas op school. Ze keek één keer om zich heen en bepaalde meteen wie kon blijven en wie moest opduvelen. Ze had de gewoonte haar hoofd langzaam te draaien en iedereen die wat haar betrof mocht inrukken een giftige blik toe te werpen. Soms volstond dat voor de betreffende persoon om naar de achtergrond te verdwijnen, maar soms moest Donna Palliser actie ondernemen. Dat deed ze op de speelplaats, wanneer niemand van het onderwijzend personeel toezicht hield. Ze was niet sterk, maar koeioneerde geestelijk in plaats van fysiek en de eerste en belangrijkste persoon die ze op haar nummer wilde zetten was Wally Michelin, die tot haar komst de schoolkoningin was geweest. Donna zag dat Wally een koningin was die door aangeboren noblesse regeerde en niet door sluwheid, wreedheid of slimme vastberadenheid. Het was niet moeilijk Wally haar plaats te wijzen, want het liet Wally koud of ze koningin was of niet. Wally ondernam toch niets. De andere meisjes zouden de nieuwe koningin trouw zweren en dan was er een nieuwe pikorde. Dan zou niemand zich nog druk maken om de mooie knikkers van Wally, ook al hadden ze die echt bewonderd. Dan zouden ze zich druk gaan maken over Hush Puppy Mary Jane-schoenen met crêpezolen, bolero's van angorawol, een balpen met roze inkt en Sweet Honesty – een parfum uit de catalogus van Avon.

Toen Donna een maand in de stad was, gaf ze een feestje en deelde daarvoor uitnodigingen uit die ze bij Details and Designs in Goose Bay had gekocht. Toen juf Davey toekeek, gaf ze iedereen een uitnodiging, maar in de pauze kregen sommige meisjes te horen dat zij niet welkom waren. Alle jongens waren wel uitgenodigd, maar bepaalde meisjes niet. Zoals Gracie Watts, die elke dag dezelfde wollen trui droeg, en Agatha en Marina Groves, de roodharige tweelingzusjes die te dik waren om door de deur van de bus te kunnen en door hun vader met zijn pick-up naar school moesten worden gebracht. En ook Wally Michelin. Donna zei dat ze van haar moeder niet meer dan achttien mensen mocht uitnodigen en dat Wally nummer negentien was.

Wayne stopte de uitnodiging niet eens in zijn boekentas. De kaart was roze, op de voorkant stond met roze reliëfletters *Uitnodiging* en de randen waren geschulpt. Hij stopte het ding in zijn kastje en toen de bel ging, verdween het in de vuilnisbak.

Het feestje was drie dagen later en op de tweede dag hadden de meisjes in de klas zich verzoend met het idee dat zij wel waren uitgenodigd en Gracie, de tweeling en Wally niet. Ze maakten elkaar en zichzelf wijs dat het Gracie, de tweeling en Wally toch niets kon schelen en dat iedereen die het wel belangrijk vond, was uitgenodigd. Dus was alles in orde. De hele klas had het over het feestje van Donna Palliser, zelfs de jongens, omdat ze had verteld dat haar ouders niet in de kamer zouden zijn waar het feest werd gegeven. Haar ouders zouden boven blijven en de leiding aan Donna overlaten en er zou punch zijn met een beetje echte champagne erin uit een fles die achter in de drankkast van haar ouders stond.

Wayne was niet van plan naar het feest toe te gaan, maar die avond nam Treadway hem mee naar de Hudson's Bay Store om muizenvallen te kopen. Ze stonden bij de plank en hadden net gezien dat er nog maar één echte muizenval was toen Roland Shiwack met zijn zoon Brent aan kwam lopen en schuurpapier en een paar bussen WD-40 pakte.

'Hallo Treadway, hoe staat het leven?'

'Papa.' Brent kon niet wachten om naar het feest te gaan en de punch te drinken.

'Best.' Treadway keek vol afkeer naar de plak-muizenvallen waarvan er nog meer dan genoeg in voorraad waren. Een muis plakte er twintig seconden aan vast en daarna kreeg je hem nooit meer te pakken.

‘Je hebt muizen.’
‘Nee, die heb ik niet. Ik wil er alleen voor zorgen dat ik ze in de toekomst niet krijg en ik heb geen zin om een kat aan te schaffen.’
Treadway had een hekel aan katten. Hij vond het vervelend dat hij Roland de indruk had gegeven dat hij er misschien toch een zou nemen. Hij had een hekel aan Roland omdat Roland een Ridder van Columbus was en elke keer wanneer hij Treadway zag het geheime teken gaf. Dat kende Treadway weliswaar, maar hij deed altijd net alsof dat niet het geval was. Graham Montague, die ook niet katholiek was, had hem dat teken op een avond na een paar biertjes laten zien – hij had het zelf geleerd van god mocht weten welke verrader – maar Treadway piekerde er niet over Roland Shiwack dat te laten weten. Het ergerde hem dat Roland dat teken iedere keer weer gaf, dat de man zo’n kinderlijke obsessie had.
‘Je kunt een van onze katten krijgen,’ zei Roland vriendelijk. Hij was een aardige man die geen idee had hoe Treadway over hem dacht. ‘Melba heeft er een stuk of tien in de kelder. Onze kat heeft weer jongen gekregen.’
‘Papa, straks kom ik nog te laat,’ zei Brent.
‘Hij gaat naar een feestje,’ zei Roland tegen Treadway.
‘O.’
‘Wayne zal er ook wel naartoe gaan. Bij de Pallisers.’
‘Dat klopt.’
‘Ik ga er niet heen, papa,’ zei Wayne.
Treadway negeerde zijn zoon. ‘Dan zal het wel tijd zijn om naar huis te gaan.’ Hij draaide de Shiwacks zijn rug toe.
‘Ik ga niet naar dat feest,’ zei Wayne in de pick-up.
‘Waarom niet?’
‘Het is een stom feest. Een stom feest met echt idiote uitnodigingen. Van dat nieuwe meisje. Ik wil er niet naartoe.’
‘Gaan de andere jongens er wel naartoe?’
‘Dat weet ik niet.’
‘Waarom weet je dat niet?’
‘Hè?’

'Kom nou, jongen. Weet je echt niet wat de andere jongens doen?'

'Nee. Ze kunnen doen wat ze willen, papa.'

'Wayne, in Labrador zijn jongens net een troep wolven. We moeten deel uitmaken van de familie. We moeten weten wat de anderen doen. Dat is de manier om te overleven.'

'Nou ja, ik denk dat ze wel gaan, maar ik weet niet of ze dat ook echt willen.'

'Als ze erheen gaan, doet het er niet toe of ze dat ook willen. Het gaat om de pikorde.'

'Ik ga wel in de kelder catgut maken.'

Dat vond Wayne niet erg. Het spul werd catgut genoemd, maar eigenlijk waren het pezen van kariboes. Je pakte de maag van het dier, je droogde die en dan maakte je er met een mes met een heel dun lemmet een lange spiraal van die je in de rimboe en op het water voor veel dingen kon gebruiken. Wayne vond de manier waarop het mes erdoorheen ging prettig. Hij vond de kleur ervan mooi en hij was er trots op precies de juiste breedte te kunnen aanhouden om het spul licht en sterk te laten zijn.

'Wayne, er is een tijd voor catgut en er is een tijd voor feesten. Vanavond moet je naar dat feest toe. Ook als je er geen zin in hebt. Op een dag zul je me ervoor bedanken.'

Jacinta rolde in de keuken pasteideeg uit en deed er kariboegehakt op, met daar bovenop weer brokjes vet. Het werden hapjes die Treadway mee kon nemen naar de rivier. Ze maakte ook een pastei voor Wayne en daarop legde ze de brokjes vet in de vorm van een hart. Dat kon niemand zien, door het dekseltje van pasteideeg. Wayne wist het niet, en Treadway al helemaal niet. Ze deed zoiets ook met de mosterd op de boterhammen die ze Wayne mee naar school gaf, maar dan met woorden. Het waren tersluikse boodschappen voor haar zoon, boodschappen die hij zou opeten, zoals 'Dierbare zoon' en 'Wees dapper'. Die schreef ze op om haar kind in het geheim geestelijk een hart onder de riem te steken. Een keer had ze 'Dochter' geschreven, maar ze had het niet kunnen opbrengen de boterham in het lunchtrommeltje van Wayne te doen. Stel je voor dat het brood openklapte terwijl het woord nog leesbaar was en dat iemand het zag? Dus had ze de boterham zelf maar opgegeten.

Iedere keer als Treadway en Wayne ruziënd thuiskwamen, kreeg ze kramp op haar borst en probeerde niet tussenbeide te komen, maar te wachten tot de ruzie voorbij was. Die ging altijd over hetzelfde, verpakt in wel duizend vermommingen. Het ging erom hoe een echte jongen zich diende te gedragen. En ze had het vooral moeilijk met de wetenschap dat Wayne er geen flauw idee van had dat zijn vader zich uit angst tegen zijn eigen zoon keerde.

Terwijl Wayne nog in de vijfde klas zat, begon hij boeken uit de schoolbibliotheek te halen die hij in de klas las terwijl hij op een zelfbedachte, onopvallende manier chips at. Het viel zijn vaste onderwijzeres, juf Davey, nooit op. Maar op een dag was er een invaller, meneer Henry, die alles nauwlettend in de gaten hield. Wayne drukte een zak chips met kipsmaak met de muis van zijn hand plat in zijn kastje. Hij had een klein gaatje in de zak gebeten om de lucht te laten ontsnappen. Je deed langer met een zak chips wanneer de inhoud was verpulverd tot een poeder dat je van je vinger af kon likken. De invaller rook als de sterke bruine zeep aan een touwtje, die Waynes tante een keer met Kerstmis naar Treadway had gestuurd. De zeep had de vorm van een uitgerekt ei en er zat zand in. Wayne werd alleen van de lucht al misselijk. Hij was inmiddels bij bladzijde 174 van *De spoorwegkinderen* en wilde net zijn vinger weer in het poeder stoppen toen een golf van die zeeplucht over hem heen sloeg, net als de keer dat zijn moeder haar haren bij het aanrecht had gepermanent en toen in tranen was uitgebarsten. Wayne besefte dat meneer Henry *De spoorwegkinderen* duidelijk kon zien, verstopt in zijn wiskundeboek, maar daar wilde meneer Henry het niet over hebben.

'Weet je wel hoeveel calorieën er in chips zitten?' vroeg hij, luid als een acteur. 'Daar word je dik van.' Zijn tanden glimlachten, maar zijn tong kronkelde als een aal. Wayne duwde de zak met chips diep in zijn kastje en hield zijn hand daar. Zijn hele vinger zat vol poeder.

'Ze maken je dik en je wilt toch niet dik worden?'

Donna Palliser en de meisjes die lid waren geworden van haar club lachten. De jongens deden dat niet. Brent Shiwack maakte met een passer gaatjes in zijn lessenaar, in de vorm van Newfoundland.

'Wil je dik worden?' vroeg meneer Henry opnieuw nadrukkelijk en nog steeds in een walm van parfum. De leden van de club van Donna Palliser wachtten en Wayne had het gevoel dat hij verstrikt zat in hun wereld op een manier die voor de andere jongens niet gold. Meneer Henry zat ook op de een of andere manier vast aan die meisjeswereld, maar hoe dat wist Wayne niet. De manier waarop meneer Henry en de meisjes naar hem keken, beviel hem helemaal niet en dat ongemakkelijke gevoel bleef de hele dag hangen.

Er was ijs aan zijn wollen wanten blijven kleven en hoewel de leerlingen geen kleren op de verwarming in de garderobe mochten leggen, deden ze dat allemaal. Dan verbrandde er wel eens iets. Wayne zei tegen meneer Henry dat hij naar de wc moest, maar eigenlijk wilde hij alleen maar weg uit de buurt van de zeep en zijn wanten redden. Hij stopte ze net in de mouw van zijn jas toen meneer Henry eraan kwam. Wayne had het gevoel dat meneer Henry niet boos op hem zou worden vanwege de wanten. Hij had het gevoel dat meneer Henry aan iets anders dacht en dat klopte.

'Moest je even alleen zijn?' De stem van meneer Henry klonk zachter dan nodig was. Wayne was het liefst de garderobe uitgerend, maar de garderoberuimte was klein en smal en dan zou hij onder de oksel van meneer Henry door moeten duiken. Dus bleef hij bij het kleine, met ijs bedekte raam staan. Er kwam bijna geen daglicht naar binnen. Aan het plafond hing een peertje dat geel licht gaf. Het rook er naar natte wol en van zweet doortrokken sokken en nu ook de zeeplucht waarvoor Wayne op de vlucht was gegaan. Meneer Henry ging vlak bij Wayne staan, drukte een vinger tegen zijn jukbeen en trok een streep over zijn gezicht, naar zijn oor en toen heel licht langs de achterkant van zijn oor, waar niemand hem ooit had aangeraakt. De huid daar was zo gevoelig dat Wayne bang was dat hij zou breken. Tussen zijn benen sprongen bloemen op, maar het waren akelige bloemen die hij niet fijn vond. Hij had geen ruimte om achteruit te stappen. Achter hem was de radiator. Als hij die raakte, zou zijn overhemd verbranden. Hij kon al ruiken dat het katoen warm werd, net zo'n lucht als wanneer zijn moeder zijn overhemden streek. Moest meneer Henry niet terug naar de klas? Zou niemand zich afvragen waar hij was?

'Ik wilde alleen iets uit mijn jaszak halen.'

'Ik wil soms ook graag even alleen zijn.' Meneer Henry pakte een haarlok van Wayne en Wayne besloot meteen die af te knippen zodra hij thuis was. Als hij ooit thuis zou komen, als meneer Henry niet alle jassen van de vijfdeklassers van hun haakjes haalde om hem te smoren. De onderwijzer hield de haarlok van Wayne vast zoals zijn moeder brokjes bakvet in deeg verwerkte, alleen met haar vingertoppen om het zijdeachtige mengsel niet warm te maken, en liet die toen weer los.

'Als je ooit met iemand wilt praten over speciale dingen, dingen waarvan je niet wilt dat anderen die weten...' de stem van meneer Henry was zo zacht dat hij dodelijk klonk, alsof hij zei dat als Wayne iemand had vermoord hij dat gerust aan hem kon vertellen en dat hij hem dan zou helpen de misdaad verborgen te houden '... moet je naar mij toe komen.'

De bel ging, zo luid en schril dat Waynes hart twee keer oversloeg. Toen was de gang ineens vol met kinderen die schreeuwden en kluisjes openmaakten. De geur van kippasteitjes – de goedkope uit de diepvries die je veertig minuten in de oven moest zetten – dreef de garderoberuimte binnen en gelukkig voor Wayne was het moment van tederheid van de kant van meneer Henry meteen voorbij. Meneer Henry draaide zich haastig om en liep snel naar de docentenkamer, zonder de jongen die hij wilde hebben zelfs maar gedag te zeggen. Wayne wist dat meneer Henry hem wilde hebben. Hij wist niet precies hoe hij dat wist, maar hij wist dat het met honger te maken had en hij zorgde ervoor dat hij nooit meer alleen met de man was. Wat meneer Henry ook probeerde om hem apart te nemen, hij was hem altijd een stap voor. Ook als hij daarvoor moest rennen. Dus ontsnapte hij aan meneer Henry, maar hij kon niet ontsnappen aan het feit dat de man hem had begeerd en dat zijn lichaam daar met een eigen geheim verlangen op had gereageerd. Een subtiel gevoel, ongewenst, onvrijwillig, mysterieus. Een kind van elf gaat beseffen wat seksuele extase is, houdt het voor zich en denkt heel even dat hij of zij de enige ter wereld is die zoiets heeft meegemaakt. Voorlopig bleef Waynes extase verborgen, als elke willekeurige bloembol, verstopt in de grond.

'Het is net alsof papa constant boos op me is.' Wayne zat op de hoge kruk bij het aanrecht, terwijl zijn moeder uien sneed. 'Waarom?'

'Hij is niet boos op je.'

'Wel waar.'

'Hij zal wel gewoon moe zijn. Hij heeft het beste met je voor. Alle vaders hebben het beste met hun kinderen voor. Hij wil dat je alles leert wat je nodig hebt voor een goed leven. Hij wil dat zijn zoon gelukkig wordt.'

'Hij is wel boos. Dat kan ik aan zijn stem horen.'

'Je vader schreeuwt nooit.' Dat was waar. De vader en moeder van Treadway hadden zijn hele jeugd lang tegen elkaar geschreeuwd en hij had al vroeg in hun huwelijk tegen Jacinta gezegd dat hij nooit zou schreeuwen en ook niet wilde dat zij dat deed.

'Alles zal op de een of andere manier aan het licht komen,' zei Jacinta later over de telefoon tegen haar zus, maar die woonde in Mount Pearl en kon haar niet helpen.

Treadway had geen idee hoe hij met spanning moest omgaan. Bij hem thuis heerste de stilte zoals hij zich dat vooraf plechtig had voorgenomen, maar inwendig schreeuwen was iets nieuws voor hem en als dat begon, vluchtte hij het huis uit en ging met zijn boot naar het eiland of liep langs zijn vallen.

9

Boterham met sla

JE KON HEEL NONCHALANT langs het hek van Wally Michelin lopen en net doen alsof je net als iedereen de kortste weg nam naar de Hudson's Bay Store. Wayne wenste dat hij de tuin in kon lopen om op haar deur te kloppen, maar dat kon hij niet. Hij wenste dat hij de glanzend roze bloemen van het rozenkransje kon plukken om de stengels te omwikkelen met lang gras en het boeket anoniem in haar brievenbus kon stoppen, maar dan wel zo dat ze meteen zou begrijpen dat het van hém afkomstig was, maar ook dat kon hij niet opbrengen. Hij liep langs haar hek zonder er zelfs maar naar te kijken en voelde zich een volslagen idioot.

In de etalage van de winkel hing een rood waterpistool. Hij was waterpistolen ontgroeid. Een plastic radio interesseerde hem ook niet. Alles in de etalage zag eruit alsof het er te lang in had gestaan. Het leek alsof de spullen naar Labrador waren gestuurd omdat de mensen in de rest van het land er toch niets aan hadden. Daar mopperde zijn moeder ook altijd over.

'Ze hebben bosbessen in kleine bakjes van twee dollar, terwijl we achter ons huis gratis emmers vol kunnen plukken,' zei ze.

De bosbessen in de winkel waren twee keer zo groot als die in Croydon Harbour en bijna verrot. In de winkel was ook geen verse melk te krijgen. Jacinta was de enige die Wayne daar ooit over had horen klagen. In Labrador dronk je thee zonder melk, maar wel met suiker. Suiker had de winkel altijd in voorraad.

Toen Wayne voor de vijfde keer nonchalant langs het huis van Wally Michelin liep, kwam ze naar buiten.

'Wil je een boterham met sla?'

Wayne had nog nooit gehoord van een boterham met alleen sla.

'Dat is echt lekker met een blikje Sprite erbij. Ik maak er altijd een als mijn moeder de deur uit is om Avon te verkopen.'

Wayne herinnerde zich het huis uit de tijd dat het nog van Thomasina Baikie was. Nu zag het er heel anders uit. Wally's vader had grote ramen in de keuken gemaakt waardoor het licht van de Hamilton Inlet naar binnen viel, en in dat licht legde Wally vier sneden Holsum-brood neer. Met een spatel smeerde ze er Miracle Whip op, en dat zonk weg in de witte gaatjes.

'Het belangrijkste is de mayonaise.'

'Mijn moeder maakt brood met margarine waterdicht.'

'Ik heb nog nooit gehoord van het waterdicht maken van brood.'

Ze trok een paar blaadjes van een krop ijsbergsla, sneed ze in reepjes en legde die op de boterhammen. Toen deed ze er zout bij. Wayne verwachtte dat de boterham smakeloos zou zijn, alsof iemand de lunchworst was vergeten.

Wally nam een hap. 'Zie je wel?'

De sla smaakte groen, knapperig, koud. Ergens had hij het gevoel dat alleen iemand die heel arm was een kale boterham met sla fantastisch zou vinden. Maar het smaakte lekker en dat gaf hem het idee dat je dingen kon ontmantelen, zelfs nog meer dan zijn ouders dat deden. Sla kon je in leven houden. Maakte zijn vader zich niet te veel zorgen over het in leven houden van zichzelf en zijn gezin? Deed hij daar te hard zijn best voor?

En deed zijn moeder dat ook? Hier, in het lege huis van Wally Michelin, zonder haar ouders, zonder vlees op brood en in het felle licht dat in zijn eigen huis niet te zien was, voelde hij een opwinding die hij niet onder woorden kon brengen.

Na de boterham met sla werden Wayne en Wally vrienden. Wayne hield van Wally zoals kinderen van elkaar kunnen houden, in die knipperlichtfase waarin ze niet meer met speelgoed spelen maar seksueel nog niet volledig zijn ontwaakt. De ouders van Wally lieten haar vaak alleen in het huis achter, omdat ze intelligent en te vertrouwen was. Ze mocht thee zetten en die maakte ze zoet met ahornstroop uit Quebec. Om het op te drinken gingen ze op kussens op de veranda aan de lichte zuidkant van het huis zitten, met uitzicht op de bergen. Daar konden ze praten over dingen waarover je na moest denken en ze gingen niet naar binnen om naar *Bewitched* of *Jeopardy* te kijken.

'Je moet een doel hebben.' Wally was even zeker van haar opvattingen als van haar boterhammen met sla. Daar schrok Wayne van, want zijn ouders hielden zich – dat idee begon hij tenminste te krijgen – alleen bezig met een onderdeel van het leven. De keuken: zijn moeder, haar pannen met gebakken lever, hart, kleine schouderkarbonaadjes van kariboevlees en de andere dieren waarop zijn vader jaagde – zou dat echt alles zijn? Je had ook altijd nog wat Jacinta mooie muziek noemde: Brahms, Chopin. Maar die muziek kwam via de radio naar hen toe en er was geen achterdeur waardoor zijn moeder de wereld van alledag kon verlaten. Wayne wist dat Jacinta afkomstig was uit een andere wereld, dat ze zich een andere plek herinnerde, maar nu was ze hier. Ze bleef hier en muziek kon via de radio bij haar op bezoek komen, maar ontsnappen was er niet bij. Ze kon niet naar de muziek toe. En het leven van zijn vader was op een andere manier beperkt. Treadway hield van de wildernis, maar Treadways wildernis lokte Wayne niet. Die kon hem niet verleiden en hij wenste ook niet dat hij er meer tijd in kon doorbrengen dan hij nu deed. Wally Michelin kon naar een andere wereld toe en hier, in de zon op de veranda van haar huis, drong dat ineens tot Wayne door.

Ze zaten met hun rug tegen de muur die lekker warm was, ook al lag er hier en daar nog sneeuw. 'Als je geen doel hebt kun je net zo goed een blinddoek omdoen en afwachten waar je uitkomt.'

Wanneer hij de kans kreeg, gaf de vader van Wally Michelin zijn loon als vrachtwagenchauffeur uit aan bouwmateriaal en hij had de muren bedekt met terracotta stucwerk dat verder nergens in Croydon Harbour te vinden was. Het hield net als klei de warmte vast. Treadway had dat maar niets gevonden.

'Dat spul brokkelt binnen vijf winters af,' had hij gezegd toen Gerald Michelin samen met zijn zwagers die op bezoek waren de klei met gracieuze troffels hadden aangebracht. Maar het was niet afgebrokkeld en Wayne had Jacinta tegen Eliza Goudie horen zeggen dat ze jaloers was op de manier waarop Ann Michelins potten met rode geraniums ertegen afstaken. Het leek wel een Italiaanse villa.

'Ik heb een doel.' Wally gaf Wayne een paar Oreo-koekjes. De Michelins aten dingen die uit een pakje kwamen. Wayne was gewend aan eten dat zelfgemaakt was.

'Wat dan?'

'In het Duits zingen.'

'Zoals Lydia Coombs?'

'Ik heb haar een brief geschreven en zal ik je eens iets vertellen? Ze heeft me teruggeschreven. En ze heeft me een cadeau gestuurd. Een belangrijk cadeau. Zal ik je dat eens laten zien?'

Lydia Coombs was tijdens een nationale tournee langs afgelegen scholen naar de lagere school van Croydon Harbour toe gekomen, om de kinderen te vertellen over het werk en het leven van een echte operazangeres. Ze had verteld dat toen ze tien jaar oud was zuster Angelica, een van de nonnen in haar geboortestad aan de noordelijke oever van de St. Lawrence River in Quebec, tegen haar klas had gezegd dat ze moesten weglopen. Als zij zelf op tijd was weggelopen, had zuster Angelica gezegd, had ze naar Wenen kunnen gaan om daar een leven voor zichzelf op te bouwen als professionele altzangeres. Dat had ze de klas in het geheim verteld. Loop weg voordat het te laat is. Iedere ochtend om elf uur, als de moeder-overste buiten de koe van de school aan het melken was, had zuster Angelica voor de kinderen Schubert gezongen. 'Het werd voor ons normaal om Schubert te horen,' had Lydia Coombs gezegd, 'en niets in mijn hele leven is ooit zo mooi geweest als die stem. Toen heb ik me plechtig voorgenomen weg te lopen en net zo te leren zingen.' Daarna had Lydia Coombs iets gezongen voor de klas van Wayne en Wally.

'Wat voor Duits liedje zong ze toen ook al weer?' vroeg Wayne nu.

'Het was geen Duits liedje. Het was een Frans gedicht van Jean Racine dat door Gabriel Fauré op muziek was gezet.'

Wayne kon zich niet voorstellen dat iemand anders uit zijn klas zich dat zou kunnen herinneren. Nadat Lydia Coombs voor hen had gezongen, was de pauzebel gegaan. Donna Palliser stond tegen een muur geleund de vulling uit haar Cherry Blossom te likken tot er alleen een leeg hoorntje van chocola met de kale kers over was. Ze had aan de randen van het hoorntje geknabbeld en de kers in haar mond gestopt terwijl de andere meisjes een hinkelperk bijwerkten en Bruce McLean en Mark Thevenet op zoek waren naar sigarettenpeuken met voldoende tabak erin om ze te kunnen opsteken. Wat hen betrof, had Lydia Coombs het net zo goed over tandheelkunde of een verantwoord regeringsbeleid kunnen hebben.

'Je hebt haar adres overgeschreven van het bord.'

'Ja.'

'Wat heb je haar geschreven?'

'Dat ik graag een kopie van het gedicht van Racine wilde hebben. Dat heeft ze me gestuurd. En dit ook.' Wally liet hem een envelop van raar dun papier zien, wat in de Hudson's Bay Store niet te krijgen was. Daarin zaten de met zwarte inkt geschreven brief van Lydia Coombs en een crèmekleurig boekje.

'Dit is de bladmuziek van Fauré.' Wally pakte het voorzichtig aan. De noten, notenbalken, titel en prijs in francs waren geschreven in een mooi, mysterieus handschrift. Op school hadden ze ook bladmuziek, maar dat waren kopieën die op een stokoude stencilmachine waren gemaakt en er stonden niet veel noten op de kale papieren achtergrond – als de verdwaalde afdrukjes van vogelpootjes in de sneeuw. Deze vellen papier stonden vol met trillers, zestiende noten, noten met kruisen, moltekens en accidenten. Niet de sporen van een enkel eenzaam vogeltje, maar de muziek die dat vogeltje tijdens een glorieuze ontmoeting met haar zusjes, vriendinnen en nichtjes kon maken.

'Jemig!'

'Ik bestudeer die muziek iedere avond in bed. Op een avond zal ik er ineens iets van begrijpen en later weer een ander stukje, totdat ik op een dag alles zal kunnen lezen.'

Wally's moeder luisterde niet naar muziek zoals Waynes moeder dat deed. In Wally's huis waren geen muziekinstrumenten. Hoe zou ze dat lied kunnen leren? Hoe zou ze er ook maar íéts van kunnen leren? Wayne was verbijsterd. Hij had nog nooit iemand ontmoet die zo vastberaden was en het verontrustte hem dat Wally zoveel vertrouwen had in iets wat naar zijn idee tot mislukken was gedoemd.

'Ik kan me één stukje herinneren.' Wally neuriede even. 'Als ik de noten echt goed bestudeer, zal ik de muziek op het papier vinden en dan zal ik weten waar ik aan toe ben.'

In de zesde klas bleven Wayne en Wally vrienden en hoewel Treadway liever zou hebben dat Wayne vriendschap zou sluiten met een jongen, liet hij het maar zo. Hij hoopte dat de vriendschap met Wally een natuurlijke dood zou sterven. Maar wanneer hij 's morgens zag dat Wayne en Wally samen naar school liepen, vond hij dat helemaal niets.

'Papa?'

'Wat is er, jongen?' Treadway had Wayne gevraagd hem te helpen in de schuur oude stukjes draad en koolbladeren op te ruimen. Treadway hing zijn kolen op met hetzelfde nylon draad dat hij gebruikte voor het maken van sneeuwschoenen die hij voor het houthakken aantrok en die minder lang meegingen en ruwer waren dan de schoenen die hij met catgut voor de vallenroute maakte. Hij kweekte per jaar tussen de vijftig en de vijfenzeventig kolen, afhankelijk van het weer en de koolmotten, en die hing hij boven de vaten met patrijsbessen en bosbessen. De buitenste bladeren van de kolen bevroren en verschrompelden en daarom moest je in de lente de oude bladeren opruimen die overal op de grond waren gevallen.

'Weet je wel die houtblokken die bij de kreek liggen?'

'Ja.'

'Mag ik die hebben?'

'Waarvoor?'

'Ik wil ze niet weghalen, maar er beter hout overheen leggen, want het hout dat er nu ligt, is aan het rotten.'

'Dat komt omdat ik uit dat deel van het bos geen brandhout meer haal. Je kunt niet telkens op dezelfde plek hout hakken, want dan blijft er geen bos meer over. Ik had die blokken vorig jaar hierheen moeten slepen.'

'Mogen ze daar blijven liggen en mag ik ze dan hebben? Ik wil er iets van maken.'

'Een fort over de kreek?'

'Zoiets, ja.'

'Een soort schuilplaats.'

'Ja.'

'Die hadden wij vroeger ook en dan zaten we daar de hele zomer in.'

'Echt?' Wayne vond het fijn als zijn vader over zijn jeugd begon.

'Nou en of! We aten en sliepen erin. Ikzelf en Danny Fortescue en Jim Baikie en nog een heleboel andere jongens. Maar waarom wil jij een fort over de kreek hebben? Je moet een schuilplaats in het bos maken. Niet in de open lucht.'

'Ik denk dat het boven het water echt geweldig zou zijn.'

'Ik neem aan dat veel forten via het water bereikbaar waren. Op die manier kon je de vijand zien aankomen als die per boot kwam.'

Wayne had niet aan vijanden gedacht. 'Mag ik dat hout daar in de hoek gebruiken?'

'Dat had ik eigenlijk nodig om de schuur te repareren.' Treadway bekeek de stapel. 'Maar je kunt er wel iets van pakken. Die kreek is niet zo breed. Heb je eigenlijk wel een idee hoe je er een fort overheen gaat bouwen?'

Wayne had iets in gedachten, maar hij wist niet of hij het zijn vader kon uitleggen. 'Het heeft iets als een dak, maar er zijn wel gaten waar je doorheen kunt kijken.'

'Ik heb het niet over de bovenkant. Dat is een fluitje van een cent. Je kunt van alles als dak gebruiken. Ik heb het over de fundering. Hoe ga je de basis maken? Dat is het eerste wat je je moet afvragen.'

'Daarom vroeg ik naar het hout dat daar al is. Daar kunnen we toch gewoon een paar planken overheen leggen?'

'Dan krijg je alleen maar een soort glijbaan. Met een slee zul je er zelden overheen kunnen. Het hout is glad en half verrot en dus niet goed voor een fort. Voor een fort heb je iets nodig dat in de bedding van de kreek is verankerd.'

'Papa, zoiets heb ik niet nodig. Ik wil maar iets kleins.'

Treadway haalde een potlood uit zijn zak, pakte een doos met soldeerdraad waarvan de achterkant niet was bedrukt en tekende een diagram voor Wayne. En vervolgens twee concentrische cirkels.

'Zo deden de Romeinen het. Je moet niet bovenaan beginnen. Dit is een kistdam. Ze dreven een cirkel van houten palen diep de rivierbedding in, en dan een cirkel binnen die cirkel. Vervolgens vulden ze de buitenste ring met een soort klei.'

'Papa.'

'Echt waterdicht. Wanneer het water dan gevangen zat in de binnenste cirkel, moesten slaven dat er met emmers uit scheppen. Mensen gingen dood, werden verpletterd. Maar die binnencirkel kwam leeg. Ze zorgden voor een droge plek midden in de rivierbedding. Daarin zetten ze dan de middelste pijler van een bug.'

'Papa, ik wil gewoon iets maken wat echt gemakkelijk is.'

'Niets is echt gemakkelijk, Wayne. Niet in dit leven. Niet als je het goed wilt doen. Als je iets over die kreek heen wilt bouwen, moet je nadenken over de bedding van de rivier, ook al is de kreek nog zo smal. Je moet alles opmeten en goed bestuderen. Als je dat niet doet zal je brug instorten, met jou erop. Welke vader zou zijn zoon dat laten overkomen?'

'Maar er staat hooguit twintig centimeter water in die kreek, papa.'

'Wayne, ik zeg dat je moet bestuderen wat daarónder zit. Modder? Steen? Zand? Bestaat de kans dat dat door de stroming wordt ondermijnd? Je moet weten waar je iets op bouwt. Als je dat echt goed bestudeert, mag je dat hout hebben. Ik zal je helpen met de start. Dat zouden we vanmiddag kunnen doen als jij dat wilt.'

Wayne wilde het hout hebben, maar hij was er niet zeker van dat hij wilde dat zijn vader hem hielp met het bouwen van een brug over de kreek. 'Zullen we eerst zorgen dat de kolen opgeruimd zijn?'

'Zo noemt je moeder ze. Kolen in plaats van kool. Dat is een van de dingen waardoor je weet dat ze niet in Labrador is geboren.'

Wayne wist dat zijn vader gelijk had. Iedereen die in Labrador was geboren gebruikte het enkelvoud voor groente. Kool. Wortel. Hoeveel exemplaren er ook waren. Hij besefte dat Treadway net zo over mensen dacht. Voor hem waren mannen gewoon één man.

De buitenste koolbladeren isoleerden de binnenste die de moeder van Wayne tot midden juni met mate gebruikte. Dan – over twee weken – zouden er verse rapen en paardenbloemen zijn. De kolen hingen daar, hard en koud, en stootten tegen Waynes hoofd als hij van zijn moeder bessen uit de vaten moest halen. Dat deed zeer. Je moest de bessen een klap geven met de kop die op de vaten klaarstond. Dan rolden ze los, als koude knikkers. De schuur was donker. Je moest de bessen op de tast vinden. Ze veranderden zodra Jacinta ze in de keuken had gekookt. Kleuren en geuren kwamen opeens tot leven alsof het houtvuur hetzelfde was als de hitte van de zon – wat volgens Treadway indirect ook zo was. Een groot deel van Labrador was zo. Het ene moment dof, bevroren en in het donker en dan, als je er iets mee deed, opeens zuur, zoet, rood en groen. Labrador was een plek die pas door de mens tot leven werd gewekt.

'Wat je in feite over die kreek heen wilt leggen is een eenvoudige kraagligger,' zei Treadway in de keuken. Hij scheurde de flap van het pak cornflakes en hield zijn potlood omhoog.

'Papa, het hoeft niets ingewikkelds te zijn.'

'Op die manier hoef je geen rekening te houden met de bodem van de kreek. Kijk maar.' Hij liet Wayne een tekening zien. 'Je verankert beide uiteinden op de oever en die raken elkaar in het midden.'

'Maar dan zitten ze in het midden niet vast en stort de hele boel in.'

'Nee, dat gebeurt niet als de uiteinden verankerd zijn. Ik heb nog wat cement, een paar stutten en oude moeren van de werf van Graham Montague. Laten we allebei maar een schop pakken en kuilen voor de palen gaan graven.'

'Papa, ik moet huiswerk maken.'

'Wat voor huiswerk?'

'Wiskunde. Driehoeken meten. De lengte van een zijde bepalen.'

'Perfect. Haal dat huiswerk maar op, dan verwerken we het in ons bouwproject.'

'Papa.'

'Toe nou maar, je vindt het vast leuk.'

Het was zaterdag en op de zaterdagen bakte Jacinta brood, dus waren ze het merendeel van de dag allemaal in de keuken. De radio stond aan. Regen tikte tegen de ramen, er hing wat stoom in de keuken en het gezin voelde zich gelukkig. Tegen de tijd dat Jacinta zes broden had gekneed en ze twee keer had weggezet om ze te laten rijzen, was de tafel bedekt met tekeningen. Treadway concentreerde zich op de brug alsof die van hem was, en Wayne vond het leuk kopieën van de diagrammen te maken met een metalen liniaal en een timmermanspotlood dat Treadway met een scheermesje had geslepen. Het platte, stevige en brede potlood stond hem aan.

'Papa, mag ik dit potlood houden?'

'Ja, jongen.'

De volgende morgen nam Treadway hem mee naar de kreek om gaten te graven voor de palen. Hij liet Wayne zien hoe je een pikhouweel moest gebruiken en hoe je cement moest mixen. Wayne vond het geluid dat het cement maakte als je het met water vermengde mooi: een geluid dat betekende dat je iets groots aan het maken was. Zijn vader liet hem zien hoe je stenen met het cement moest vermengen en hoe je de stutten voor de palen moest plaatsen. Het kostte drie weekenden om de vier steunpalen af te krijgen.

'Papa, wanneer is hij helemaal af? We hebben nu vakantie, Wally en ik willen de brug gebruiken, maar nu zijn we nog steeds niet verder dan de palen.'

'Jij en Wally Michelin?'

'Ja. We willen de brug echt graag gebruiken.'

'Ik dacht dat je met jongens op de brug zou gaan spelen. Met Brent Shiwack en een paar anderen.'

'Nee! Ik wil hem samen met Wally gebruiken.'

'Ik zat net te denken dat we de brug zo moeten bouwen dat je een deel kunt verwijderen als je niet wilt dat het andere team er gebruik van maakt. Dat is een heel oude tactiek die eeuwenlang tijdens oorlogen is gebruikt.'

'Papa, ik wil met Wally Michelin op de brug zitten. We gaan niet oorlog voeren. En nu staan alleen de palen in de grond. Het duurt allemaal veel te lang.'

'Wayne, die palen zijn het allerbelangrijkst. De fundering van iets is in feite het ding zelf. Nu we dit achter de rug hebben, is de rest gemakkelijk. We leggen de planken op hun plaats, zetten ze vast en dan zijn we klaar. Als er iets echt zwaars overheen moest, zoals een trein, zouden we nog wat extra maatregelen moeten nemen.'

Treadway maakte dingen altijd solider dan noodzakelijk was. Zijn slee was zwaarder dan de slee van alle andere pelsjagers in Croydon Harbour, waardoor hij moeilijker te trekken was, maar stukgaan zou hij nooit. Wayne kon zien dat deze brug net zoiets was als de andere projecten van Treadway. Hij was stevig en gebouwd om lang te blijven bestaan, net zoals Treadway zelf. De brug was een meter twintig breed en ruim drie meter lang, en Wayne moest toegeven dat hij bijna alles met de brug zou kunnen doen zonder dat die instortte.

'Hoe maak ik de zijkanten?'

'Die moet je ontwerpen. Pak je potlood. De zijkanten kun je eigenlijk overal van maken. We zullen aan elke kant drie palen bevestigen en daar kun je dan aan vastzetten wat je wilt. Je kunt hout, touw of ijzerdraad gebruiken. Kies zelf maar.'

'Ik wil dat hij overdekt is. Ik wil hem zo hebben dat Wally en ik naar buiten kunnen kijken maar niemand naar binnen kan kijken. Ik zal mammie om een paar gordijnen vragen.'

'Gordijnen?'

'Ja. Mammie heeft nog meer dingen die ik mocht hebben.'

'Gordijnen?' vroeg Treadway aan Jacinta toen Wayne naar bed was gegaan. 'Porselein? Een kleed?'

'Het zijn oude spullen die ik nooit heb gebruikt.' Het brokaat had al voor de geboorte van Wayne op een plank gelegen en de gouddraad gloeide op een matte achtergrond. 'Wayne vond dat het er koninklijk en ouderwets uitzag.'

'Dergelijke dingen hebben wij in onze forten nooit gehad. We gebruikten ze om dingen op te bergen die onze moeders niet mochten zien.'

'Heb je dan liever dat hij er bier en ammunitie bewaart?'

Treadway trok zijn sokken uit. Hij liet ze altijd binnenstebuiten op de vloer liggen. 'We hadden geen cake en ook geen gebloemde kopjes.'

'Het zijn maar een paar gebarsten kopjes.'

De lichaamstaal van Treadway was afkeurend. Hij bewoog zich met onnodige precisie en zijn gezicht was een doelbewust masker. Hij werd onbereikbaar, maar zijn lichaam sprak klare taal en dat haatte Jacinta. Ze wilde woorden over zijn lippen horen komen, maar hij sprak met zijn botten. Die zeiden: Jij mag dan meegaand of blind zijn, maar ik ben geen van beide.

Wally Michelin en Wayne maakten een tijdelijk dak voor de brug met touwen, dekens en een waterdicht zeil. De brug was anders dan de sneeuwforten die Wayne had gemaakt. Bij sneeuwforten ging het helemaal om de constructie en ze waren nooit af. Als je eenmaal een berg had gemaakt en die had voorzien van ramen en een ingang, verbond je die door een tunnel met een andere berg, tot je een eindeloos met elkaar verbonden complex van bevroren hutten vol stil en blauw licht had. Je zat onder de sneeuw, terwijl je op de brug boven het water van de kreek hing. Wally nam haar muziek mee en oefende het zingen van toonladders, terwijl Wayne papier meenam en ontwerpen tekende voor andere muren, latwerk en daken voor de brug zelf. Hij bracht de ansichtkaarten van Thomasina in hun koekblik mee en bestudeerde de bruggen van Londen, Edinburgh, Parijs en Florence. De bruggen hadden dezelfde symmetrie die hij bij het synchroonzwemmen zo mooi vond. Hij keek naar hun bogen en vlechtbogen en kopieerde die op papier.

Wally Michelin had een kleine radio en ze luisterde voortdurend naar muziek. Daarna zong ze wat ze net had gehoord. 'Dat is een manier om je geheugen te trainen. Je luistert een keer naar iets en dan doe je het na. Je moet je elke noot kunnen herinneren.'

'Maar hoe weet je dan dat je het goed hebt nagedaan?'

'Het is net zoiets als op zoek gaan naar nieuwe soorten wilde paddenstoelen. Mijn vader zegt dat je je zintuigen dan optimaal moet gebruiken. Je moet je nergens door laten afleiden, want anders ga je dood.'

'Maar je gaat niet dood als de muziek die je maakt niet klopt.'

'Ik zal ervoor zorgen dat het klopt.'

'Maar als je dat niet lukt, ga je niet dood.'

'Als jij op een concertpodium stond en een verkeerde noot zong, zou je wel het gevoel hebben dat je doodgaat. Daarom doe ik dat nú, voordat iemand anders dan jij me kan horen.'

Wally nam stiekem de xylofoon van haar broer Tyrone mee naar de brug. 'Speel zes noten. Dan zing ik die na en moet jij zeggen of ik het goed heb gedaan. Vervolgens doen we het met twaalf noten, en dan met zestien.'

'Maar ik weet zelf niet wat de juiste noten zijn. Tegen de tijd dat jij gaat zingen ben ik vergeten wat ik heb gespeeld.'

'De volgende keer breng ik de cassetterecorder van mijn moeder mee en neem het op. Dan ligt de muziek vast.'

Wayne zei tegen zijn vader dat hij de bovenkant van zijn brug op de Ponte Vecchio wilde laten lijken. 'Ik vind het zo mooi dat er zoveel gebeurt op die brug. Mensen lopen er niet alleen overheen. Er zijn winkels vol goud. Mensen blijven op die brug en maken muziek.'

'Om bogen te maken hoef je die palen alleen maar met elkaar te verbinden en te stutten, jongen. Daarna kun je ze bedekken met hardboard of die golfplaten die ik nog over heb van de kas. Als je dat als dak gebruikt, valt er ook nog licht naar binnen. Kom maar eens mee.' Hij pakte twee hamers en een doos schroeven en liet Wayne zien hoe je een boor moest gebruiken en recht moest schroeven. Hij maakte een grote passer van ijzerdraad en een oude bezem en liet Wayne zijn bogen op het hardboard tekenen. Toen liet hij hem zien hoe hij ze uit kon zagen.

'Dat ziet er precies goed uit, papa. Het lijkt op de brug op de kaart van Thomasina.'

'Het ziet er inderdaad behoorlijk goed uit, jongen. Ik zou voor een andere bedekking hebben gekozen, maar jij wilde dit graag.'

'Papa, het is geweldig. Kunnen we jouw lange verlengsnoer lenen?'

'Wat wil je daarmee doen?'

'Ik wil lampen op de brug hebben.'

Wayne bracht kerstlampjes rond de bogen aan. Hij las, leunend tegen kussens, terwijl Wally Michelin stemoefeningen deed en in haar dagboek schreef. Ze aten boterhammen met sla en dronken er Sprite bij. Elke keer wanneer Wally weer een stukje van Faurés 'Cantique de Jean Racine' onder de knie had, onderstreepte ze dat met een groene balpen. Wayne zag tot zijn verbazing dat het aantal groene lijnen langzaam maar zeker toenam. Het dagboek van Wally was groen. Ze had het bij Avon besteld en het had een slotje. Wanneer ze erin schreef, of zong terwijl Wayne zijn ontwerpen tekende, leek de brug even betoverend als een vliegende huifkar – iets uit een droom.

Treadway keek toe en het beviel hem helemaal niet.

'Wij hebben in onze forten nooit gezongen of gelezen,' zei hij tegen Jacinta.

'In je jachthut heb je John Donne gelezen. Je hebt Poe en Stevenson gelezen.' Alle pelsjagers lazen in het licht van een kaars een hoofdstuk, een gedicht – op zijn hoogst twee – voordat ze doodop in slaap vielen. 'Je hebt *Pensées* van Pascal gelezen.'

Treadway ging om halftien naar bed, maar het gezang van Wally Michelin hield hem uit zijn slaap. Hij verdroeg dat tot hij op de klok keek en zag dat het bijna middernacht was. Hij stapte zijn bed uit en haalde een glas water. Het raam stond open en hij bleef staan luisteren. Toen spoelde hij zijn glas af en liep de huiskamer in, waar Jacinta met een lange naald een pantoffel een konijnenneus probeerde te geven.

Jacinta had ook zitten luisteren. 'Ze kan goed zingen.'

'Waarom vinden we het goed dat hij samen met dat meisje zo lang opblijft?'

Een konijnenneus was lastiger om te naaien dan de mocassins die Jacinta had leren maken toen ze net in Labrador was gearriveerd. Een konijnenneus heeft een reeks kleine plooitjes en het valt niet mee de neuzen van beide pantoffels gelijk te krijgen. Jacinta zou tot drie uur 's nachts zijn opgebleven als Treadway dat niet erg had gevonden, maar hij werd altijd wakker als zij naar bed ging en kon dan niet meer in slaap vallen.

'Het is zomer,' zei Jacinta.

'Ik weet welk seizoen het is.' Treadway keek grimmig naar het kleed. Hij wist dat het zomer was. Op geen enkele leeftijd had hij na middernacht willen opblijven om met een meisje te praten. Als zijn vrouw niet kon inzien dat daar iets mis mee was, dan had het ook geen nut haar dat uit te leggen.

Jacinta had hem in het verleden uitgedaagd en de strijd verloren. Zij vond de Florentijnse brug over de rivier mooi en ze wenste dat ze daar bij de kinderen kon zijn.

'Als zoiets bij de buren gebeurde, zou ik me afvragen wat dat voor ouders waren die een jongen en een meisje toestaan een halve nacht samen buiten door te brengen,' zei Treadway.

'Ze zitten in de zesde klas.'

'Ze hebben de zesde klas achter de rug. Het verbaast me dat Ann en Gerald Michelin haar buiten laten blijven. Als ik haar vader was, zou ik om negen uur komen opdraven om mijn dochter mee naar huis te nemen.'

'Wayne?' De maan was aan de hemel verschenen en Wally Michelin lag er op de vloer van de brug door een van de bogen naar te kijken.

'Wat is er?'

'Weet je nog wat meneer Ollerhead over de maan heeft gezegd?'

'Ik weet nog wel wat voor overhemd hij droeg.' Meneer Ollerhead had een shirt met roze en zilveren strepen aangehad. Hij had zijn gitaar meegenomen naar de school.

'Als je maar lang genoeg naar de maan keek, zei hij, zou je iets ontdekken.'

'Zoals wat?'

'Dat heeft hij nooit gezegd.'

Wally wist dat meneer Ollerhead de harten van meisjes in zijn klas had gebroken. Dat was niet zijn bedoeling geweest en hij wist het ook niet, maar het was wel gebeurd.

'Vind jij meneer Ollerhead aardig?' vroeg Wayne.

'Als onderwijzer?'

'Nee. Ik bedoel als man.'

'Wil je weten of ik mijn kussen zoen en doe alsof hij dat is, net als Gracie Watts?'

'Ja.'

'Nee. Als ik zing, zing ik voor iemand. Ik weet nog niet voor wie, maar zeker niet voor meneer Ollerhead.'

10

Alt

'ROLAND SHIWACK HEEFT EEN vracht garnalen die moet worden gepeld,' zei Treadway tegen Wayne.

Wayne roerde melk door zijn warme chocola. Treadway vond het kopen van ingeblikte melk – of van welke melk ook – belachelijk. In Labrador was melk krankzinnig duur en niemand deed melk in zijn thee. Als je melk nodig had, had Davina Thevenet zes geiten en zij was bereid zoveel melk als je nodig had te ruilen voor houten palen of een paar balen hooi. Keek Treadway nu zo grimmig vanwege de blikmelk? Jacinta kocht maar twee blikjes per week, omdat haar man het afkeurde. Als Treadway iets afkeurde, kreeg Wayne het benauwd. Als het niet door de melk kwam, wat was er dan?

'Kun jij dat voor hem doen?'

'Garnalen pellen?'

'Hij zal je er acht dollar voor geven.'

'Ik was van plan vandaag iets anders te doen.'

'Met Wally Michelin?' Zijn vader was zo laat op de ochtend normaal gesproken niet meer in de keuken. Had hij op hem gewacht?

Wayne wilde niet toegeven dat Wally hem de partij voor de

hoge mannenstem in het lied van Fauré aan het leren was, noch dat hij afbeeldingen op de ansichtkaarten van Thomasina overtekende in een Hilroy-schrift – zo'n schrift dat ze op de kleuterschool gebruikten: half gelinieerd en half ongelinieerd.

Treadway at een homp brood die dik was besmeerd met eendengelei en roerde vijf klontjes suiker door zijn thee. Zijn handen waren zwart van het vijlen van zijn kettingzaag. Hij zweeg en dat was verpletterender dan alles wat hij had kunnen zeggen.

'Ik kan het wel doen,' zei Wayne uiteindelijk. Hij wist dat zijn vader Roland Shiwack niet aardig vond.

'Weet je nog hoe dat moet?'

Ze hadden vaak garnalen gegeten. Je brak de kop af, opende het pantser met je duimnagel en trok hem dan voorzichtig los van zijn staart. Je moest zorgen dat er geen visvlees verloren ging. Zo nodig verwijderde je dan het zwarte draadje en spoelde de garnaal af onder koud water.

'Het gaat om veel meer garnalen dan wij hier thuis gewend zijn,' zei Treadway waarschuwend. 'Met een boot vol ben je het grootste deel van de dag wel bezig.'

'Dat is oké.'

'Neem wat afval mee voor mijn compost.' Ronald Shiwack had geen tuin en dat was een van de redenen waarom Treadway hem zo minachtte.

'Oké. Papa?' Zijn vader was in het aanrechtkastje op zoek naar schuursponsjes om zijn handen schoon te maken. Wat met die sponsjes niet verwijderd kon worden, zou hij er met een mes afschrapen. Hij reageerde niet op zijn zoon. Dat was niet ongebruikelijk, maar Wayne had het gevoel dat hij iets heel erg verkeerds had gedaan. Hij schaamde zich en hij wist niet waarom. Hij was bang dat hij de garnalen niet goed zou pellen en Roland Shiwack tegen Treadway zou zeggen dat hij te veel staarten had laten zitten of koppen bij de gepelde garnalen had gedaan of acht uur had gedaan over een klus die in vijf uur kon zijn geklaard. Wayne kon op zoveel manieren falen. Hij hoefde zijn vader niet te vragen waarom Brent, Rolands eigen zoon, het niet kon doen. Brent was naar het militaire trainingskamp in New Brunswick. In elk geval moedigde Treadway Wayne niet aan dat te doen.

'Ja, jongen?'

'Wil je als Wally hier komt tegen haar zeggen dat ik na het avondeten terug ben en we dan naar de brug kunnen gaan?'

Roland Shiwack had een stoel onder de esp in zijn achtertuin gezet. Hij gaf Wayne twee vaten gekookte garnalen, een vat koud pekelwater om ze af te spoelen, een slang die was verbonden met de buitenkraan en acht emmers om de gepelde garnalen in te doen. Wayne was blij met de esp. Er waren zoveel garnalen met hun kleine zwarte ogen dat hij er lichtgroene versies van zag als hij zijn eigen ogen dichtdeed. Het eerste halfuur vond hij het pellen leuk. Hij vond het stevige vlees mooi en hij at er zelfs een paar. Mevrouw Shiwack gaf hem koude limonade en dat glas pakte hij aan met een zilte hand vol schubben en voelsprieten. De limonade smaakte gelukkig een beetje zuur. Te zoete limonade vond hij niet lekker. Wat was de zin van een citroen als je geen speeksel kon aanmaken? Na een uur vond hij het pellen vermoeiend en in de middag was hij blij met een regenbui die het monotone werk doorbrak. Toen mevrouw Shiwack hem vroeg of hij naar binnen wilde komen om tv te kijken tot het ophield met regenen, zei hij dat de regen hem niet deerde.

Treadway liep door de regen met zijn kettingzaag naar de brug. Hij haalde het brokaat weg en vouwde het op, om het later naast de stapel verstelgoed van Jacinta te leggen. Iets vernietigen was niet zijn bedoeling. Hij wilde iets ontmantelen wat naar zijn idee de normale ontwikkeling van zijn zoon belemmerde. Het was niet goed een obsessie te hebben waardoor je als kind te weinig lichaamsbeweging kreeg terwijl je zou moeten lopen, werken, voetreizen over land moest maken, vissen, jagen en alles leren wat een jong mens van de natuur kon leren. Als Wayne niet langer met dat meisje op die brug rondhing, zei Treadway tegen zichzelf, zou hij van de zomer genieten zoals een jongen dat hoorde te doen. Het was niet eens een echte brug. Het was niet wat Treadway voor ogen had gestaan toen hij en Wayne er de basis voor legden. Die basis was nu bedekt met gordijnstof, bloemen, papieren, potloden en snuisterijen. Wally en Wayne hadden goudkleurige kettingen en kwastjes meegebracht, waardoor het interieur van de brug op een kermistent leek. Dat vond Treadway afschuwelijk. Je kon de structuur niet zien – de eenvoudige delen waaruit het ding was opgebouwd waren onzichtbaar geworden. Opgedirkt, noemde Treadway dat. Zoals vrouwen zich opdoften als ze naar een tuinfeest gingen, met overal extra gedrapeerde lapjes stof zodat je degene met wie je sprak nauwelijks herkende.

Treadway haalde alle versieringen weg. Sommige zaten zo vreemd vastgeknoopt dat hij die knopen moest doorsnijden. Waarom kon de jongen geen fatsoenlijke knopen maken in plaats van touw en linten zo weinig efficiënt aan elkaar te frummelen? Waarom had hij niet de knopen gebruikt die hij, Treadway, hem had geleerd? Wanneer dit voorbij is, besloot Treadway, zal ik hem nog eens leren goede knopen te leggen en afrekenen met zijn gewoonte er zo'n opgedirkte, ongeorganiseerde bende van te maken.

Hij pakte het Hilroy-schrift en keek naar de tekeningen van Wayne. Er was een schets van de Pont d'Avignon en daarnaast een diagram van twee elkaar snijdende cirkels met een kleinere cirkel hoog in het midden. Op de andere bladzijden stonden nog meer bruggen en ontwerpen. Wayne had de geometrie van bogen van de grote bruggenbouwers van de wereld nagetekend. Het regende nog steeds. Treadway zat met het schetsboek op de brug van Wayne en vroeg zich af of hij iets verkeerds had gedaan. Maar hij had het dak van fiberglas al verwijderd. Andere papieren werden nat. Waar was het deksel van het blik met de ansichtkaarten van Thomasina? Hij zag het groene dagboek van Wally Michelin, met het sleuteltje aan een rood draadje aan het slot. Wat stond daarin? Hij ging ermee zitten. Hij was eigenlijk niet van plan het open te maken, maar voordat zijn eergevoel tussenbeide kon komen had hij impulsief een stuk of tien bladzijden doorgebladerd. Een windvlaag blies papieren de kreek in. Treadway probeerde alles te verzamelen.

Hij stopte het dagboek in een doos en ging in de regen met zijn kettingzaag aan het werk. Hij was al begonnen dit ding te ontmantelen en als hij hiermee een vergissing beging, zou hij dat op een andere manier goedmaken. Als hij hier klaar was, zou hij naar Nansen Melville gaan om die hond voor Wayne te halen. Aanstaande dinsdag zouden de pups zes weken oud zijn, had Nansen gezegd. Dus dan konden ze bij hun moeder weg.

Treadway draaide zorgvuldig alle schroeven los. Die deed hij in een pot en legde het hout bij de schuur, zodat hij en Wayne er later iets anders van konden maken. Een mooi hondenhok, om te beginnen. Toen hij het hout had opgestapeld pakte hij de doos met papieren en andere troep en nam die mee het huis in. Twintig meter touw. Geruïneerd. Hij smeet het in de houtkachel, net als papieren die door de regen waren gescheurd. Hij liep het huis weer uit om de gordijnstof te halen die hij op het trapje had gelegd, naast de theekopjes met barsten in het glazuur.

Jacinta liep naar het hek toe, met uien in haar hand. Hij vroeg zich af waarom ze uien had gekocht terwijl hun eigen uien in de tuin bijna bruikbaar waren. Waarom was iedereen zo weinig efficiënt?

'Wat ben je aan het doen?' Jacinta legde de uien op de grond en pakte haar brokaat. Het was duidelijk wat hij deed, dus gaf hij geen antwoord op haar vraag. Hij keek toe terwijl zij de koppen pakte en die in het brokaat wikkelde. Hij liep weer naar de keuken, denkend dat zij achter hem aan zou komen, maar dat deed ze niet. Hij liep weer naar buiten, maar ze was niet in de tuin en de zak met uien lag op de grond.

Elke keer wanneer Treadway iets deed dat tegen de zin van Jacinta indruiste, had ze hem meegedeeld hoe zij daarover dacht. Ze had hem gerespecteerd, maar hem wel duidelijk gemaakt wat zij ervan vond. Wayne zou eindeloos veel nuttige dingen kunnen maken met de schroeven en de palen die eens bij de brug hadden gehoord, dacht Treadway. Hij zou nu meteen naar Nansen Melville gaan en hem betalen voor die raspup. Een jachthond, geen troeteldier.

'Jij hebt een goede echtgenoot, wanneer je hem vergelijkt met alle oneerlijke mannen op deze wereld,' zei Eliza Goudie. 'Er valt heel wat te zegen voor een bescheiden, eerlijke man.' Dat was voor Eliza een nieuw standpunt. Ze had het haar dokter eindelijk toegestaan haar antidepressiva voor te schrijven en daardoor was ze een ander persoon geworden.

'Vroeger was je nauwelijks depressief,' zei Jacinta. 'Heel vaak was je euforisch.'

'Dat was mijn probleem. Ik was zo euforisch dat ik niet stil kon zitten. Nu ben ik veel evenwichtiger.'

De vriendschappen van Jacinta in Croydon Harbour waren gekleurd door het feit dat zij uit St. John's kwam, ook al woonde ze hier nu al elf jaar. Ze waren ook gekleurd door haar karakter. Ze was teruggetrokken, net als Treadway. Het was niet gebruikelijk dat ze de heuvel af liep, zoals ze dat nu had gedaan, op de deur van Eliza klopte en haar vriendin meedeelde dat ze op het punt stond haar man te verlaten. Ze kon niet zeggen dat het in feite ging omdat Treadway weigerde Wayne zich als een meisje te laten gedragen. Niemand begreep dat, behalve Thomasina, en Thomasina was in Londen. Op haar meest recente ansichtkaart had ze geschreven dat ze Londen heel mooi vond en er niet weg wilde. Er waren zoveel theaters dat je een jaar lang elke avond naar een theater kon gaan zonder hetzelfde stuk twee keer te zien. Shakespeare, Oscar Wilde, Agatha Christie en jonge schrijvers die buiten Londen nog niet bekend waren. Thomasina vond dat alles prachtig en ze logeerde in een pension om langer te kunnen blijven en alle toneelstukken te zien die ze wilde zien.

Dus was Jacinta naar Eliza Goudie gevlucht. Van al haar vriendinnen in Labrador was Eliza degene die je het meest in vertrouwen nam. Ze had Jacinta alles verteld over Edward, haar echtgenoot. Ze had haar affaire met Tony Ollerhead, de aardrijkskundeleraar, zeer gedetailleerd beschreven. Dingen die Jacinta niet had willen weten, wist ze nu wel. Zoals het feit dat Tony Ollerhead chocoladebruine onderbroeken droeg en dat die strak om zijn lijf zaten, anders dan de geruite boxershorts van Edward. Meneer Ollerhead gebruikte Old Spice en er liep een streepje fijne haartjes van zijn navel naar beneden – haartjes die bij kaarslicht goudkleurig werden. Jacinta had daar alles over gehoord terwijl ze probeerde twintig potten patrijsbessenjam luchtdicht te krijgen.

'Als ik het me goed herinner,' zei Jacinta nadat ze Treadway en de zak met uien achter had gelaten, 'interesseerden eerlijke echtgenoten je een maand geleden nog niet zo. Je had eerlijke echtgenoten kunnen meenemen naar de rand van Shag Rock, om ze daar van af te duwen.'

Op dat moment zou Eliza bij haar positieven zijn gekomen als ze die medicijnen niet slikte, dacht Jacinta. Dan hadden ze zich tranen gelachen, want daar had je vriendinnen voor. Jacinta had het minder vaak dan haar andere vriendinnen gehad over de dwaasheden die een echtgenoot kon begaan. Dat had ze alleen gedaan wanneer de druk groot werd. Ze had niet verwacht dat Eliza Treadway zou verdedigen. Maar natuurlijk had ze niet haar hele verhaal opgebiecht.

'Hij probéért schoonheid niet eens te begrijpen.'

'Sinds wanneer verwacht je dat van hem?'

'Ik kan mijn eigen romantiek creëren, maar Wayne is nog een kind. Hoe heeft Treadway dat kunnen doen?' Ze had Eliza verteld dat de brug er niet meer was, maar toen ze dat vertelde had het op de een of andere manier niet zo belangrijk geleken. Anders dan zij het had ervaren: een soort vernietiging door Treadway van een deel van de ziel van zijn eigen kind.

'Treadway is een woudloper en een pelsjager,' zei Eliza. 'En hij zorgt goed voor jullie. Hij heeft je nooit in de kou laten staan en dat zal hij ook nooit doen. Als je tien jaar lang wegging en dan weer naar huis kwam, zou Treadway Blake je terugnemen. Je kunt je altijd op hem verlaten.'

'Ik denk niet dat hij me zou terugnemen. Ik denk dat hij na drie maanden een andere vrouw zou hebben gevonden. Ik denk dat ik volstrekt vervangbaar ben.'

'Dat is niet waar, en ik zal je vertellen waarom. Treadway Blake is een intelligente man. Hij herkent een fantastische vrouw direct en hij aanbidt jou.'

'Als ik iemand aanbad, zou ik dat luid en duidelijk tegen die persoon zeggen.'

'Dat zal hij niet doen, omdat dat niet zijn sterke punt is. Dat zou jij inmiddels moeten weten. Ga naar de dokter en vraag om een pilletje. Dat heeft mijn hele leven veranderd. Ik hou van mijn man en ik zie hem eindelijk in een juist perspectief.'

'Je bedoelt dat je niet langer de neiging hebt over te geven zodra hij het huis in komt?'

'Dat klopt. Ons seksleven is zelfs fenomenaal. Ik heb uit die catalogus die me vanuit Montreal is gestuurd drie jarretelgordels voor mij en twee zwarte suspensoirs voor Edward besteld. Jij zou die catalogus ook eens moeten bekijken. Ik spring naast mijn echtgenoot het bed in. Ik spring echt. Ik weet niet hoe hij het eerder met mij heeft kunnen volhouden. Het zal wel komen omdat hij in wezen goed is. En jouw echtgenoot is in wezen ook goed. Ik wou dat je dat voor je eigen bestwil kon inzien. Ga naar je dokter en vraag om medicijnen. Ik garandeer je dat je daar geen spijt van zult krijgen. Ik spríng het bed in.'

Jacinta stelde zich voor hoe Eliza met haar jarretelgordel om het bed in sprong in een soort bovennatuurlijke slow motion terwijl Edward – slechts gekleed in die suspensoir uit Montreal – op haar wachtte. Dat was geen fraai beeld en Jacinta wenste niet voor het eerst dat ze eerlijker tegenover haar vriendinnen was. Ze wilde dat ze tegen Eliza kon zeggen dat ze moest ophouden dat medicijn te slikken, omdat het de waarheid verdraaide. Ze wenste dat ze al haar vriendinnen op de dag dat Wayne was geboren had verteld dat hij een hermafrodiet was. Ze wenste dat ze dat geheim niet in haar binnenste had opgeborgen, waar het stampij maakte om eruit te komen. Dan had Treadway daar gewoon mee moeten leven. Dan zou de mooie brug er nog zijn, met haar kind erop, zingend en tekenend met zijn beste vriend: een meisje. Dan zou haar kind vanavond bij thuiskomst niet hoeven te ontdekken dat de brug er niet meer was.

'Waarom heeft Treadway geen idee dat hij het recht niet heeft de bezittingen van iemand anders te vernielen?'

Dat bracht haar vriendin niet uit haar evenwicht. 'Het terrein is van Treadway. De brug stond op het grondgebied van Treadway en het grondgebied van een man is alleen van hém.'

Jacinta dacht aan alle keren dat ze naar Eliza had geluisterd. Hoe krankzinnig Eliza ook redeneerde, Jacinta had geprobeerd haar te begrijpen. Zelfs nu ging Jacinta niet in discussie over het medicijn, al had ze het idee dat Eliza's nieuwe visie een door een chemisch middel opgewekte illusie was. Dit is mijn probleem, dacht Jacinta. Ik ben oneerlijk. Over belangrijke dingen spreek ik nooit de waarheid, en als gevolg daarvan is er in mijn binnenste een oceaan vol waarheden waaraan ik nooit uitdrukking heb gegeven. Mijn gezicht is een masker en ik heb mijn eigen dochter vermoord.

Roland Shiwack gaf Wayne zijn acht dollar en Wayne liep met die bankbiljetten in zijn zak naar huis. Hij zou een voorraadje lekkers en een paar blikjes Sprite voor op de brug kunnen kopen. Het zou ook geweldig zijn als Wally en hij op de brug wat tekenspullen hadden en ze die daar niet meer naartoe hoefden te slepen. In de catalogus van Eaton stond een kleine telescoop. Daarvoor kon hij sparen, om de sterrenbeelden te kunnen bekijken. Hij zou op zijn brug kunnen liggen en de eksterbrug kunnen opzoeken. Hij kon sparen voor een nieuw schetsboek.

Er waren waterjuffers, lieveheersbeestjes en vreemde, platte insecten met verbazingwekkend glinsterende koperkleurige rugschilden. Als je een telescoop had kon je het geheime leven van de kreek bestuderen en wetenschappelijke aantekeningen of accurate schetsen maken. Ja, hij zou wat geld opzij leggen, kijken welke klusjes hij nog meer kon doen en de telescoop kopen. Als hij de acht dollar helemaal als spaargeld hield en geen junkfood kocht, zou hij nog maar zeven dagen werk bij Roland Shiwack nodig hebben. En Wally kon er haar steentje aan bijdragen. Ze hielp Gertie Slab, die in de vierde klas zat, voor drie dollar per uur met haar huiswerk en ze paste ook wel eens op kleine kinderen.

Het geweldige van naar huis lopen met acht dollar in je zak was dat je je kon verbeelden dat je dat geld – telkens weer – uitgaf aan allerlei dingen die je wilde hebben. Het was leuk je die allemaal voor te stellen.

Toen Wayne de heuvel op was gelopen had hij het geld in gedachten uitgegeven aan snoepgoed, aan de telescoop en aan dingen voor andere mensen. In de catalogus stond een Italiaanse kaasschaaf die zijn moeder graag wilde hebben maar niet wilde bestellen. Ze had al een kaasschaaf, maar die was lelijk. Met het Italiaanse exemplaar kon je zachte en harde kaas schaven. Bovenop zat een knop die precies in je hand paste, en hij zou nooit gaan roesten. In de Hudson's Bay Store was een stuk gereedschap waar zijn vader altijd naar keek. Het was een lange ijzeren staaf die een pince-monseigneur werd genoemd en die je kon gebruiken om bijna elk zwaar ding te verplaatsen. Treadway had een gewone koevoet gebruikt om alle grote stenen uit de voortuin te halen. Met uitzondering van één steen: een brok roze graniet in de buurt van de ouderwetse rozen van zijn moeder. Voor die brok graniet was de pince-monseigneur nodig, maar Treadway wilde geen vijfendertig dollar uitgeven aan iets wat hij als speelgoed beschouwde.

Ik zou hem kunnen verrassen, besloot Wayne toen hij zijn huis naderde. Ik zou hem op een karretje mee naar huis kunnen nemen en hem tegen de schuurdeur kunnen zetten, waar papa hem dan zal vinden.

Wayne zag het keurig opgestapelde hout en besefte niet waar dat vandaan kwam. Hij zag de pot met schroeven en herkende die ook niet. Hij liep het huis in, keek om zich heen en vroeg zich af waar iedereen was. Zijn vader was niet thuis en zijn moeder ook niet. Er stond geen pan op het vuur en dat was ongebruikelijk, want om vijf uur stond er altijd wel iets te pruttelen of te koken. Dus liep hij weer naar buiten, naar de achterkant van het huis, en toen wist hij dat het hout van de brug afkomstig was en wist hij dat die niet was vernield door een dier, door de wind, of door iets toevalligs. Hij rende naar binnen en zag het ijzerdraad keurig opgerold aan een stoel hangen. Hij liep de achterdeur uit en keek naar de kreek met de kale palen die hij en zijn vader daarin hadden aangebracht en waarmee ze weken bezig waren geweest. Het water van de kreek draaide om riet en stenen heen. De kreek dacht niet aan hem. Die had hem in de steek gelaten.

Treadway liep het huis in met een sinaasappelkistje met een

blonde labradorpup op een lapje brokaat van de brug. Hij zette het kistje bij de kachel neer en Wayne wist wat hij had gedaan.

Wayne had nog nooit zulke tegenstrijdige gevoelens gehad: genegenheid voor de pup, die piepte en over de zijkant van het kistje heen probeerde te kijken, en het gevoel volstrekt verraden te zijn. Treadway keek heel even naar Wayne en toen naar de pup. Naar de pup kijken was veilig. Je kon de hele dag naar de pup kijken en je gevoelens op hem overdragen zonder dat het diertje je dat zou verwijten.

Wayne kon Treadway niet naar de brug vragen, en Treadway zei niets. Het was vijf uur en Jacinta kwam naar binnen met een tas van Eliza, waarin een warm brood zat. Eliza had de korst met boter ingesmeerd tot die glinsterde en barstjes vertoonde. Jacinta legde het brood op de tafel. Ze pakte boter en een blik oesters, cornedbeef en mosterd, een ui die ze in dunne plakken sneed, een beetje melk en rode bietjes. Ze maakte de blikjes open en sneed de cornedbeef, en niemand begon over de pup.

Wayne ging naar boven en keek door zijn raam naar buiten. Hij kon de hoek aan de achterkant van het huis van Wally zien en hij nam aan dat hij de volgende morgen naar haar toe moest gaan. Hij kon niet geloven dat zijn vader een pup was gaan halen om goed te maken wat hij had vernield. Dat gaf Wayne een nieuw inzicht in het karakter van zijn vader en dat inzicht betreurde hij uit de grond van zijn hart. Het zou beter zijn geweest, dacht hij, als zijn vader gewoon had gedaan wat hij wilde doen zonder te proberen daarvoor te betalen. Dat betalen met een levende pup vond Wayne onvergeeflijk.

Om zes uur 's morgens klopte Wally Michelin op de achterdeur. Treadway maakte hem open terwijl zijn gerookte haring met Keen's mosterd stomend op de tafel stond. Hij vond Wally eruitzien als een sterk persoontje. Haar haren maakten haar gezicht smaller, ze had een lichte huid en wel duizend sproeten. Ze begon lang te worden en ze was mager. Haar schouderbladen staken uit en ze liep rond met haar hoofd iets naar voren gestoken, als iemand die voortdurend regendruppels probeert te ontwijken. Achter het raam van haar badkamer had ze Treadway de brug zien ontmantelen en ze was gekomen om het voor haar allerbelangrijkste op te halen.

'Het telt twaalf bladzijden en het papier is geel.'

'Dat kan ik me niet herinneren.' Treadway was echt verbaasd. Hij herinnerde zich het Hilroy-schrift van zijn zoon. Dat had hij gered en het lag nu op de stoel die bezoekers gebruikten. Het groene dagboek van Wally lag eronder en dat pakte ze. Toen keek ze om zich heen om te zien of haar 'Cantique de Jean Racine' onder de televisiegids lag, of achter het broodrooster was geklemd.

'Het moet hierbij hebben gelegen.' Ze hield het dagboek omhoog, waaraan het sleuteltje nog vastzat. 'Hebt u in mijn dagboek gelezen?'

Treadway had gezocht naar iets wat ze over Wayne kon hebben geschreven. Hij had zichzelf daarom gehaat, zeker omdat het merendeel van wat hij las over muziek ging. Of over het noorderlicht, hoe ze daarvoor had gezongen en hoe het voor haar had gezongen. En hoe ze had ontdekt hoe iets heette wat haar wel was overkomen maar haar vriendinnen, en ook Wayne, niet. Het werd fantoommuziek genoemd. Sommige mensen hoorden muziek in hun hoofd – elke noot accuraat. Het kon iets zijn wat ze eerder hadden gehoord – op de radio of ergens anders – en het kon ook muziek zijn die niemand ooit had gehoord. Het gebeurde wanneer Wally moe was, vooral als ze in een voertuig zat of wanneer iets in haar buurt bewoog, zoals de kreek onder de brug.

Ze had die fantoommuziek voor het eerst gehoord toen ze op schoolreisje was geweest en met een bus vanuit het Pinhorn Wilderness Camp terug naar huis reed. Nadat de bus in Goose Bay bij Mary Brown's Fried Chicken was gestopt. Soms kon ze een klein fragment vasthouden en eraan trekken tot de rest kwam, maar gewoonlijk had ze er geen controle over. Ze was er wel dol op en ze wenste dat ze die muziek voortdurend kon horen. Dat alles had Treadway gelezen.

Iedere ouder kan een stuk geschreven tekst scannen – ook

wanneer het een onbekend handschrift is – en heel snel de naam van een eigen kind zien. Dat was Treadway ook overkomen. Wayne had warme chocolademelk meegenomen naar de brug. Wayne had voor Wally gezongen zodat zij harmonieën kon testen. Wayne had gelezen terwijl zij oefende met het schrijven van sleutels, halve noten, hele noten, achtste en zestiende noten, grote tertsen, stamtonen, rusten en accidenten. Wayne tekende driehoeken na van een ansichtkaart van Thomasina met de brug van Andrea Palladio over de Cismone. Niets van dat alles was wat een normale zoon in Labrador zou doen, maar niets van dat alles had Treadway bang gemaakt, tot Wally in haar dagboek gedetailleerd melding maakte van een repeterende droom van Wayne.

'Gisteravond heeft Wayne weer gedroomd dat hij een meisje was,' had Wally onder een lijst van voorraden geschreven. IJzerdraad. Oreo's. Een schoenendoos. Schaar. Voet van een oude panty. Kommetje koud spekvet met zaden van een zonnebloem erin.

'Als u mijn dagboek hebt gezien, hebt u ook mijn muziek gezien,' zei Wally.

'Er kunnen een paar natte vellen papier zijn geweest. Ze oogden naar mijn idee niet als bladmuziek.'

'Mag ik ze zien?'

'Ik heb ze weggegooid.'

'Ik moet in uw vuilnisbak kijken.'

'Ze zijn verbrand.' Treadway deed papier nooit in de vuilnisbak. Wel in de kachel. Hij hield er niet van vuilniszakken te vullen met iets wat je kon verbranden.

Het speet hem van de bladmuziek, maar dat zei hij niet hardop.

11

Oude liefde

JACINTA EN TREADWAY WAREN beleefd tegen elkaar gedurende de korter wordende dagen nadat Treadway de brug van Wayne had gedemonteerd. Jacinta maakte het bed op zoals Treadway dat prettig vond. Treadway wilde niet dat er lucht bij zijn voeten kon komen en Jacinta kon niet slapen als haar voeten niet konden ademen door een opening in de dekens. Ze maakte hem niet meer wakker wanneer hij snurkte en hij pakte de theekopjes die ze in het gras achterliet op en waste ze af. De beleefdheid was ondraaglijk. Ze vermeden elkaar aan te raken, als een stel vreemden in een trein. Maar er was één ding wat ze altijd hadden gedaan en dat bleven ze ook nu doen, omdat ermee ophouden de bevestiging zou zijn dat hun huwelijk was stukgelopen en dat wilden ze niet erkennen. Als een van hen een bad nam, pakte de ander aan het eind de spons die over de douchekop hing, zeepte die in en waste de schouders en rug van de ander. Dat hadden ze nooit beschouwd als een teken van liefde. Het was iets waarmee ze in hun eerste tijd samen waren begonnen en nu ging dat gewoon door. Ze hadden het altijd gedaan zonder iets te zeggen. De stilte was niets nieuws.

Een gezin kan jaren blijven voortbestaan zonder de liefde die het eens bij elkaar hield, als een mooie oude muur die lang nadat de regen het metselwerk heeft aangetast nog overeind staat. Waar moest Jacinta naartoe? Terug naar St. John's? Ze nam het zichzelf erg kwalijk dat ze daar de moed niet voor had. Het is verbazingwekkend hoe kleine dingen je op een plaats verankerd houden – de opgedroogde zeep op het kleine matje met rubberen zuignappen, de plastic douchecabine vol schimmel. Het medicijnkastje met aspirientjes en blauwe scheermesjes en tijgerbalsem. De plastic mat om vieze voetsporen op het crèmekleurige kleed in de hal te voorkomen. De televisie met herhalingen van *Bewitched* en *Get Smart* die je elke dag om halfvijf iets voorspelbaars te doen gaven. Jacinta was niet dol op dat soort dingen – ze vond ze niet eens leuk – maar ze kon erop rekenen en ze wist niet wat er zou gebeuren wanneer ze Treadway verliet en terugging naar St. John's, zeker wanneer ze Wayne meenam. Wat destijds, toen Wayne als baby werd geopereerd, had voorkomen dat ze het ziekenhuis in Goose Bay uit was gerend was in haar binnenste blijven bestaan. En inmiddels was het alleen maar groter en sterker geworden. Materiële dingen waren belangrijk. Haar pantoffels. Haar naaimand met garen en naalden met het juiste oog om leer te naaien. Het cribbagebord en de kaarten met een toreador die in een arena met zijn schitterende cape zwaaide. Jacinta wist dat ze al die dingen voor minder dan twee dollar per stuk in St. John's kon kopen, of in elke andere plaats in Noord-Amerika waarnaar ze zou kunnen ontsnappen.

Maar was er een plek waar ze met de waarheid in plaats van met leugens kon leven? *Truth or Consequences* was een ander televisieprogramma. Die titel sprak haar aan. Je vertelde de waarheid, of je moest leven met gevolgen zoals deze. Je kon niet winnen als je de waarheid achterhield. Als je de waarheid inslikte verzuurde die in je maag en vergiftigde je langzaam.

Er was een lichtgroene pil die Wayne door midden sneed met het kleine zware mes dat zijn moeder gebruikte om aardappelen te schillen. Er waren twee witte capsules vol poeder waarvan hij wist dat het ook wit was omdat hij er een kapot had gemaakt om dat te achterhalen. Er waren ook twee kleine platte gele pillen die volgens zijn moeder – desgevraagd – waren bedoeld om duizeligheid te voorkomen.

'Ben ik een diabeet?' Kevin Slab had suikerziekte en daar slikte hij pillen voor, maar die waren oranje.

'Nee.'

'Heb ik leukemie?' In de vierde klas had Joey Penashue leukemie gekregen en was hij kaal geworden.

'Nee.'

'Heb ik een hersentumor?' Vorig jaar had Stevie White, die twee banken voor Wayne had gezeten, een hersentumor gekregen en was hij gestorven.

'Nee.' Jacinta klonk ongeduldiger dan ze wilde.

'Welke pillen hoef ik niet meer in te nemen als ik in de zevende klas die nieuwe pillen ga slikken?'

Ze hadden dit al eerder besproken. Hij wilde duidelijkheid, meende Jacinta, omdat dit het enige aspect van de pillen was waarvan hij zeker was.

'Dan hoef je de witte niet meer te slikken. Maar wel vier gele in plaats van twee, en het kan zijn dat je ook een prik krijgt.'

'Maar dat weten we pas als we dokter Toumishey hebben gesproken.'

'Het kan ook een dokter zijn die je nog niet kent.'

'Dokter Hedgehog?'

De specialisten wisselden steeds. Op een keer was het een zekere dokter Edgecombe geweest, die de keel van Wayne had willen onderzoeken met een extra brede spatel om zijn tong omlaag te houden, die van schuurpapier leek te zijn gemaakt. Wayne wilde zijn mond niet opendoen en dokter Edgecombe had tegen Jacinta gezegd dat ze zijn armen moest vastpakken en in zijn neus moest knijpen. 'Dan doet hij zijn mond wel open.' Wayne was toen zes jaar geweest.

'Nee, dokter Edgecombe is teruggegaan naar St. John's.'

'Misschien heb ik deze keer geen prik nodig.'

'Ik wou dat je dat gewoon kon afwachten wat er gaat gebeuren.'

'Als jij een prik moest krijgen zou je dat ook van tevoren willen weten.'
'Dat is waar.'
'Krijg ik daarna nog een tweede prik?'
'Misschien wel.'
'Als ik zou weten hoeveel prikken, zou ik ook weten wanneer ik het achter de rug had.'
'Dat weet ik. Dan zouden we weten waar we aan toe waren.'
'Dan zou ík dat weten. Niet wij.' Nu Wayne twaalf was, stond hij op accuratesse en gerechtigheid.
'Je hebt gelijk. Dan zou jij weten waar je aan toe was.'
'Stel dat ik vier prikken moet krijgen?'
'Dat zou kunnen. Misschien zelfs meer dan vier. Maar misschien ook niet één. Dat weten we pas als de dokter je heeft onderzocht.'
'Mam, herinner je je de laatste keer nog? Herinner je je die mededeling op het glas nog?' Bij het hokje van de receptioniste hing een kaart met: LAAT HET ONS ALSTUBLIEFT WETEN ALS U VERTREKT ZONDER DAT U BENT GEZIEN. Wayne had daar lang naar gekeken. Hij was acht geweest. Hij had naar alle mensen in de wachtkamer gekeken en gezegd: 'Mammie, komen hier onzichtbare mensen?'
'Ja,' had Jacinta gezegd. 'Al een hele optocht sinds wij hier zitten.'
'Hoe weet je dat?'
'Zie je al hun voetafdrukken niet op de grond? En ze hebben de mazelen.'
'Hoe weet jij dat?'
'Dat heb ik in de krant gelezen. "Een mazelenepidemie teistert de onzichtbare leefgemeenschap van Goose Bay en de Labrador Straits".'
Wayne had gegiecheld. 'Mammie, wat betekent die boodschap in het echt?' had hij gevraagd, en toen had ze hem dat verteld.
'Maar je hebt gelijk,' had Jacinta gezegd. 'Grammaticaal is het verwarrend.' Die dag had de specialist de eerste gele pil voorgeschreven.

'Heeft wat ik heb een naam?' Hij vond het niet prettig een kwaal te hebben die geen naam had. Hij had nooit gehoord dat iemand in zijn klas een naamloze medische aandoening had. Zelfs de dingen die je dood maakten, hadden een naam. Hij was niet naar de begrafenis van Stevie White gegaan, maar zijn klas had die dag vrij gehad en meneer White had zijn auto in Goose Bay door de carwash gereden en de zussen en tantes van Stevie hadden die versierd met zeshonderd anjers van Kleenex. De kist van Stevie was glanzend zwart geweest, met aan de binnenkant witte en roze satijn en een afbeelding van het Laatste Avondmaal.

'Zou je het me vertellen als ik een hersentumor had?'

Jacinta wist dat dit zijn laatste vraag was. Het was altijd de laatste en ze beantwoordde hem onveranderlijk op dezelfde manier. 'Je hebt geen hersentumor. Dat kan ik je verzekeren.'

'Mam?'

'Wat is er?'

'Mijn voeten vervellen.'

'Hou toch eens op je over alles zorgen te maken.'

'In bed. Ik kon ze voelen. Het vel kwam los. Ik trok eraan en toen kwamen er hele repen los.'

'Wacht een paar dagen. Als het dan nog niet beter is moet je me eraan herinneren.'

'Mam, dat zeg je altijd over alles.'

'Misschien weet je dit al.' De stem van Treadway ging half verloren in de herrie van de kettingzaag. Hij was het laatste grote houtblok aan het zagen.

'Wat?' Wayne nam aan dat zijn vader hem wilde vertellen hoe hij het touw moest knopen dat het hout op de slee hield. Zijn vader wilde dat de juiste knoop voor een bepaalde taak werd gebruikt. Benzinedamp drong de neus van Wayne binnen. Dat vond hij prettig. Hij hield van de geur van het sap van hout, het zware tillen, het lawaai. Zijn vader was gelukkig als Wayne hem hielp hout te halen. Dat begon op koude ochtenden wanneer de eerste vorst aan de grond een feit was, vlak voordat de school in de herfst weer begon. Je kon een vuurtje stoken en thee zetten en knakworstjes uit blik eten, met zelfgebakken brood en margarine.

'Dat van de bloemetjes en de bijtjes,' brulde Treadway.

'Het is wel goed, papa.'

'Wat zeg je?'

'Het is wel goed.'

Treadway zette de kettingzaag uit. Hij was niet blij met de stilte. Hun geschreeuw hing boven het rendiermos, op de plekken tussen de sparren. 'Pak die verdraaide takken en maak een basis.'

De cirkel van stenen hadden ze de vorige herfst ook gebruikt. Het enige wat Treadway hoefde te doen was twee stenen terugzetten die eruit waren gevallen. Ze hadden berkenschors en oude exemplaren van de *Labradorian* meegenomen en Treadway gaf Wayne zijn aansteker. 'Op school zul je er al wel het een en ander over hebben gehoord, maar een vader wil het zijn zoon graag zelf vertellen om er geen misverstand over te laten bestaan.'

'Dat hoeft niet, papa. Echt niet.' Dat was niet waar. Wayne had bepaalde dingen wel bedacht, maar hij wist nog lang niet alles.

Treadway stak het vuur aan en ze ademden de suikerachtige rook in. Ze zweetten door het zeulen met hout, trokken hun overall omlaag en gingen in hun hemd op kussens van bevroren rendiermos zitten. Hun schouders en sleutelbeenderen waren bedekt met een laagje verkruimeld korstmos, naalden en houtsplinters.

'Ik bespreek het nu met je, dan heb ik dat deel van mijn plicht gedaan,' zei Treadway. 'Je moeder begon erover.'

'Papa.'

'En ze heeft gelijk. Misschien is het je de laatste tijd opgevallen dat je bed een beetje nat is als je wakker wordt.'

'Wat zeg je?'

'Je zou dan kunnen denken dat je in je bed hebt geplast en je daar zorgen over maken.'

'Papa, ik plas niet in bed.'

'Het overkomt alle jongens.'

'Mij niet.'

'Het is gewoon een ejaculatie en je moet je er geen zorgen

over maken. Het zal je waarschijnlijk ook wel zijn opgevallen dat je soms een erectie krijgt.'

'Papa.'

'Zo noemen ze een stijve.'

'Papa!'

'Maar de echte naam is een erectie en daar hoef je je niet voor te generen. Niemand kan het zien.'

'Hou nou op, papa.'

'Je denkt misschien dat het wel te zien is, maar dat is niet zo. Het kan elk moment gebeuren, niet alleen wanneer je aan een meisje denkt.'

'Oké, papa, ik begrijp het.' Wayne keek naar bessen die onder het rendiermos waren gerold. Hij hoorde gesis toen zijn vader een blikje knakworstjes openmaakte. Hij rook het vlees en de pekel. Hij had maar één keer een erectie gehad en toen had hij niet aan een meisje gedacht. Zijn vader gaf hem het blik en hij at drie worstjes met zijn vingers terwijl zijn vader boter op brood smeerde. Er waren andere gevoelens geweest, dieper en hongeriger dan een erectie.

'De veranderingen in je lichaam moeten je zijn opgevallen.'

'Mijn voeten vervellen en soms heb ik buikpijn,' zei Wayne.

'Je voeten?'

'Ja.'

'Wat bedoel je daar precies mee?'

'De huid komt los.'

'Trek je laarzen uit.'

Wayne trok zijn laarzen uit en liet zijn blote voeten wegzakken in het rendiermos. 'De zolen.'

Treadway pakte de voet van zijn zoon. 'Doet het zeer?'

'Nee.'

'Heb je het aan je moeder verteld?'

'Ze zei dat ik het haar moest zeggen als het niet overging. Dat zegt ze altijd.'

'Misschien weet zij wat het is. Ik heb er nog nooit van gehoord. Maar ik moet mijn verhaal afmaken.' Treadway zuchtte. Hij vond het niet prettig te worden afgeleid.

'Het is al goed, papa.'

'Ik weet dat jij denkt dat je alles van het leven weet en misschien is dat ook wel zo. Maar zelfs als dat zo is, kan het geen kwaad alles nog eens te horen. Misschien vergis je je in een paar feiten en in dat geval zal ik dat rechtzetten. Dat is alles. Je moet alleen de waarheid kennen en daarna zal ik het er nooit meer over hebben. Oké?'

'Oké.'

'Als je getrouwd bent, slaap je in hetzelfde bed als je vrouw. Een vrouw heeft een vagina. Wanneer een man en een vrouw samen in bed liggen, past de penis in de vagina. Dat lijkt misschien onwaarschijnlijk, maar het kan wel degelijk. Dan komt het zaad van de man de penis uit en gaat het lichaam van de vrouw in. Zo wordt het embryo van een baby gevormd. De baby groeit in haar buik en negen maanden later wordt hij geboren.'

Dat had Wayne niet geweten. Hij wist niet wat hij had geweten. Brent Shiwack had op een dag zijn hotdog tijdens de lunch niet opgegeten, hem in de gulp van zijn spijkerbroek gestopt en hem bewogen voor Gracie Slab terwijl iedereen gelijkbenige driehoeken aan het tekenen was en hij had er bij gehijgd terwijl hij zijn tong uit zijn mond liet hangen. Davina White, die in de negende klas zat, was zwanger geraakt en sommige mensen zeiden dat ze een slet was. Maar anderen zeiden dat het juist meisjes overkwam die geen slet waren. Rond lunchtijd kwam Davina White met haar baby in een wandelwagen naar de speelplaats van de school om met haar vriendinnen zakken chips te eten en cola te drinken en na de lunch liep ze met haar baby weer de heuvel af. Wayne had met haar te doen. Sommige mensen zeiden dat Davina de toegang tot de speelplaats moest worden ontzegd, omdat haar baby ervoor zou kunnen zorgen dat andere meisjes ook een baby wilden.

Treadway had zijn plicht gedaan, maar hij voelde zich slecht op zijn gemak en wenste dat hij ermee had gewacht – zoals zijn eigen vader dat had gedaan – tot hij en zijn zoon toevallig kariboes zagen paren. Dat was mooi geweest. Sneeuwvlokken leken in slow motion op de dieren te vallen en Treadway had meteen bijna alles begrepen wat er te weten viel over intimiteit tussen een man en een vrouw en hoe dat fysiek in zijn werk ging. Zijn vader had het niet over een huwelijksbed of lichaamsdelen hoeven te hebben. Hij had het woord embryo niet in zijn mond hoeven te nemen. Jacinta had echter gewild dat hij het er met Wayne over had. Hij had het gevoel dat hij die klus niet fatsoenlijk had geklaard. Hij had het onnatuurlijk laten lijken. En hij moest steeds maar weer naar zijn zoons lichaam kijken en dingen zien die hij niet wilde erkennen. Zijn zoon zag eruit als een meisje. Hij sprak als een meisje, zijn haren leken op meisjeshaar en hetzelfde gold voor zijn keel en zijn borstkas. Toen ze hun overall omlaag hadden getrokken, had Treadway door het onderhemd van zijn zoon heen beginnende borstjes gezien en dat had hem geschokt. Hij vroeg zich af of ze Wayne waren opgevallen, of een van de jongens op school hem ermee had geplaagd. Ze waren nog heel klein, maar ze waren er wel. Stel dat ze groter werden? Wat was er mis met de artsen?

Hij vouwde de broodzak zorgvuldig op en stopte hem samen met de theezakjes in het lege blik van de worstjes. Toen wikkelde hij dat alles in een restje bast en stopte het geheel in zijn rugzak. Wayne ging achter hem op de Ski-Doo staan en hield zich stevig vast, want er waren veel kuilen en vaak leek het alsof hij door een kuil van de Ski-Doo afgeworpen zou worden als hij niet al zijn spierkracht gebruikte en zijn vader dat pas zou merken als hij weer thuis was, zoveel lawaai maakte de motor en zo meedogenloos bewoog het ding zich voort op de paden door het bos. Ze hadden een goede lading hout, voldoende om het huis twee weken warm te houden. Nog een stuk of vijf van zulke vrachten en dan zouden ze klaar zijn. Dan kon Treadway naar zijn vallenroute.

Sommige jongens gingen met hun vader mee en bleven dan gewoon van school weg, zonder dat iemand daar iets van zei. Wayne was bang voor de dag waarop zijn vader met dat voorstel zou komen. Hij ging graag naar school. Thomasina Baikie zou terugkomen. Haar laatste ansichtkaart was verstuurd vanuit Wales en daarop stond de ijzeren brug van Thomas Telford over de Straat van Menai.

'Daarmee werd een wereldrecord verbroken,' had Thomasina

geschreven. 'Het was de langste hangbrug ter wereld. Wayne, ik vind het hier zo mooi dat ik mijn laatste twee semesters zal afronden in Harlow. In september kom ik terug naar Croydon Harbour om les te geven in de zevende, de achtste en de negende klas.' Wayne ging naar de zevende klas. Hij vond het opwindend Thomasina als lerares te krijgen. Hij hield van nieuwe potloden, linialen en schriften en hij vond het fijn 's avonds thuis in zijn kamer te studeren, te tekenen en naar muziek te luisteren.

Maar zijn vader kon kilometers afleggen zonder rust te nemen of iets te eten en had geen bezwaar tegen wat Wayne monotoon vond: kilometer na kilometer sparrenbos, een zware rugzak, je voeten die door een harde sneeuwkorst heen zakten en de dood van al die mooie dieren.

In bed dacht Wayne na over wat zijn vader had gezegd. In gedachten zag hij een man en een vrouw in nachtkleding, die naast elkaar in hun huwelijksbed lagen. De man viel in slaap. De vrouw ook. Terwijl ze sliepen kwam de penis van de man op de een of andere manier zijn pyjamabroek uit en vond zijn weg naar de vrouw, net als het worstje van Brent Shiwack. Ze moest een korte nachtjapon hebben aangehad, geen lange zoals zijn moeder, of een heel wijde pyjamabroek. In elk geval moest de penis richtinggevoel hebben en het vermogen zelfstandig op verkenning uit te gaan, want hij kwam door de kleren van de vrouw heen en ging naar haar vagina. Dat verbaasde Wayne. Hij had niet geweten dat zoiets gebeurde, maar hij had wel het gevoel dat een penis iets sterks had en een beetje sinister was, dus geloofde hij zijn vader. Het gekke was dat dit hele verhaal over de bloemetjes en de bijtjes volgens Treadway weliswaar afhankelijk was van onvrijwillige activiteiten van lichaamsdelen waar hun slapende eigenaren niets van wisten, maar dat het bij Wayne toch een pijnlijke honger wakker maakte. Hij lag in bed en raakte zijn eigen penis aan. Die reageerde daar niet op, maar de plek erachter, eronder, tussen zijn benen begraven in zijn lichaam, reageerde wel. Als hij de huid onder zijn testikel aanraakte en masseerde, werd die honger steeds intenser. Hij duwde en trok een beetje en dacht daarbij aan een penis die een vagina in ging en na een paar minuten opende de honger tussen zijn benen zijn mond en verslond een reeks trillende, heerlijke en vreugde schenkende elektrische schokken die door zijn hele lichaam gingen.

Treadway ging vroeg naar bed en droomde over een heel jonge vos in een van zijn vallen. Hij wilde de vos redden omdat die zo jong was dat zijn vacht nog geen enkele waarde had, hij zachte poten had en hem smekend aankeek.

Terwijl Treadway sliep, maakte Jacinta het huis schoon. Treadway had haar niets verteld over het gesprek met zijn zoon, maar ze wist dat dat had plaatsgevonden omdat zij erom had gevraagd en hij altijd deed wat ze van hem vroeg als ze dat op een bepaalde manier vroeg. Een manier die duidelijk maakte dat ze erop rekende dat hij als echtgenoot iets zou doen wat zij niet zelf kon doen. Dus wist ze dat hij met zijn zoon had gesproken en het was haar ook duidelijk dat het hem intens had verontrust maar hij er niet over wilde praten. Als Treadway emotioneel moe was ging hij nog vroeger naar bed dan normaal en gebruikte de slaap als een soort tijdelijke, handig van pas komende dood.

Jacinta veegde de vloeren en stofte af. Toen vulde ze een emmer met zeepsop, pakte een mop en schrobde de vloeren van de keuken en de gang. Ze leegde de emmer in de wc en deed er opnieuw water in. Toen trok ze rubberen handschoenen aan, pakte een lap en borstel, ging op haar knieën op een oud plat kussen zitten en verwijderde elk vuil plekje in de hoeken en bij de plinten. Toen maakte ze met de hand de trap schoon, poetste de koelkast en het broodrooster, verwijderde vingerafdrukken op de muren bij alle lichtschakelaars en op de deuren bij de deurkrukken en op de telefoon. Ze liep naar buiten en ging toen weer naar binnen om met een frisse neus te ruiken hoe schoon het huis rook. Daarna ging ze naast de slapende Treadway in bed liggen en bedacht hoe goed het zou zijn als hij naar zijn vallen vertrok, omdat ze dan minder voetafdrukken zou hoeven te verwijderen.

Deel drie

12

General Electric

TOEN THOMASINA NAAR CROYDON Harbour was teruggekeerd huurde ze een kamer in het Guest House, het grote witte huis dat door zendelingen uit Moravië was gebouwd en door de organisatie van Sir Wilfred Grenfell was aangekocht om kamers te verhuren aan nieuwe leraren en artsen. Thomasina was niet van plan nog eens een eigen huis te bouwen. Die fase was ze voorbij. Ze wilde ook niet meer ergens wortel schieten of plannen maken voor de verre toekomst. Nu ze de vijftig naderde, wist ze dat er in een mensenleven niet altijd een verre toekomst blijft bestaan. Er is een klif waar je vanaf valt en dan is je leven ten einde. Het enige wat je kon hopen was dat het een leven was geweest waarin je met een soort opbouwende tederheid de levens van anderen had geraakt.

Waynes klasgenoten in de zevende klas wisten niet goed wat ze van hun nieuwe lerares moesten denken. Sommige ouders hadden 's avonds onder het eten wel het een en ander over Thomasina Baikie op te merken. Dat ze de bloemetjes buiten was gaan zetten nadat haar echtgenoot Graham Montague en hun kleine roodharige dochter waren verdronken. Ze zag er nu anders uit dan toen. In haar haren zaten grijze strepen, ze had een bril met een metalen montuur en ze droeg spijkerbroeken. Je kreeg het gevoel dat er met haar in de buurt iets radicaals kon gebeuren.

'Waarom woont ze daar?' vroeg Brent Shiwack in de pauze. 'Volgens mijn vader is ze gek om daar huur te betalen. Die kamers zijn eigenlijk alleen voor mensen die hier op bezoek zijn.'

In de klas sprak Thomasina niet met haar leerlingen alsof ze kinderen waren en ze gaf Wayne geen voorkeursbehandeling.

'Toen jullie allemaal nog heel klein waren, is mijn man gestorven.'

Dat wist Wayne. Hij herinnerde zich de foto van Graham Montague op haar buffetkast.

'Ik wilde de wereld zien en hij zei dat hij dat goed vond, mits ik een jaartje wachtte. Maar het is er nooit van gekomen en toen is hij doodgegaan.'

De leerlingen wisten niet wat ze daarvan moesten maken.

'Je spreekt niet over doodgaan maar over heengaan,' fluisterde Donna Palliser. De sfeer in de klas was ongemakkelijk. Degenen die niet gniffelden probeerden respectvol te kijken. Er was een man gestorven.

'Dus nu kan ik gaan en staan waar ik wil.' Thomasina gaf ieder kind een blauwe steen aan een elastiekje. Op elke steen was een streng kijkend oog geschilderd. Wayne reageerde er achterdochtig op. De meisjes deden het elastiekje om hun pols en de jongens legden het ding op hun bank. Die ogen kwamen uit Griekenland. Thomasina liet een lantaarn van klei zien die niets anders was dan een kom die in je hand paste. Je deed er olijfolie in en een kousje dat op de olie dreef, en daarmee had je licht. Ze gebruikte de projector – Wayne was dol op het snorren van dat apparaat – om een Griekse dans te laten zien waarvan de passen gemakkelijk leken maar dat niet waren.

'Waarom moeten we daarnaar kijken, juf?' vroeg Brent Shiwack. 'Het is raar.'

Wayne zag de dans als een ingewikkelde knoop, maar dat zei hij niet hardop. Hij leek op de knopen die zijn vader maakte. Hij beschouwde hem als een interessant mathematisch patroon en wenste dat hij de lijnen met zijn lichaam kon volgen.

'Waarom woont u niet in een gewoon huis, juf?' vroeg Brent Shiwack. 'Waarom woont u in het Guest House?'

'Vroeger woonde ik in een gewoon huis. Het huis waar de Michelins nu in wonen.' Iedereen keek naar Wally Michelin. Wally maakte zich zo klein mogelijk. 'Het is een leuk huis. Het is een mooi huis voor de Michelins. Maar als ik daar woonde, zou ik door de ramen kijken en mijn echtgenoot Graham met een emmer water voor zijn paard langs de omheining zien lopen. Ik zou mijn dochter Annabel zien. Ik zou de regen in haar kleren ruiken. Ze kwam vaak geruisloos achter me staan om me een knuffel te geven. Haar adem was als koude bloembladeren.'

Toen Thomasina de naam Annabel over haar lippen liet komen, besefte Wayne dat zij hem jaren geleden zo had genoemd.

Hij had toen gedacht dat ze hem Amble noemde – een onzinnige naam zoals hij nu besefte – maar toen hij klein was had hij gedacht dat het gewoon een soort bijnaam was. Ze had hem echter niet Amble genoemd maar Annabel. Waarom?

In de pauze had iedereen het over de nieuwe lerares. Lerarossen spraken niet over de koude adem van hun overleden dochter. Ze gaven je geen steen met een oog. Wayne was blij dat Thomasina de klas niet had verteld dat ze hem had gekend toen hij jonger was, of dat ze hem tijdens haar reizen overal vandaan ansichtkaarten met bruggen had gestuurd.

Thomasina wachtte tot Wayne het woord tot haar richtte. Hij sprak terwijl hij de watersalamanders in het aquarium te eten gaf en zij proefwerken corrigeerde. De bel voor de pauze was gegaan en buiten rende iedereen schreeuwend langs de ramen. Op de speelplaats waren kraaien en de asters waren met een laagje ijs bedekt.

'Ik heb een brug gemaakt.' De stem van Wayne klonk vaag, alsof hij probeerde door lagen oud papier heen tegen Thomasina te praten. 'Ik heb al uw ansichtkaarten gekregen en ik heb een eigen brug gemaakt.' Hij vertelde haar niet dat Treadway hem daarbij had geholpen, noch dat die de brug later had vernield.

'Echt waar?'

'Hij leek op de brug in Florence. De brug die de Duitsers in de Tweede Wereldoorlog niet hebben vernietigd.'

'De Ponte Vecchio.'

'Het was geweldig. Wally Michelin en ik hebben hem de hele zomer gebruikt. Nu is hij er niet meer, maar we hadden er lampen in en zo. Al mijn ansichtkaarten zitten in een blik.'

Thomasina had Donna Palliser en haar kliekje geobserveerd. Ze had onderstromingen gezien die normaal zijn voor een zevende klas. In Harlow had ze geleerd daarop te letten en verder had ze zelf inzicht. Inzicht had ze altijd al gehad. Graham Montague had het helderziendheid genoemd, maar ze wist dat daar geen sprake van was. Je nam gewoon afstand van iets en dan kwamen de lagen vanzelf tevoorschijn. Ze hoefde niet veel afstand te nemen of lang te wachten om onder het oppervlak van het leven van Wayne Blake te kunnen kijken.

'U hebt me Annabel genoemd, hè? Toen ik nog klein was.'

Thomasina zag dat het kind dat ze stiekem Annabel had genoemd, in nagedachtenis aan haar overleden dochter, bevallig en mysterieus was geworden. Ze zag hoe hij achter in de klas zat, de grote kaart rustig ontrolde of bibliotheekboeken las die hij in zijn schoolboeken verstopte. Ze zag hoe hij in de gangen, de gymnastiekzaal en op de speelplaats langs de kant liep. Hij had geen idee van de omstandigheden rond zijn geboorte, maar in zijn ogen lag een bedachtzame blik die de andere kinderen niet hadden, met uitzondering van Wally Michelin. Hij had de geestkracht van een dichter of een wetenschapper, of van iemand die de wereld niet ziet zoals hem of haar is geleerd die te zien, met dingen die namen hebben en van een etiket zijn voorzien. Wayne Annabel, zoals ze hem nu in gedachten noemde, bekeek alles alsof het nieuw was. Hij keek naar elk ding alsof hij dat nog nooit eerder had gezien: krijt, een kaart van Argentinië, grassoorten die ze hadden verzameld om ze tijdens de les te bestuderen of de passen van de Griekse dans die ze had geprobeerd te introduceren. Als Wayne liep zweefde hij. Hij was Wayne, zag ze nu, en hij was Annabel. Hij was allebei, maar dat wist hij niet.

'Dat spijt me, Wayne,' zei ze tegen hem. 'Ik had je bij de

naam moeten noemen die je vader je heeft gegeven. Ik dacht toen niet goed na. Ik had mijn verdriet over Annabel voor me moeten houden.'

'Uw dochter die is verdronken. Vernoemde u me naar haar?'

'Ik had het voor me moeten houden.'

'U moet echt verdrietig zijn geweest. U noemde me alleen zo als er geen anderen bij waren, weet u nog wel? Dat kunt u blijven doen als u dat wilt. Ik vind het niet erg.'

'Dat is lief van je, Wayne. Heel lief.'

's Avonds bereidde Thomasina haar lessen voor in haar keuken, die ze normaal gesproken deelde met mensen die ook een kamer in het Guest House hadden gehuurd, maar nu was er verder niemand. Ze deed de gordijnen niet dicht, ook al deed iedere vrouw in Croydon Harbour dat rond het invallen van de schemering. Thomasina had niets te verbergen. De keuken van het Guest House was wit en modern, met een formica tafel en een fornuis van General Electric, en er stond alleen het hoogstnoodzakelijke in. De aanrechten hield ze onberispelijk schoon omdat het niet veel tijd kostte een paar kruimels op te ruimen of de druppel die de achterkant van haar theelepel had achtergelaten op te vegen. In een nis stond een kleine wasmachine, maar er was geen droger. Ze legde haar schone natte kleren op de radiatoren onder de keukenramen om ze te laten drogen terwijl zij bezig was.

Op haar tafel lag een stapel afbeeldingen van boogschutters, lieren, sandalen en gouden appels van de Hesperiden. Normaal gesproken zou ze leerlingen uit de zevende klas geen kleurplaten geven, maar ze waren bedoeld om boekjes te maken over Griekse goden, en ze had de afbeeldingen gevonden in een museum in Athene. Ze waren informatief in die zin dat ze stuk voor stuk zonder woorden een groot deel vertelden van het verhaal van iedere god. Sommige leerlingen van haar konden sporen herkennen op een pad van honderdtwintig kilometer door de wildernis, maar konden nauwelijks een Engels schoolboek lezen. Iedere leerling zou één persoon moeten uitkiezen: Artemis, Hera, Dionysus, Apollo, Hermes, Demeter, Ceres. Iedere god personifieerde een van de menselijke karakters en Thomasina had ze in haar klas allemaal gevonden – al wisten de leerlingen dat niet. Van de macht en het gekonkel van Artemis in Donna Palliser tot de muzikale Euterpe in Wally Michelin en de aanwezigheid van een afstammeling van Hermes en Aphrodite, Hermaphroditus, in Wayne Blake.

Thomasina vond de Griekse religie niet belangrijker dan de protestantse christelijkheid van degenen die in Croydon Harbour waren gaan wonen of de oeroude verhalen die haar overleden man Graham Montague had gekend. Zij vond alle tradities metaforisch. Naar haar idee ging het om het verhaal, het karakter en de psyche. Zij zou haar leerlingen geen enkele religie opdringen. Ze wist dat zij door elk dogma heen zouden kunnen kijken. Wat Thomasina aan Griekenland interesseerde, was dat er niet werd gedaan alsof de goden echt hadden geleefd. Iedereen wist dat zij de verpersoonlijking waren van het karakter van ons allen. Dat zou ze haar leerlingen niet vertellen – ze was alleen van plan hen te laten genieten van het spelen van een rol, een kant van henzelf die ze gewoonlijk verborgen hielden. Donna Palliser, bijvoorbeeld, hield voor volwassenen verborgen hoe ze de meisjes leidde en welke plaats ze van haar in de rangorde kregen. Wally Michelin was met haar muziek zo ver ondergedoken dat alleen iemand met heel veel intuïtie dat nog kon zien. Wayne Blake had er geen idee van dat er in zijn lichaam een volledig gevormd meisje lag opgekruld.

Om de afbeeldingen in te kleuren had Thomasina potloden van een hele goede kwaliteit. Op de film met de Griekse dans die ze in Athene van straatmuzikanten had gekocht stond trommelmuziek. Een kleine man had gespeeld op een instrument dat op een balg leek en dat wilde ze haar leerlingen graag laten horen omdat het leek op de muziek die hun vaders en grootvaders op hun trekharmonica speelden wanneer ze terugkwamen van hun vallen.

Ze pakte haar broeken en truien van de radiatoren, borg ze op en maakte toast met zelfgemaakte aardbeienjam. Ze had de aardbeien in hun geheel gekookt. Nergens in Croydon Harbour kon je aardbeien krijgen. Het was zacht zomerfruit en de zomer in Croydon Harbour duurde niet lang genoeg voor aardbeien. Thomasina had ze ingevroren gekocht, ze in kranten verpakt en in haar koffer in het vliegtuig meegenomen, samen met haar cassetterecorder, haar muziek, de paar kleren die ze had, Pears-zeep, een pak met vijf kilo koffiebonen en een kleine koffiemolen. Kon je niet overal leven, op welke manier je dat ook wilde?

Geen enkele man in Croydon Harbour zou op een maanverlichte avond op de deur kloppen van een vrouw die niet zijn echtgenote was, tenzij om haar mee te delen dat haar man om het leven was gekomen of wanneer hij een dokter was die was gekomen om haar leven of dat van haar kind te redden. Maar op de avond dat Treadway zag dat het huiswerk van zijn zoon bestond uit het inkleuren van een afbeelding van Hermaphroditus – een jonge man met de armen van een gladiator, een baard en de borsten en heupen van een vrouw – had hij het idee dat hij wel moest aankloppen op de deur van het Guest House om Thomasina Baikie te vragen wat ze in godsnaam aan het doen was. Als er iets was wat Treadway niet kon uitstaan, was het dat iemand stiekem of achterbaks deed en een achterdeurtje gebruikte om zijn wensen te omzeilen.

Hij stond op de veranda van het Guest House en klopte aanhoudend op de deur tot Thomasina in het licht van de buitenlamp verscheen. Iedereen in de stad kon hem daar zien staan, kon zien wie hij was en dat hij niet in een goed humeur was. Hij was zo boos dat hij niet besefte dat hij voor spektakel kon zorgen, maar Thomasina was zich daar wel van bewust. Ze zette een stap naar achteren en smeekte hem binnen te komen, de mooie avond uit. Orion was uit zijn zomerslaap ontwaakt en groen en roze noorderlicht liet zich aan de rand van de hemel zien. Er was rijp en de lucht rook zoet naar rottende twijgjes en rendiermos – wat altijd betekende dat de patrijsbessen op sommige plaatsen rijp waren en het voor de mannen tijd was om naar hun vallen te gaan. Dat was het probleem van Treadway. Net nu hij voorbereidingen trof zijn huis maandenlang achter zich te laten leek Thomasina Baikie van plan Waynes hele school in alle openheid een onderwerp te laten bestuderen dat goed toegedekt zou moeten blijven. Wanneer je de vallenroute liep, was heimelijkheid het allerbelangrijkst. Treadway kon als geen ander vossen, nertsen en beren tegen de wind in benaderen. Daar hing zijn eigen levensonderhoud en dat van zijn gezin van af. Je liet je niet duidelijk zien om je aanwezigheid, je geheimen en je privéleven kenbaar te maken. Je liet een wild dier ook niet merken dat je bang was. Treadway was beter dan wie dan ook in staat een geheim te bewaren. Nu stond hij in de gang van Thomasina, bij de deur naar haar keuken, zijn angst zo diep verborgen dat hij er niet rechtstreeks over kon praten. Dus deed hij dat indirect.

Een keer, slechts één keer, voordat Jacinta naar Croydon Harbour was gekomen en voordat Graham Montague had besloten dat hij een vrouw wilde hebben, was er een dansfeest geweest waarbij Treadway Thomasina meer dan twee uur in zijn armen had gehouden. Ze waren allebei stil en teruggetrokken en ze hadden zich allebei afgevraagd wat andere stellen elkaar in het oor fluisterden, waarom ze lachten terwijl de band speelde. Hun dansen had iets bezadigds gehad en daarna hadden ze aan elkaar gedacht, maar toen Treadway zijn zus naar Thomasina toe had gestuurd om te vragen of ze met hem naar het volgende dansfeest wilde gaan, had ze daar nee op gezegd. Nu, al die jaren later, herinnerden ze zich dat lichamelijke contact en hing er een bepaalde spanning tussen hen omdat ze alleen waren. Dit verhaal had kunnen worden verteld over iedere vrouw en iedere man in Croydon Harbour. In een kleine leefgemeenschap danst de hele wereld op een juniavond in elkaars armen. Treadway had niet moeten komen.

'Is alles in orde met je?' vroeg Thomasina. Treadway zag er niet goed uit. Hij was opeens niet alleen boos maar ook verlegen en dus vroeg ze: 'Wil je gaan zitten?' Hij reageerde daar niet op, maar keek naar de grond, dus nam ze hem mee naar de keuken. Hij was nog nooit in dit huis geweest. Het hoorde niet echt bij Croydon Harbour en iedereen wist genoeg van de geschiedenis ervan om niet de behoefte te hebben er naar binnen te gaan. Het had iets afstandelijks, het was groter dan de huizen van de kolonisten, imposant, alsof de mensen die er hadden gewoond meenden dat ze alles beter wisten dan de kolonisten.

Zo moesten alle door zendelingen gebouwde huizen eruitzien, dacht Treadway nu, waar ter wereld ze ook stonden. De echtgenotes van de zendelingen uit Moravië hadden terrassen aan de zijkanten en de achterkant van dit huis gebouwd, en zaaivoren aangebracht waarin ze gewassen hadden geplant die geen enkele kolonist in Labrador die goed bij zijn verstand was ooit zou kweken. Peterselie en sugarsnaps, bonenkruid, komkommer, Europese krulsla en zelfs tomaten. Ze hadden geprobeerd van hun kleine lapje grond in Labrador een stukje Europa te maken en waren daar bijna in geslaagd met gebruikmaking van stolpen, koude bakken en andere ingewikkelde hulpmiddelen. Ze hadden pronkerwten gekweekt – bloemen die in peulen veranderden waaraan je in de keuken niets had – en die met lintjes aan lange staken opgebonden. Dat had gewerkt zolang de vrouwen uit Moravië er waren en waakzaam waren.

Toen de Grenfell-zendelingen het overnamen, hadden die een eind gemaakt aan het kweken van kruiden en pronkerwten. Volgens Treadways opvattingen verzorgden die mannen de tuinen met iets meer gezond verstand dan de Moravische vrouwen. De mannen hadden wortels, kool, bieten en aardappelen geplant, maar toen hadden ze een koe aangeschaft omdat ze meenden dat een plaatselijke melkvoorraad de baby's in Labrador gezonder zou maken. Je kon net zo goed een koe op de Noordpool zetten en verwachten dat die in leven zou blijven. Met kruiken, dekens en god wist wat voor dwaze hulpmiddelen nog meer was het de zendelingen gelukt de koe en haar dochter vijf of zes jaar in leven te houden, maar toen had de brute grandeur van het echte Labrador het heft in handen genomen. Labrador werd niet voor niets het grote land genoemd. Het was groot op een manier die de mensen die hierheen kwamen respecteerden en volgden, of met gevaar voor eigen leven minachtten. Je kon als een vorst in Labrador leven als je wist hoe je je ondergeschikt moest maken aan het land, en als je niet wist hoe je dat moest doen zou je als een dwaas sterven – wat velen was overkomen. Treadway wist niet wat Thomasina in dit Guest House deed. Eens was ze heel verstandig geweest: een vrouw die wist hoe het grote land ademde. Maar iets – Treadway vermoedde de dood van haar man en haar dochter – had ervoor gezorgd dat ze dat alles was vergeten en zich als een vreemdelinge was gaan gedragen.

'De ramen zijn dichtgeverfd,' zei hij. Niemand die in Croydon Harbour in een normaal huis woonde, zou dat kunnen verdragen.

'Dat was me nog niet opgevallen.'

'Het is ongezond.'

'Ik heb geen houtkachel, zoals jij.'

Hij had een schroevendraaier in het zakje van zijn shirt zitten en hij hakte daarmee in op de verf. 'Heb je een mes met een dun lemmet?'

Thomasina trok de la met het bestek open en zocht tussen de messen en vorken die de Grenfell Society daarin had gedeponeerd. Ze waren niet van een kwaliteit die je zelf zou aanschaffen, maar ze vond een mes. Hij liet die door de verf gaan. Het mes gleed uit. Hij stak zijn bloedende vinger in zijn mond en ging zitten.

Hij kon geen woord uitbrengen over Griekse goden met borsten en baarden. Hij had net zo goed kunnen proberen zijn eigen naaktheid ter sprake te brengen. 'Dit is een afschuwelijk kale ruimte,' zei hij. Hij zag een fles whisky op haar plank staan. Thomasina pakte die en schonk voor ieder van hen een glas in. Toen ze een tweede glas hadden gedronken vroeg ze: 'Weet Jacinta dat je hier bent?'

'Inmiddels waarschijnlijk wel. Ik ben hier vanwege het huiswerk. Waynes huiswerk. Het is... Mijn hemel, Thomasina, wat... Ik weet niet of je hem een soort hint wilt geven of...'

'Jij wilt niet dat hij ook maar een idee krijgt wie hij is.'

'Zit jij ergens mee?'

'Wat zeg je?'

'Zit je met een psychisch probleem omdat je je man en dochter hebt verloren?'

‘Als je de moeite zou nemen het lesprogramma van de school te bekijken, zou je zien dat daar alles in staat wat ik onderwijs. Ik heb dat programma niet samengesteld en ik heb de Griekse mythologie niet verzonnen. Die behoort tot het lesprogramma en je zoon zit in mijn klas.’

‘Oké. Ga alleen niet...’

‘Ben je van plan het hem ooit te vertellen?’

‘Nee. Waarom zou ik dat doen? Nee. Ik zal jou eens iets vertellen, Thomasina Baikie. Het is oké dat sommige mensen aan het psychologiseren gaan, maar de rest van ons moet in de werkelijke wereld leven. Wayne moet in de werkelijke wereld leven. Ik zou het prettig vinden wanneer je hem geen kleurboeken gaf met halve mannen en halve vrouwen erin. Ik vind dat je je dan met andermans zaken bemoeit. Zelfs meer dan dat.’

‘Hij is anders dan de andere jongens.’

‘Op deze manier bemoei je je wel heel erg met andermans zaken.’

‘Kun je het zien?’

‘Nee, dat geloof ik niet. Wat...’

‘Jij hoopt dat je het niet kunt zien. Hij is heel anders, Treadway.’

‘Wie zegt dat? Heeft iemand op die school iets tegen hem gezegd? Heeft de zoon van Roland Shiwack iets gezegd?’

‘Ik heb overwogen om er zelf iets van te zeggen.’

‘Geen sprake van!’

‘Ik overwoog om hem te vertellen hoe de stand van zaken bij zijn geboorte naar mijn idee was.’

‘Waarom zou je dat doen?’

‘Omdat zijn haar zacht is. Omdat hij twee ontluikende borstjes heeft. En geen noemenswaardige adamsappel.’

Daar schrok Treadway van. Hij had Waynes beginnende borstjes gezien op de dag dat hij had geprobeerd zijn zoon seksuele voorlichting te geven. Maar hij had gehoopt dat ze verder niemand waren opgevallen. Nu moest hij naar zijn vallen. Hij was hier gekomen om duidelijkheid te scheppen, niet om nieuwe vragen op te werpen die hij door gebrek aan tijd niet kon beantwoorden. Hij zette zijn glas op de tafel van Thomasina en liep naar buiten, onder Orion die fel straalde, met uitzondering van de stervende rode ster bij de linkervoet van de jager.

13

Het spelletje met de fles

WAYNE WAS GEWEND GERAAKT aan zijn vervellende voeten. Hij was tot de conclusie gekomen dat er op de voetzolen van een mens veel laagjes vel moesten zitten, want elke dag liet bij hem een laagje los zonder dat het zeer deed. Het leek er niet toe te doen en hij zei er niets meer over tegen zijn moeder. Zeven laagjes, acht, tien. Ze moesten net zo snel aangroeien als ze verdwenen, redeneerde hij. Hij hield ook het andere nieuwe in zijn lichaam in de gaten: de pijn in zijn buik. Het leek op de verrekte spier die hij een keer bij sit-ups tijdens de gymnastiekles had opgelopen, maar het zat dieper vanbinnen en het deed minder zeer. Hij besloot het maar vanzelf te laten overgaan, net als dat vervellen dat naar zijn idee interessanter was – mits zijn voeten maar niet gingen bloeden.

Wally was niet meer naar Wayne toe gekomen sinds Treadway haar bladmuziek had vernietigd. Wayne miste haar verschrikkelijk en hij wilde haar zijn diagrammen laten zien van de brug van Thomas Telford en haar vertellen over zijn vervellende voeten. Maar hij had het lef niet haar te gaan halen of tegen haar te zeggen dat het hem speet wat zijn vader had gedaan. Hij had het gevoel dat het zijn schuld was en hij wist niet hoe ze hem dat ooit zou kunnen vergeven.

Toen de school weer begon was Wally Michelin een vreemde voor Wayne geworden. Ze was langer en magerder. Alleen Wayne leek zich te herinneren dat ze van de eerste tot en met de zesde klas sterk, dapper en onafhankelijk was geweest. Het leek alsof ze een nieuw en onhandig meisje was. Ze had geen kleren uit de postordercatalogus en ze droeg haar haren in twee staartjes met elastiekjes. Al op de eerste dag van de zevende klas was Donna Palliser de onbetwiste koningin van de klas en niemand herinnerde zich de tijd vóór Donna, toen iedereen dol was geweest op Wally.

De feesten van Donna Palliser waren elk jaar talrijker en uitgebreider geworden. Voor Halloween had haar moeder het huis met vleermuizen en spinnenwebben versierd. Donna had iedereen bij de deur begroet met een schaal met tarwekoekjes in de vorm van afgesneden duimen en vingers met rood glazuur. Op de schoorsteenmantel had een spookhuis gestaan, waaruit duivels gelach kwam. Donna gaf een feest op wapenstilstandsdag, ter ere van Kerstmis, oud en nieuw, Valentijnsdag, Pasen en de komst van de zomervakantie, en als de pauze ertussen te lang duurde, gaf ze pyjamafeestjes voor uitverkoren meisjes en pizzafeesten voor meisjes en jongens. In de vijfde en de zesde klas had ze die feesten al gegeven. Niet uitgenodigd waren Wally Michelin en de tweeling Groves en Gracie Watts die elke dag dezelfde trui bleef dragen. Omdat Wayne zijn vader niets over die feesten had verteld, had hij ze kunnen mijden. Maar in de zevende klas wijzigde Donna Palliser haar definitie van een feest en kwam hij klem te zitten door haar nieuwe tactiek.

Voor het eerste feest in de zevende klas – dat Donna haar Eerste Middelbare Schoolfeest noemde – nodigde ze degenen uit die normaal gesproken werden buitengesloten. Wayne zag Donna in de pauze een uitnodiging aan Wally Michelin overhandigen en hij hoopte dat ze er niet naartoe zou gaan. Het was iedereen duidelijk dat Donna iets had gepland voor degenen die niet populair waren. Hij nam zich plechtig voor het te laten afweten en hij smeet zijn uitnodiging in de vuilnisbak van de kantine. Gracie Watts zag hem dat doen en liep naar hem toe.

'Donna Palliser heeft tegen Tweedledum en Tweedledee gezegd dat jij probeert te bepalen met wie jij op stap wilt gaan.' Wally Michelin en Wayne waren de enigen die de tweeling die namen niet gaven.

'Ik ga er niet naartoe.'

'Ze zei dat je ze allebei een tongzoen wilt geven en dan een beslissing zult nemen.'

'Geen schijn van kans.'

'Donna zal dan tegen iedereen zeggen dat dat bewijst dat je een mietje bent.'

'Ik zal de tweeling niet zoenen.'

'Tongzoenen. Je zou moeten zeggen dat je voor geen van hen beiden kunt kiezen omdat je met Wally Michelin wilt gaan.'

'Ik wil met niemand gaan.'

'Iedereen weet dat je op haar valt.'

Wayne voelde zich misselijk. Hij hield van Wally Michelin zoals hij van sterrenbeelden hield, of van eidereenden.

'Wally Michelin gaat wel naar het feest. Iedereen gaat erheen. Jij moet er met iemand naartoe, want anders moet je tongzoenen met Tweedledum en Tweedledee.' Gracie pakte een reep uit haar lunchzakje, begon de pinda's eraf te bijten en liet hem naast de vuilnisbak achter.

De moeder van Donna Palliser had een kristallen schaal met knabbels en een bijbehorende kom vol vruchtenbowl neergezet. Aan de kom zaten haakjes waar kopjes aan hingen. Er was een bord met knakworstjes met een prikkertje erin, en oranje trilpudding van melk en kokos. Het feest werd gegeven in de speelkamer. Behalve een bar was er ook een pooltafel en een hoekkast stampvol speelgoedbeesten.

Er waren ook een dartbord en een tafelhockeyspel waarbij je aan hendels moest trekken om de spelers te laten rondrennen. Er waren een plank met een koperen lamp van Aladdin erop, een stel robijnrode borrelglaasjes en een fraaie jachthoorn. Het plafond was gestuukt en had zilverkleurige vlekjes. De Pallisers hadden een beagle en die blokkeerde de trap naar de keuken. Hij had een oranje rubberen bal in zijn bek, onder het slijm en stukgebeten, waardoor rubber in de kleur van de knakworstjes te zien was.

Brent Shiwack en de andere jongens rookten om de beurt Rothmans en staken die door het raam naar buiten. De meisjes verzamelden zich rond de schaal met bowl. Donna had er rum in gedaan. De bar bevatte Tia Maria, Baileys Irish Cream, crème de menthe en een fles amandellikeur die nooit was geopend en volgens Donna door monniken was gemaakt. In de bowl had Donna een drijfschaal met roze ijsklontjes gedaan. De jongens discussieerden fel over wie beter was: Pink Floyd, Jimi Hendrix of CCR. Wayne koos voor Pink Floyd, maar daar luisterde hij thuis niet naar. Hij luisterde naar 'Across the Universe' van de Beatles en 'Lied zonder woorden' van Tsjaikovski, en 's avonds laat naar de radio.

Beneden was een wc, een klein hokje met een grendel op de deur, en daar ging je tijdens *Spin the Bottle* naartoe als de fles op jou wees of jij hem had gedraaid. Donna kondigde aan dat het de tijd was voor de Top Veertig van Casey Kasem. 'The Tide Is High' werd gedraaid en alle meisjes zongen met falsetstemmen met Donna mee. Carol Rich ging met Archie Broomfield de wc in en ze kwamen er vijftien seconden later weer uit. Bruce McLean ging er met Donna naartoe en Mark Thevenet had zijn tweede hand nodig om te tellen.

'Jemig!' zei hij toen ze zich weer lieten zien. Donna's haren zaten in haar gezicht en ze hielden hun hoofd omlaag alsof ze een confettiregen wilden ontwijken. 'Jullie zijn er zes minuten gebleven!'

De fles was een oude wijnfles met een Hongaarse tekst erop, en hij wist op wie hij moest wijzen. Hij zette Chad White met Ashley Chalk in de wc en hij wees stelletjes aan alsof hij verstand had. Een populair meisje werd niet aan een impopulaire jongen gekoppeld en een populaire jongen werd nooit gekoppeld aan een meisje dat niet aantrekkelijk was. Het duurde een hele tijd voordat hij naar Wayne, de tweeling, Wally Michelin of Gracie Watts wees. Gracie had deze avond nieuwe kleren aan: een broek die niemand eerder had gezien. Het was een broek met uitlopende pijpen, die door de populaire meisjes werd gedragen, maar Gracie zag er daardoor niet uit als een populair meisje. Ze zag eruit als een impopulair meisje in een broek van een populair meisje. Ze zag eruit alsof hij niet van haar was. De rest van haar was onveranderd: knokige polsen, een nylon vestje en een gouden zegelring van tien karaat. De andere meisjes deden lipgloss op, droegen sjaals en oorbellen. Ashley Chalk had elke dag een nieuwe zijden hoofdband; Gracie Watts gebruikte elastiekjes waardoor haar haren afbraken. Wayne wist opeens dat de fles Gracie voor hem zou uitkiezen, en dat bleek ook zo te zijn. Misschien had Donna Palliser iets voor hem en de tweeling gepland, maar de fles had Gracie Watts in gedachten. De fles was alleen in zijn eigen plannen geïnteresseerd. Wayne was bereid met Gracie Watts naar de wc te gaan als dat moest. Hij hoefde haar niet te zoenen.

Maar in het hokje stond ze te wachten. 'Ik heb heel veel mensen gezoend.'

Waren zijn klasgenoten voortdurend aan het zoenen geweest? Was hij de enige die dat niet wist? Hadden ze elkaar gezoend achter de grote afvalcontainer van de school, waar ze rookten? Maar Gracie Watts rookte niet. Ze haalde hoge cijfers.

'Heel veel?'

'Ik zoen al vanaf mijn vierde.'

'Vanaf je vierde?'

'Toen ik vier was heb ik Duncan McQueen in de garage van zijn vader gezoend, en toen ik net zeven was heb ik Brent Shiwack in het bos gezoend.'

'Brent Shiwack?'

'Toen ik elf was heb ik Kevin Stacey in de tent in zijn achtertuin honderden keren gezoend.'

'Zoveel mensen heb ik niet gezoend.'

'Heb je ooit iemand gezoend?'

'Ik wil niet zoenen. Ik wil niet met mensen op stap gaan.'

'Val jij op jongens?' Ze stond dicht bij hem en hij had belangstelling voor haar lippen, maar hij wilde die niet zoenen. Het interesseerde hem dat de twee puntjes van haar bovenlip zo scherp waren en er in het midden drie sproetjes zaten, als sterren achter de Mealy Mountains. Hij wilde een lekker scherp potlood pakken en dat deel van haar lippen tekenen. Hij kreeg het idee dat ze niet echt wilde dat hij haar zoende. Hij kreeg het idee dat ze iemand wilde hebben met wie ze kon praten.

Er werd gejuicht en Mark Thevenet riep: 'Zeven minuten!' Gracie en Wayne liepen terug naar hun plek in de cirkel.

'Dit komt uit Key West.' Donna wikkelde een sarong om haar hoofd en legde een glazen bol op de grond, op de plek waar de fles had gedraaid. 'Jullie gaan me je dromen vertellen en dan zal ik die interpreteren.'

'Die bol is gewoon een gewicht voor een visnet,' zei Mark Thevenet.

'Jij hebt geen verbeeldingskracht. Ik kan dromen prima interpreteren. Dat heb ik geleerd met een set die ik voor mijn verjaardag had gekregen toen ik in Riverside in New Brunswick, woonde.'

'Ik zal je mijn droom vertellen,' zei Wally. Het was de eerste keer dat ze belangstelling toonde voor het feest.

'Je zult op je beurt moeten wachten. De bol zegt dat ik met Tweedledee moet beginnen, gevolgd door Wayne Blake en daarna Tweedledum. We gaan Tweedledee en Tweedledum voor het eerst in hun leven van elkaar scheiden. Dat wil de bol.'

'Ik heb verdomme een sigaret nodig,' zei Brent Shiwack.

'Wie van jullie is Tweedledee?'

'Doet dat er iets toe?' vroeg Brent.

'Wie van jullie weet wie wie van de tweeling is?'

'Dat weet iedereen,' zei Wally Michelin zacht. 'Behalve jij. Ze heten Agatha en Marina. Agatha is verlegener dan Marina, maar ze glimlacht meer. Zij wil reisagente worden. Marina maakt dingen. Ze maakt sieraden van oude koperen pijpen. Agatha en Marina zijn niet identiek. Dat weten we allemaal. Waarom weet jij dat dan niet?'

Donna keek Wally strak aan. 'Wie is Tweedledee? Dat is alles wat ik wil weten. En wie is Tweedledum? Kun je me dat vertellen?'

'Nee, dat kan ik niet,' zei Wally. 'Omdat ze niet Tweedledee en Tweedledum heten. Die namen zijn niet van hen. Alsof de tweeling maar één persoon is.'

'Vindt een van de anderen hier dat daar iets mis mee is?'

'Ik denk dat de tweeling het waarschijnlijk prettiger vindt als je hun echte namen gebruikt,' zei Wayne.

'Is dat zo?' Donna keek naar de tweeling. Ze hadden hun kin begraven in de kragen die uit hun vestjes piepten. Ze hadden allebei een ketting om die Marina had gemaakt. Iedereen wachtte. Agatha richtte een van haar verlegen glimlachjes op de lussen in het tapijt.

'Vinden jullie het erg wanneer we jullie een vriendelijke bijnaam geven als Tweedledee of Tweedledum?' vroeg Donna luider, alsof de tweeling niet goed kon horen.

'Het kan ons niets schelen,' zei Marina.

'Zie je nu wel?' Donna schonk Wally een brede stralende glimlach. 'Het kan ze niets schelen. Waarom zou het jou dan iets kunnen schelen? Wie heeft jou tot de grote autoriteit gemaakt? Tweedles, kom hierheen. Tweedledum, vertel me wat je vannacht hebt gedroomd en dan zal ik die droom interpreteren. Misschien kan ik je toekomst zelfs wel voorspellen.'

Wally ging ergens anders zitten. De rest van de groep schoof dichter naar Donna en haar glazen bol toe.

'Ik heb niet gedroomd,' zei Agatha.

'Doe je ogen dicht.' Donna zette een zweverige, occulte stem op. 'Probeer het je te herinneren.'

'Ik weet dat ik geen droom heb gehad omdat ik de afgelopen nacht niet goed heb geslapen.'

'Tussen de momenten waarop je wakker was, moet je beslist hebben gedroomd. Denk terug. We kunnen alleen werken met materiaal dat jij aanlevert. We kunnen geen bedrog plegen.'

'Misschien kun je beter doorgaan met iemand anders.'

'Heb je ooit gedroomd dat je kon vliegen?'

'Die dromen vind ik prachtig, maar ik heb de afgelopen nacht niet gedroomd.'
'Wat gebeurt er als je over vliegen droomt?'
'Dan beweeg ik eerst mijn handen. Heel snel.'
'Laat ons dat eens zien.'
Agatha flapperde met haar handen en iedereen lachte.
'En dan?'
'Dan beweeg ik mijn armen.'
'En dan vlieg je?'
'Het duurt heel lang voordat ik dat doe.'
'Dat zal best.'
'Als ik mijn handen en mijn armen heb bewogen, begin ik te zweven en dan zweef ik boven de straat. Boven de huizen en de telegraafpalen. Soms kijk ik naar beneden en vliegt er een meeuw onder me.'
'Dat moet verbazingwekkend zijn. Vliegt Tweedledee ooit met je mee?'
'Nee. Als ik in mijn dromen vlieg, heb ik geen tweelingzus. Dat voelt vreemd aan.'
'Dat zal inderdaad wel vreemd zijn. Tweehonderd boven Croydon Harbour zwevende kilo's. Ik hoop dat niemand van ons op straat loopt als jij besluit te vallen. Val je ooit?'
'Nee.'
'Dat is goed. Weeg je tweehonderd kilo?'
'We zijn door de verpleegkundige op een dieet met weinig koolhydraten gezet en we moeten worden geopereerd aan onze galblaas.'
'Ik zal je nu vertellen hoe ik die droom interpreteer. Wie ben je ook al weer? Tweedledum?'
'Dat weet ik niet.'
'Laten we zeggen dat je dat bent. Je bent in je eentje. Je bent gewichtloos. Jullie zijn aan je galblaas geopereerd, maar een van jullie beiden is gestorven. Dat moet de andere zijn. Tweedledee. Voor wanneer staat die operatie gepland?'
'Augustus aanstaande,' zei Agatha, bijna in tranen.
'Hou op,' zei Wally Michelin. 'Donna, kap ermee. Maak je er niet druk over, Agatha. Donna Palliser kan je toekomst niet

voorspellen omdat ze een stom badpak om haar hoofd heeft gewikkeld en naar een zogenaamde glazen bol kijkt. Donna Palliser is een idioot.'

'Dat doodgaan is niet zeker. Misschien zal dat niet gebeuren. Ik heb het niet met zekerheid gezegd. Laten we nu de droom van Wayne interpreteren.'

Wayne wist dat Donna Palliser niet in die glazen bol kon kijken. Hij wist dat ze vanavond wreed wilde zijn. Hij vond het niet prettig dat ze de draak stak met Agatha Groves en hij vond het niet erg Donna Palliser een ander gespreksonderwerp te geven. 'Ik droomde dat ik een meisje was,' zei hij. 'Ik kon mijn trui zien. Het was een groene trui met glanzende knopen, als licht dat onder water verandert. Ik keek naar mijn sandalen en die waren wit. Ik liep langs een rivier. Ik probeerde mijn gezicht in de rivier te zien, maar dat lukte me niet. Er was niemand bij me. Ik probeerde net zo snel te lopen als de rivier stroomde. Ik koos een hoge golf uit en rende ermee mee terwijl ik dacht dat ik bij dezelfde golf bleef. Maar even later was ik daar niet zeker van. Pas toen ik wakker werd besefte ik dat ik in de droom een meisje was geweest terwijl ik een jongen ben, en even was ik verbaasd. Toen herinnerde ik me dat ik als ik wakker ben altijd een jongen ben.'

Donna Palliser streek met haar handen over de glazen bol en haar mond bewoog. Ze bleef over de bol wrijven tot Wally Michelin er een trap tegen gaf, hij tegen de muur knalde en brak. Donna pakte een handvol scherven van het kleed en smeet ze naar Wally. Een van de scherven vloog de mond van Wally in en bleef vastzitten in haar keel. Bloed drupte tussen haar lippen door op haar bloesje en ze was doodsbang. Ze kon ademhalen maar ze kon niet praten en het enige geluid dat ze maakte kwam omdat ze luid en moeizaam door haar neus ademhaalde. Zelfs Donna Palliser wist dat ze er een volwassene bij moest halen.

Donna rende naar boven en haalde haar moeder op. Ze belden een ambulance. Wally Michelin ging naar Goose Bay en een arts verwijderde de scherf uit haar keel. Maar een van haar stembanden was doorgesneden. Veel ouders hadden van alles te vragen en vanuit Goose Bay kwam zelfs een politieagente naar Croydon Harbour om iedereen apart en in groepen te laten vertellen wat er was gebeurd. Uiteindelijk wilden alle volwassenen geloven dat het een tragisch incident was waarvan niet één bepaald persoon de schuld kon krijgen. De volwassenen wilden ten koste van alles voorkomen dat iemand er de schuld van kreeg en waren het erover eens dat het in elke groep jonge mensen had kunnen gebeuren. Het was verschrikkelijk en iedereen had er een rol bij gespeeld, en hopelijk zou iets dergelijks zich nooit meer voordoen. Ze konden in elk geval troost putten uit het feit dat niemand blind was geworden, of was doodgegaan.

Een week later kwam Wally weer naar school. Wayne wilde dat iemand tegen hem zei dat ze nog kon zingen, de 'Cantique de Jean Racine' kon instuderen als iemand die voor haar kon vinden en naar Wenen kon gaan om net als als Lydia Coombs operazangeres te worden. Maar niemand had het over het zingen en Wayne wist ook na hard nadenken echt niet meer of iemand anders dan hij op de hoogte was geweest van haar plannen om te gaan zingen. Hij besefte dat hij best de enige kon zijn aan wie Wally dat had verteld. Hij kon haar aandacht niet trekken en tijdens de pauzes stond ze niet in de gang op hem te wachten. Hij kreeg het idee dat hij de enige was die zich herinnerde dat ze zong en hij kreeg ook het idee dat ze hem daar om de een of andere reden om haatte en hem zou blijven haten tot hij was vergeten wat hij over haar wist.

Natuurlijk was dat allemaal pure verbeelding, maar hij voelde het net zo hevig als wanneer ze een bord had gemaakt en daarmee 's avonds bij zijn huis had lopen demonstreren: 'Val dood en vergeet mijn zingen. Vergeet alles wat je ooit over me dacht te weten.'

14

Dokter Lioukras

WAYNE WAS IN DE gymnastieklessen redelijk goed, maar hij was niet goed in voetbal of basketbal, waarvoor snelle reacties waren vereist. Brent Shiwack en de andere jongens hadden een radar die meteen meldde wanneer een bal moest worden doorgegeven. Zij stonden, voor de bal uit, op de juiste plaats. Bij het basketballen had Wayne de indruk dat hun handen een soort zeeanemonen met onzichtbare zuignappen waren die een bal naar zich toe trokken en vasthielden. Brent stak een hand omhoog en welke kant de bal ook op ging... hij veranderde van richting, aangetrokken door Brents hand. De bal voelde zich niet aangetrokken tot de hand van Wayne. Toch werd hij niet als laatste gekozen wanneer de teams werden samengesteld. De laatste was Boyd Fowlow, die de bal niet kon zien omdat zijn moeder een briefje naar juf Baikie had geschreven met de mededeling dat hij zijn bril tijdens de gymnastiekles niet mocht dragen.

Het lukte Wayne om niet volledig uit de gratie te vallen omdat hij in individuele sporten competent was. Hij was geen snelle sprinter en hij kon zich niet aan zijn armen optrekken. Maar hij kon wel over een lange afstand rennen omdat hij dat in een vast tempo deed. Glorieus was het niet, maar hij stelde zijn team niet teleur. In verspringen was hij ook redelijk goed, maar niet in hoogspringen, en hij vond polsstokspringen leuk. Om een reden die niemand kon verklaren kon hij daarbij bijna iedereen verslaan. Zijn vader zei dat het jammer was dat er slechts een keer per jaar aan polsstokspringen werd gedaan: op de sportdag.

'Het mooiste komt als je iets hoger dan de helft bent,' zei Wayne tegen Thomasina Baikie. Hij zat op de rand van het podium in de gymzaal en trapte met zijn gympen tegen de muur. 'Je begint in een soort slow motion en je hebt het idee dat je veel hoger kunt komen dan je had gedacht.'

'Doet het nog zeer?'

Wayne knikte. Zijn buikpijn was erger geworden terwijl alle anderen rondjes liepen om af te koelen. Nu was het lunchpauze en de anderen waren naar de kantine gegaan. Hij duwde zijn handen onder zijn sweatshirt en legde ze op zijn buik, omdat hun warmte goed aanvoelde.

'Ik ga een warmtekussen voor je pakken en dan moet je een paar minuten in de lerarenkamer gaan zitten.'

Ze liepen de lerarenkamer in. Thomasina pakte het warmtekussen en gaf hem sterke thee met suiker erin. Hij had geen zin in zijn boterham met ingeblikt vlees en zijn koekjes met jam.

'Doet het hier pijn, of hier?' Thomasina legde haar hand op zijn buik.

'Ja, daar. Hij is een beetje opgezet.'

'Hoelang is dat al zo?'

'Het is begonnen toen mijn voeten gingen vervellen.'

'Je voeten?'

'Aan het eind van de zomer. De huid van mijn voeten vervelt. Het doet geen pijn. Het is alleen raar. Rond die tijd begon ook de buikpijn.'

'Mag ik je buik eens bekijken?' Die was inderdaad opgezet. Ze legde haar hand erop en voelde dat hij vol vocht zat, maar ze haalde de zuster van de school er niet bij. De zuster wist niet wat Thomasina wist. Dat Wayne een baarmoeder had en dat die opspeelde.

'Weet je moeder dat je daar pijn hebt?'
'Ik heb het haar wel verteld.'
'Heeft ze je buik gezien?'
'Nee.' Na het opzwellen had hij niemand zijn lichaam laten zien of aanraken. Thomasina keek naar zijn kleine borstjes en keek toen weer een andere kant op.
'Wanneer ben je voor het laatst bij de dokters in Goose Bay geweest?'
'Dokter Lioukras of dokter Giashuddin?' Zijn specialisten veranderden altijd. Ze kwamen voor twee jaar naar Labrador en vertrokken dan naar Toronto of Boston.
'Degene die je het laatst hebt gezien.'
'Ik heb hen allebei gezien. Dokter Lioukras heeft me mijn nieuwe pillen gegeven en dokter Giashuddin heeft iets anders gedaan, maar daarvoor moest ik in slaap worden gebracht.'
'Wanneer is dat gebeurd?'
'In het begin van de zomer.'
'En toen was je buik nog niet opgezwollen.'
'Nee, en mijn voeten vervelden ook niet.'
Thomasina dacht in eerste instantie dat ze het niet kon opbrengen over de borstjes van Wayne te beginnen. Ze had het idee dat hij dat heel erg zou vinden. Het moest hem zijn opgevallen. Had niemand hem geholpen iets te begrijpen van wat er met zijn lichaam gebeurde? Keek hij naar de andere jongens en probeerde hij zich voor te stellen dat hun borstkas niet van de zijne verschilde? Thomasina zag dat er niemand in de lerarenkamer of op de gang achter de deur was.
'Wayne, ik denk dat we naar die zwelling moeten laten kijken. Is je borstkas naar jouw idee ook gezwollen?'
Tranen drupten uit Waynes ogen. Hij had in bad gelegen en zich net diep genoeg onder water laten zakken om te zien of de bobbeltjes voor eilandjes zouden zorgen, en dat was het geval geweest.
Thomasina legde haar sterke hand op zijn schouder. Ze had geen klein vrouwelijk stemmetje zoals de andere juffen en daar was Wayne blij om. Ze besteedde geen aandacht aan die paar tranen van hem. Ze luisterde naar hem. Ze luisterde naar zijn

hele verhaal, uitgesproken en onuitgesproken. Ze kon delen van het verhaal horen die hem onbekend waren. Dat voelde hij aan, ook al begreep hij het niet volledig. Hij vertrouwde haar. Thomasina was bozer dan ze in lange tijd was geweest toen ze zei: 'Laten we je moeder opbellen om te zeggen dat ze je moet meenemen naar de dokter om te achterhalen wat er aan de hand is, zodat jij je geen zorgen meer hoeft te maken.' De zorgen van een kind waren anders dan die van een volwassene. Ze knaagden diep en dat was nergens voor nodig. Waarom beseften mensen niet dat kinderen de waarheid aan konden? Waarom stonden volwassenen erop kinderen net zo te bedriegen als hun ouders dat met hen hadden gedaan, terwijl ze zich beslist moesten herinneren hoe het was om in bed te liggen en te huilen om angsten die niemand je had geholpen onder ogen te zien?

Thomasina vroeg meneer Stack haar te vervangen tijdens de les gezondheidsleer. Toen ze in de lerarenkamer Waynes huis belde, werd er niet opgenomen. Treadway schraapte achter in de tuin roest van zijn vallen en smeerde ze in met robbenvet. Jacinta was in de Hudson's Bay Store, liep het pad met de schoonmaakmiddelen op en af, zoekend naar Sunlight-zeep om de sokken van Treadway te wassen voordat hij naar zijn vallenroute ging. Wayne zat op de bank naast de kapstok, met zijn handen onder zijn shirt om zijn buik te verwarmen.

'Hoeveel pijn heb je als je er een cijfer tussen de een en de tien voor moet geven?'

'Een vijf. Ik lijk vol water te zitten en op het punt te staan open te barsten.'

'Dat kan ik zien.'

'Ben ik raar?'

Thomasina wreef in haar handen en legde ze toen op zijn buik. Ze was blij dat er geen andere leraren in de kamer waren. 'Zou je het erg vinden als ik je meeneem naar Goose Bay en dokter Lioukras?'

'Is hij een Griek?'

'Raad eens wat zijn voornaam is.'

'Dat weet ik niet.'

'Apollo.'

'Dat is niet waar.'

'Het is wel degelijk waar. In Mexico lopen allerlei mannen rond die Jezus heten, en in Griekenland zijn er overal Apollo's en Athenes. Ik heb een keer een taxichauffeur gehad die Hermes heette.'

'Had hij vleugels aan zijn voeten?'

'Wayne, er zijn dingen die ik wou dat iemand je had verteld toen je klein was. Maar dat hebben ze niet gedaan en het is niet aan mij het je nu te vertellen. Zal ik je eens wat zeggen? Ik zal je meenemen naar dokter Lioukras. Als je vader het niet onder ogen wil zien is dat zijn probleem. En je moeder...'

Victoria Huskins, het schoolhoofd, kwam de lerarenkamer in om te zoeken naar haar voorraad koffiefilters. Thomasina Baikie zweeg en Wayne wist dat zij waren begonnen aan een clandestien avontuur.

'Hallo, Wayne.' Juffrouw Huskins dacht dat kinderen haar niet konden horen als haar stem zich niet door hun lagen van onbegrip heen boorde. Thomasina Baikie wist niet hoe die vrouw ooit schoolhoofd was geworden. Of beter gezegd: ze wist het wel en ze wenste dat ze het niet wist. Anders dan sommige jongere leerlingen was Wayne niet bang voor juffrouw Huskins, maar hij voelde zich in haar nabijheid wel slecht op zijn gemak. Toen ze de vorige week de wc's had gecontroleerd, had ze uitwerpselen op de grond achter een van de wc-potten aangetroffen en dat over de luidsprekers bekendgemaakt. 'Iemand...' De luidsprekers hadden gekraakt en gesist boven de hoofden van de kinderen op de kleuterschool, in de eerste, de tweede, de derde en de vierde klas. Ook de kinderen uit de vijfde, zesde en zevende klas konden het horen, hoewel hun wc's zich op de bovenverdieping bevonden. Wanneer juf Huskins iemand ten voorbeeld wilde stellen, riep ze dat door de hele school om. 'Een leerling heeft bewust op de vloer bij de muur van de wc op de begane grond gepoept. Wie heeft dat gedaan?' Er volgde een lange pauze. De leerlingen zwegen. 'Ik zal dat hoe dan ook achterhalen. Degene die het heeft gedaan kan maar beter meteen naar mijn kantoor komen om het te bekennen. Het is smerig en het is verkeerd, en degene die het heeft gedaan zal er niet ongestraft mee kunnen wegkomen.'

Thomasina zuchtte, keek naar haar leerlingen en zei: 'Ik hoop dat die vrouw snel in behandeling gaat.' Iedereen – behalve Donna Palliser en haar gevolg – had te doen met het anonieme kind dat duidelijk een ongelukje had gehad. Waarom wist het schoolhoofd niet dat het een ongelukje was geweest? Maar niemand had het erover. Iedereen was bang iets te zeggen. Met uitzondering van Thomasina.

Victoria Huskins likte nu aan haar duim, blies tegen de koffiefilters om er één te kunnen pakken en vroeg: 'Wayne, ben je vandaag ziek?'

Hij knikte.

'Er heerst buikgriep.'

'Daar heeft hij ook last van,' zei Thomasina.

'Een paar Gravols moeten je uit de problemen houden tot je thuis bent. Zijn je ouders gebeld?'

'We proberen hen nu te bereiken.' Thomasina zei niet dat ze van plan was Wayne mee te nemen naar het ziekenhuis.

Juffrouw Huskins liet het koffiezetapparaat gorgelen, schoof de pot toen opzij en zette haar mok onder de stroom. Druppels sisten op het warmhoudplaatje. 'Ik hoop niet dat de hele klas het krijgt. Ik hoop niet dat de hele school gaat projectielspugen. Probeer terug te komen voordat je te veel lessen hebt gemist. Juffrouw Baikie, waarmee bent u tijdens de wiskundelessen bezig?'

'Tienvlakken.'

'Vergeet niet zijn ouders de P-47 te laten tekenen.' Juffrouw Huskins vertrok met haar mok met een blij gezicht erop: een overblijfsel van het vorige winterfeest.

'Ik zal je erheen brengen in de pick-up,' zei Thomasina.

'Mag dat?' Het idee midden op een schooldag te ontsnappen stond Wayne aan, maar hij wist niet hoe zijn ouders daarover zouden denken. 'Ik kan naar huis lopen. Ik kan tegen mijn moeder zeggen dat u tijdens de gymnastiekles naar mijn buik hebt gekeken en vond dat ik naar dokter Lioukras toe moest. Dan kan ze me morgen naar het ziekenhuis brengen.'

De koffiegeur vulde de lerarenkamer. Thomasina keek door het raam naar de goudkleurige wolken. Iedereen had zo'n klein leven dat ze er bijna gek van werd. Misschien was ze er al gek van geworden. 'U hebt tegen juf Huskins gezegd dat ik buikgriep had.'

Thomasina keek naar de grond en schoof haar bril over haar neus omhoog. 'Dat heb ik haar in elk geval laten denken, hè?'

Wayne dacht dat Thomasina misschien bij het huis van zijn ouders zou stoppen om te zeggen dat ze hem meenam naar dokter Lioukras. Hij hoopte dat ze in Goose Bay nog even iets te drinken zouden gaan kopen. Maar Thomasina reed snel over de hoofdweg en stopte niet. Die hoofdweg was vreselijk saai en Wayne had er een hekel aan. Een lange donkergroene streep tussen Croydon Harbour en Goose Bay. Thomasina zei niets en hij vroeg zich af of ze een vergissing maakte. Wat zou er gebeuren wanneer juf Huskins besefte dat ze met de pick-up waren vertrokken zonder dat zijn vader en zijn moeder dat formulier hadden ondertekend?

'Wat betekent P-47 eigenlijk?'

'Bureaucratie. De wereld van Victoria Huskins. Een wereld waarin... Weet je wat een lijkenhuis is?'

'Dat heb ik een keer op de televisie gezien.'

'Elk lijk is voorzien van een label.'

'Aan de voet?'

'We leven in een wereld waarin iedere persoon, elke plant en elk dier – of welke entiteit ook – een verklarend label heeft gekregen. P-47 is daar onderdeel van.'

'Denkt u dat we nog een keer moeten proberen mijn moeder te bellen als we in het ziekenhuis zijn?'

'Ben je bang voor juffrouw Huskins?'

'Ze was al door het dolle heen vanwege die poep.'

'Heb je het gevoel dat ik je ontvoer?'

'Zoiets, ja.'

'Ik neem aan dat het daar inderdaad op kan lijken.'

'Ja.'

'Op de zevende maart word je dertien.'

'Weet u dan wanneer ik jarig ben?'

'Ja. Dus nu ben je twaalf en moet je verstandig zijn. Als je twaalf jaar oud bent, word je wakker en kijk je om je heen en begrijp je dingen. Dan weet je dat als je ouders die nacht zouden zijn overleden, jij zou kunnen bedenken hoe je op deze wereld kunt doorgaan met leven. Dat kan ik me van mijn twaalfde jaar herinneren.'

Thomasina had op haar gezicht vier verticale lijnen. Soms waren dat lachrimpeltjes, en soms niet. Wayne vond ze serieus en goed. Ze zorgden ervoor dat hij haar vertrouwde, ook al nam ze hem midden op een dinsdagmiddag mee van school.

'Ik herinner me hoe helder alles op mijn twaalfde was. Heb jij dat gevoel ook?' Ze zette de radio aan. Nu er muziek in de cabine klonk, was de rit uit Croydon Harbour niet meer zo eenzaam.

'Dat weet ik niet.' Wayne wist niet of hij dingen helder kon zien, maar hij was blij dat Thomasina de vragen over zijn lichaam aanpakte – vragen die door zijn kleren, zijn ouders en zijn school waren toegedekt. Hij had dokter Lioukras niet zo lang geleden nog gezien en de man had niets uitgelegd. Hij had hem onder narcose gebracht.

'Hoe kent u dokter Lioukras? Hebt u hem in Griekenland ontmoet?'

'Voordat ik naar Griekenland ging, ben ik naar hem toe gegaan om te vragen wat de moeite van het bekijken waard was. Ik wilde geen rondreis maken met een bus. Hij heeft me verteld hoe ik een pas kon krijgen om hard te lopen op de originele Olympische baan. Hij heeft me verteld waar hij in Athene het liefst ging lunchen en hij zei dat ik bladeren van wijnranken, gevuld met rijst en munt moest bestellen, en kleine balletjes lamsgehakt. Hij heeft me verteld welke koffie ik op welk tijdstip van de dag moest drinken, en hij noemde ook de naam van de boekhandel van zijn dochter. Daar heb ik de Griekse armbanden vandaan, en de muziek voor onze dans.'

'Ik hou niet van lamsvlees.'

'Ik heb nog nooit een kind ontmoet dat dat lekker vindt. Het eten daarvan lijkt een van de barbaarsere gewoonten van volwassenen te zijn.'

'Het is zielig.'

'Dat is het in zekere zin ook wel.'

Wayne vond het prettig dat Thomasina dat kon toegeven. Zijn vader zou dat niet hebben gedaan, en zijn moeder ook niet. Zij gaven ook niet toe dat het zielig was konijn te eten. Hij zou het niet erg vinden om die dieren te eten als zij, net als Thomasina, op zijn minst konden toegeven dat het een beetje zielig was. Hij vond het niet prettig dat ze al het trieste wegdrukten.

'Waarom eet u het dan?'

'De smaak van lam heeft iets heel ouds. Mensen eten dat vlees al eeuwen. Volwassenen zetten het idee dat het zielig is uit hun hoofd omdat hun trek groter is.'

'Vergeet je dat het lamsvlees is als je honger hebt?'

'Trek hebben is het allerbelangrijkst.'

'Waarom?'

'Dat weet ik niet. Daar moet ik over nadenken.'

Wayne kende geen volwassene die zou toegeven dat hij ergens over moesten nadenken. Ze hadden altijd wel een antwoord klaar, ook als dat onzinnig was.

Ze reden nu over het meest onherbergzame deel van de route. Wayne wist dat er andere vogels en dieren in het bos waren. Treadway zou een verhaal hebben gevonden in het land dat aan deze lange, eenzame weg grensde en het zou zelfs een verhaal kunnen zijn over vlees, trek en honger. Maar dan wel over de alledaagse vormen daarvan. Niet over de vorm waarop Thomasina doelde.

Toen Goose Bay tussen de bomen door zichtbaar werd, was daar niets opwindends aan. De gebouwen waren laag en vierkant en van echte architectuur was geen sprake. Ze waren doelmatig en staken log tegen de hemel af. Het ziekenhuis was iets opvallender, omdat het hoger was. Het had veel ramen en het had iets mysterieus, maar het was niet uitnodigend mysterieus. Elke keer dat hij hier met zijn moeder was geweest had hij het gevoel dat ze ergens bang voor was. Hij was niet bang voor het ziekenhuis, maar hij was wel bang voor wat het met zijn moeder deed. Gedurende de dagen rond zijn afspraken trok ze zich terug. Thomasina was anders.

Hoe dichter haar pick-up bij het grote hek kwam, hoe meer hij aanvoelde dat ze wilde praten. Thomasina geloofde dat hij even verstandig was als zij. Ook dat voelde hij aan. Je kunt aanvoelen of iemand denkt meer te weten dan jij. Thomasina kende misschien meer feiten dan Wayne, maar haar gezichtsuitdrukking maakte duidelijk dat ze dacht dat hij alles kon begrijpen wat zij begreep. Hij voelde iets in zijn handen tintelen, als de bubbels van gemberbier. Andere delen van zijn lichaam sisten ook: zijn schedel en zijn jukbeenderen. Zijn lichaam ruiste als een golf. Zo voelde je je als je bij Thomasina was. Je ging ergens heen en dat was opwindend.

Ze parkeerden onder de paal met een M erop en liepen het parkeerterrein over.

'Iedereen is een slang die zijn huid afwerpt,' zei ze. 'Ons hele leven lang zijn we andere mensen. Jij meer dan anderen. Niemand heeft het je verteld en ik vraag je of je het wilt weten.'

Een vrouw hielp een kind uit een bestelwagentje een rolstoel in. Er lagen plassen op de grond en Wayne stampte met de zool van zijn gymschoen in de randen ervan. In het ziekenhuis zoemde het en het rook er naar patat en ingeblikte jus.

'Wat zou ik willen weten?'

'Als je kon kiezen tussen een angstaanjagende waarheid of een troostgevende leugen, waarvoor zou je dan kiezen?'

'Over mij?'

'Ja.'

'Wat is er dan?'

'Wil je het weten?'

'Wil ik wát weten?'

'Ik wou dat we niet over een parkeerterrein liepen.' Verpleegkundigen en verpleeghulpen stonden bij de ingang te roken, stampten met hun voeten en masseerden hun blote armen. 'Ik wou dat er binnen geen gifgroene gangen met geschilderde voetafdrukken waren.'

'Ik weet binnen een plek die echt cool is.'

'Echt waar?'

Dat had hij de laatste keer dat hij hier was geweest ontdekt, terwijl hij samen met Jacinta wachtte op onderzoeken die moesten worden gedaan. Hij had zijn moeder alleen gelaten terwijl zij erwtensoep met gezouten rundvlees en meelballetjes at – die volgens haar zeggen behoorlijk goed was voor soep in een bekertje van piepschuim. Hij was op verkenning gegaan, over de gang met de groene voetafdrukken, een eind de westelijke vleugel in, naar een plek waar een met de hand beschreven bord melde: *Afdeling palliatieve zorg, zuster Rosita Bonnell.* Aan het eind van die afdeling was een blauwe deur en nu nam hij Thomasina mee daarheen.

Er waren banken die waren bekleed met een stof met blauwe vissen erop. Op een raam stond een vrouw afgebeeld met een wassende maan en de aarde onder een voet, en een valk op haar arm. Er brandde een kaars. Het raam was goudkleurig en groen. De kleuren waren warm en niet te fel.

'Dat is niet eens Maria,' zei Thomasina. 'Het is Isis. Zuster Rosita Bonnell moet een afvallige zijn geweest.'

'Is dat zoiets als een bandiet?'

'Ze moet naar Bolivia zijn gegaan om een schitterende opleiding te krijgen en daarna zijn teruggekomen om dingen te doen waarvoor de paus haar zou ophangen als hij het wist.'

'Wat wilde u me vertellen?'

'Wayne, ik was erbij toen jij werd geboren. Wist je dat?'

'Nee.'

'Ik was erbij en toen heb ik iets gezien.'

'Ik ben thuis geboren. Niet hier.'

'Dat weet ik.'

'Na mijn geboorte ben ik naar het ziekenhuis gegaan.'

'Weet je waarom?'

'Omdat er iets mis is met mijn bloed. Daarom moet ik al die pillen slikken. Het is iets zeldzaams.'

'Ik zou niet zeggen dat er iets mis is met je bloed. Het is alleen anders, een heel nieuwe manier van zijn. Het zou overweldigend mooi kunnen zijn als mensen niet bang waren.'

'Wat hebt u gezien toen ik was geboren?'

Een dochter, wilde Thomasina zeggen. Je was een dochter én

een zoon. Maar wat zou Wayne met de waarheid doen? Hij zou meer nodig hebben dan de waarheid. Hij zou een wereld nodig hebben die het begreep. Wat had haar bezield?

'Wat hebt u toen gezien?'

De deur ging open en een jonge vrouw kwam naar binnen met een bebaarde man met een roos in zijn hand en een infuus in zijn arm. Ze keken heel even naar Thomasina en Wayne en gingen toen samen voor de kaars zitten. De man was stervende. Hij keek alsof hij wilde dat de vrouw van hem hield, maar zij leek te moe om van iemand te kunnen houden. Ze leek eerder te kunnen sterven dan hij. De ruimte veranderde in een container vol vermoeidheid. Thomasina legde een hand op de schouder van Wayne en nam hem mee. Ze liepen langs een emmer vol water met een mop erin en toen om een wagentje heen vol afgedekte gerechten die roken naar gebakken ham en aardappelpuree uit een pakje.

'Wat hebt u gezien?' hield Wayne vol.

'Dit is niet het juiste moment.'

'U had het me moeten vertellen voordat die mensen naar binnen kwamen.'

'We gaan naar dokter Lioukras.' Thomasina had haar moed verloren. Omzichtigheid. Dat was de houding van alle anderen geweest. Het was een karaktereigenschap die ze zelf miste.

'Wat?' Wayne bleef staan onder een raam met bobbelend glas. Er was geen Isis, geen verpleegkundige, geen ham en geen aardappelpuree. Alleen tegels met vlekjes erin en een gang die van de stervenden naar de levenden leidde. Hier kon hij de rest van het ziekenhuis niet horen.

'Ik ga pas naar dokter Lioukras toe als u het me hebt verteld.' Hij legde zijn hand op de vensterbank, die koud en oneffen was en jaren geleden voor het laatst was geschilderd. Deze plek leek op een kelder die zijn vader hem in een huis in de buurt van de Black Cliffs had laten zien. Ze waren er op een van de weinige hete dagen in Labrador naartoe gegaan, toen kleine oranje motten zich op distels verzamelden en de lucht boven het hooi wazig was. In de kelder was het heel koud geweest. Als Thomasina hem iets wilde vertellen, waarom deed ze dat dan niet gewoon?

Wayne probeerde door het raam naar buiten te kijken. Het was gemaakt om volwassenen naar buiten te laten kijken. Het was gemaakt om vanaf enige hoogte licht de gang in te laten komen. Het licht leek een waterval en gaf je het gevoel dat je op het punt stond iets te beseffen. Wayne deed zijn ogen dicht en probeerde vast te stellen of hij licht op zijn hoofd kon voelen zoals hij warmte kon voelen, of de aanraking van een hand. De deur aan het eind van de gang klikte open. Iemand liep erdoor, maar kwam niet naar hen toe. Wie was het? Hij besefte dat Thomasina naar die persoon in de schaduw staarde en schuldbewust oogde. Toen maakte de persoon die deur weer open – een deur met diagonale planken, als de deur van een kerker – en liep weer weg. Toen de deur dichtging zorgde dat voor een echo, en Wayne wilde terug naar het moderne deel van het ziekenhuis. Wat Thomasina hem ook wilde vertellen, ze mocht het voor zich houden. Hij hoefde niet naar haar te luisteren. Hij zou best een hotdog lusten. Of frietjes en jus.

'Mijn buik doet nu geen pijn meer. Misschien ben ik beter. Ik voel me goed.'

'Je bent niet ziek.' Thomasina keek verslagen. 'Dokter Lioukras is degene die met je moet praten. Ik ben niet goed met feiten. Om je de waarheid te zeggen haat ik die.'

De handen van dokter Lioukras voelden warm aan op de buik van Wayne. 'Dat vocht moet eruit.' Zijn haar had grote krullen die volgens de verpleegkundigen afgeknipt zouden moeten worden, maar ze zouden het wel prettig hebben gevonden er met hun handen doorheen te strijken. Dokter Lioukras had het naar zijn zin in Labrador. Er waren bessen en dikke eenden, er was wijn en er was meer zonneschijn dan in veel warmere plaatsen omdat hogedrukgebieden hier boven het land zweefden. Dokter Lioukras had een kleine camera die hij altijd gebruikte. Hij onderbrak een operatie om een foto te maken van ganzen die hij langs het raam hoorde vliegen. Thomasina zat nu onder dat raam, in een stoel die normaal gesproken voor een ouder was gereserveerd. Dokter Lioukras nam foto's van kinderen die naar zijn spreekuur toe kwamen en dat vond niemand erg omdat hij zo'n optimist was. Niemand zei ooit: 'Hé, dokter Lioukras, zorg ervoor dat de ouders een formulier ondertekenen voordat u het kind laat gaan.'

'Hoe haalt u dat vocht weg?' vroeg Wayne.

'Ik zal de streek verdoven, een kleine incisie maken en het vocht wegzuigen. Dan ben je dat opgeblazen gevoel kwijt.' Het was dokter Lioukras gelukt te suggereren dat hij elke dag een lichaamsdeel verdoofde en vocht uit de buik van jongens zoog, en dat dat heel normaal was.

'Wordt mijn buik dan weer plat?'

'Als een pannenkoek.'

'En mijn borstkas?'

'Laat me die maar eens zien.'

Wayne trok zijn Trans-Labrador Helicopters T-shirt omhoog. Zijn borstjes leken op ingeblikte abrikozen die vlak onder het gespannen oppervlak van een schaal room dreven. De gezichtsuitdrukking van de dokter bleef neutraal. Totaal geen schrik, geen waarschuwing. Hij keek naar de borstkas van Wayne alsof die voor een jongen de normaalste borstkas ter wereld was. Daar was Thomasina heel blij om. Zij had niet naar de borstkas van Wayne kunnen kijken zonder dat Wayne wist dat er wat haar betrof een diep, triest probleem was. Toen dokter Lioukras naar de borstjes van Wayne keek zag hij schoonheid – dezelfde schoonheid die hij zou hebben gezien in het lichaam van elk jong mens, mannelijk of vrouwelijk. Het was alsof hij de abrikozen aan hun eigen boom zag groeien, waar ze thuishoorden.

15

Ruigpootuil

Ook al zei Treadway Blake telkens vaderlijk dat jongens in Labrador deel moesten uitmaken van een roedel, in wezen was hij de meest introverte man in Croydon Harbour. Mensen die met een introvert persoon onder een dak wonen, beseffen niet altijd dat dit niet gewoon is. Zij denken dat er misschien in veel families zo'n stil type te vinden is. Een persoon die dagenlang geen enkel ander geluid maakt dan het schrapen van een mes over pezen, het afvegen van laarzen op de kokosmat, de tik van het terugzetten van een kop op een schotel. Maar dan komen ze bij iemand anders thuis en beseffen ze dat andere mensen echtgenoten, echtgenotes en kinderen hebben die schreeuwen en lachen, met elkaar stoeien en drukte maken over iets mals wat de kat heeft gedaan.

Wanneer Treadway in gedachten met iets bezig was, sprak hij niet met Jacinta, Wayne of wie dan ook. Hij ging op een vrijdagavond niet naar de schuur van Roland Shiwack om met de andere mannen iets te drinken, en hij hing niet rond bij de deur van het wijkgebouw om te praten met mannen die daarheen waren gekomen om hun vrouw op te halen van de bingo. Als hij met iemand moest praten over wat hem bezighield, ging hij naar het bos, ver van de leefgemeenschap vandaan, en praatte daar. Hij sprak niet tegen een god in zijn hoofd, zoals God uit het Oude Testament, en hij stelde zich ook niet de jonge langharige Jezus voor uit de kinderbijbel, het enige boek – behalve de bijbel zelf – dat toen hij opgroeide in huis was. Wanneer Treadway iets te zeggen had, deed hij dat tegen een ruigpootuil die hij had gezien toen hij zeventien was. De ruigpootuil en hij hadden fysieke trekjes gemeen. Ze waren allebei klein voor hun soort. Ze hadden allebei een compacte ronde vorm, efficiënt en uiterlijk niet gracieus. De ruigpootuil was een van de stilste en meest bescheiden vogels. Hij nestelde in hoge schaduwrijke sparren en vestigde totaal geen aandacht op zichzelf. Treadway had de uil gezien toen hij op de terugweg halverwege de Beaver River en het pad naar huis had gerust. Hij had al meer dan een halfuur op precies dezelfde plek gezeten toen de kleine uil zijn aandacht trok, ruim een meter boven zijn hoofd. Hij had niet geweten waarom hij naar die plek had opgekeken. Het was impulsief gebeurd. Treadway ontdekte leven in het wild vaak op die manier, alsof een onzichtbare luchtbel was opengebarsten en je op de een of andere manier dwong naar die plek te kijken.

De uil had geen geluid gemaakt en zich niet bewogen. Hij zag eruit alsof hij een onderdeel van de boom was. Het ene moment zag hij hem, en dan niet meer. Daarna weer wel. Hij begon er heel zacht tegen te praten en neuriede een liedje voor hem. Dat zou hij voor geen enkel ander levend wezen hebben gedaan, niet voor zijn moeder, niet voor zijn vader, niet voor zijn broers en niet voor zichzelf. Het stond hem aan dat de uil niets van hem vroeg, en sinds die tijd had hij tegen de uil gepraat alsof die naar hem luisterde, hoewel hij hem daarna nooit meer had gezien. Het praten tegen de uil kalmeerde hem en nu had hij het over Wayne.

'Iedereen denkt dat ik weet wat ik doe, maar in feite heb ik daar geen idee van. Dat weet jij.'

De uil luisterde vanaf de plek waar hij zat. Diep verborgen in het bos, voorbij de Beaver River, voorbij het meer in het binnenland waar het water van richting veranderde en in noordelijke richting naar Ungava Bay stroomde – het meer waarvan de naam een geheim was.

'Ik had me er niet mee moeten bemoeien, denk ik nu,' zei Treadway. 'Wat zou er zijn gebeurd als ik Wayne half een meisje had laten worden?'

De uil stond het Treadway toe Wayne als een jong meisje te zien. Dus stond Treadway daar in het bos en zag een visioen van zijn dochter. Ze had donker haar en een ernstig gezicht. Ze was een intelligent meisje en Treadway hield van haar.

'Je bent een mooi kind.' Maar het kind kon hem niet horen zoals de uil dat kon. De uil luisterde en voor het eerst sinds zijn vrouw Wayne het leven had geschonken voelde Treadway verdriet vanuit zijn hart het mos in stromen. Het zonk weg en werd een deel van het bos. De uil nam er iets van op. Dit was nog nooit eerder gebeurd met zijn verdriet.

'Ik zou hier kunnen blijven,' zei Treadway. 'Je bent een dapper uiltje.' Naar zijn idee was de uil alleen. Hij zag hem als zichzelf, ook al vond hij zichzelf helemaal niet dapper. Om de een of andere reden noemen mensen hun vrienden bewonderenswaardig – dapper, eerlijk, trouw – maar ze zien die kwaliteiten niet in zichzelf, ook al hebben zij er meer van dan de vrienden. Treadway had geen oog voor zijn eigen goede kanten, ook al dacht zijn vrouw van wel. Hij wist dat hij niet zo onafhankelijk of zo dapper was als de uil, maar hij identificeerde zich wel met de manier waarop die had gekozen te leven. Kon de wereld zich maar hier – diep in het bos – afspelen waar geen winkels, wegen, ramen, deuren of rechte lijnen waren. De rechte lijnen waren het probleem. Linialen en maten en strepen en niemand die je hielp als je over zo'n streep ging. Zijn uil zou het diepe bos niet verlaten. Hij zou niet in de buurt komen van de hekken en deuren van Croydon Harbour. Hij wist dat hij vooral niet moest proberen in die wereld te leven.

'Ik wou dat ik hem een maand of zes mee kon nemen hiernaartoe,' zei Treadway tegen de uil. 'Langer. Dat ik de medicijnen die zorgen dat hij een jongen blijft, kon laten voor wat ze zijn. Door een ziekenhuis voorgeschreven medicijnen zijn niet goed. Het medicijn in deze bomen is veel beter. De hars. De geur van de takken. Wat zou er dan gebeuren?'

Waar was de uil?

'Stel dat ik hem meenam hiernaartoe en nooit meer met hem terugging? We zouden hier kunnen leven.'

De uil had de man zijn rug toegekeerd.

Treadway bleef buiten tot het donker werd. Hij liep terug naar huis zoals hij altijd deed, waarbij hij zich liet zich leiden door de contouren van het land, door de maan, door delen van Orion en Sirius, die zich op bepaalde open plekken lieten zien. Toen hij thuis was, lag er een briefje op tafel, naast twee borden met gedroogde zoute vis en gestolde gewelde boter. De kachel was uitgegaan. De telefoon ging en het was Thomasina.

'Ik probeer je al een tijd te bereiken.'

'Waarom?'

'We zijn in Goose Bay. Er moest opgehoopt vocht uit de buik van Wayne worden gehaald. Jij was niet thuis. Maar ik wil je vragen iets voor me te doen, Treadway.'

'Wat dan wel, Thomasina Baikie?'

'Zeg tegen Victoria Huskins dat ik je vanuit het ziekenhuis heb gebeld en dat jij me toestemming hebt gegeven Wayne daarnaartoe te brengen. Als je dat niet doet, zal ik dat zwaar moeten bezuren.'

Er zijn gradaties van vertrouwen en wantrouwen. Treadway wantrouwde een vrouw als Victoria Huskins aanzienlijk meer dan Thomasina. Als je iemand dertig jaar kent, weet je in elk geval waar je allebei vandaan komt – ook al verschil je van karakter en zou je dezelfde problemen anders benaderen. Er is een stevige basis van respect. Treadway was van mening dat Victoria Huskins niet met beide benen op de grond stond en Thomasina wel. Met haar kon je praten als het ergste scenario een feit was. Met Victoria Huskins kon je dat volgens Treadway niet doen. Zij zou het heel belangrijk vinden dat alle juiste formulieren werden ingevuld, dat de middennaad van haar rok aan de achterkant precies op zijn juiste plek zat, dat elke onbekende of pelgrim die bij haar in de kerkbank zat meteen naar een opvoedingsgesticht werd gestuurd. Dat had hij zelf geconstateerd.

'Wat voor opgehoopt vocht?'
'Bloed.'
'Bloed?'
'Heel veel, Treadway.'
'Is hij gewond?'
'Het is het normale bloed dat uit het lichaam van een meisje komt wanneer ze zo oud is als Wayne. Menstruatiebloed dat nergens heen kon. Er is nog iets anders, maar dat vertel ik je liever onder vier ogen.'
'Moet Jacinta...' Treadway vond het niet prettig over menstruatiebloed te praten. Hij wist niet wat hij moest doen. 'Ze is bij Eliza en Joan. Waar is Wayne nu?'
'Hij mag morgen weer naar huis. Ik heb aldoor geprobeerd je te bellen. Over vijf minuten is het bezoekuur afgelopen. Als jij met de hoofdverpleegkundige praat, zullen ze me toestaan bij Wayne te blijven. Ik kan de nacht hier doorbrengen, of jij en Jacinta kunnen hierheen komen. Hij slaapt. Als je nu met hen praat, zullen ze me laten blijven. Anders moet ik vertrekken.'
'Ik kom naar Goose Bay.' Hij wilde niet dat iemand anders dan hijzelf of zijn vrouw een nacht bij Wayne in het ziekenhuis zou blijven. Hij belde Jacinta niet. Hij trok zijn warme jas weer aan, ook al was die nog vochtig, stapte in zijn pick-up en ging zijn vrouw halen.

Een van de verschillen tussen Eliza Goudie en Joan Martin was dat Eliza piña colada's uit de drankzaak meenam wanneer ze een avondje met de vrouwen ging borrelen en Joan een fles whisky uit de voorraad van haar man. Eliza hield van mousserende drankjes met de smaak van ananas en kokos en met palmbomen op de fles, terwijl Joan het gewoon prettig vond om stilletjes dronken te worden. Joan hees zich op de kleine tweezitsbank en Eliza ging in de grote oude schommelstoel in de buurt van de televisie zitten. Dat was een groot toestel, omdat haar echtgenoot graag televisie had gekeken terwijl zij aan het pierewaaien was met de aardrijkskundeleraar, of met de minnaars die ze voor die tijd had gehad. Bob Barker met *The Price Is Right* was een van zijn favoriete programma's, net als *Jeopardy*.

'Hij neuriet de herkenningsmelodie van *Jeopardy* wanneer we de liefde bedrijven,' zei Eliza tegen Joan en Jacinta. 'Domdiedeldom en zo. Over onbewust iets doen gesproken. Kun je op die manier een orgasme krijgen? Ik wel, en weet je waarom? Omdat ik droom dat hij op zijn surfplank in slaap is gevallen en ik feitelijk in bed lig met Dudley Moore en dat mijn haren helemaal zijn ingevlochten zoals bij... Hoe heet ze ook alweer?'

'Dat weet ik niet.' Joan nam een slok uit de fles. 'Dit is een behoorlijk turfachtige whisky. Hij is gemaakt in een grot in het noorden van Schotland, op een plek die nog afgelegener is dan Croydon Harbour. Mijn man heeft hem gekozen vanwege die grot. Mijn man de holbewoner.'

Jacinta had een fles Mateus die een halfuur in de vrieskist had gelegen. Ze hield ervan ijs rond het goudkleurige etiket te zien stomen, ze genoot van de fruitige geur. Als Jacinta alcohol dronk, wilde ze iets mousserends hebben. Dan verlangde ze naar Spanje. Naar iets feestelijks en naar het woord *rosé*.

Joan had een dipsaus gemaakt met zure room en uiensoep uit de nieuwe reclame van Kraft en een grote zak chips meegebracht. Eliza had voor een bord met zoutjes op selderij gezorgd en Jacinta had marshmallowkoekjes gemaakt met gesmolten chocola.

'Hoe heet ze ook al weer? Dolores?' zei Jacinta. 'Het is toch niet Dolores?'

'Haar naam in de film kan ik me niet herinneren, maar haar echte naam is Bo Derek,' zei Joan.

'Ik begrijp niet dat iemand zin heeft om in die vervallen oude bioscoop in Goose Bay naar een film te gaan kijken,' zei Jacinta. 'De helft van de tijd beginnen ze met het laatste deel, of de projector geeft er de brui aan.'

'Weet je wat aan die film me echt pissig maakt?' zei Eliza.

'Dat er niks in gebeurt behalve dat ze negenennegentig keer de *Bolero* van Ravel draaien en dat de vrouwen geen persoonlijkheid hebben. Ze hebben van mannen een nummer gekregen, als varkens die meedoen aan een kermis op het platteland,' zei Joan, en ze nam weer een slok van haar Oban.

'Ik wil jullie iets vragen,' zei Jacinta. Het derde glas wijn was voor haar het magische glas. Met Kerstmis of tijdens een avondje uit met andere families dronk ze twee glazen. Door het derde glas ging ze zweven. Dat glas nam ze als regel niet tot zich, maar op deze avond gold die regel niet. 'Ik weet dat je weer seks hebt met je man,' zei ze tegen Eliza. 'Ik weet alles af van de laarzen van luipaardenvel en je pillen. Joan, ik wil weten of jij ook medicijnen slikt. Ik wil weten of jij iets slikt wat op een kunstmatige manier je seksuele driften verhoogt.'

'Mijn wat?'

'Ik wil alleen weten of hier nog iemand is die een stijve penis opeens belachelijk vindt.'

Joan keek naar Jacinta alsof ze eindelijk het licht zag.

'Ik heb geen probleem met Treadway, hoor. Jullie weten dat hij een goeie vent is.'

'Dat klopt,' zei Joan.

'Hij is echt een goede man. Ik heb het idee dat ik, als ik het met hem niet kan vinden, net zo goed in mijn eentje ergens in een holletje kan kruipen.'

'Maar je wilt niet meer met hem neuken.'

'Het zal wel door de overgang komen. Ik bedoel maar, de ene maand dacht ik nog: "Hallo, meneer de penis, hoe gaat het ermee? Wat leuk om te zien dat je weer staat te springen van blijdschap. Wat heb je dat weer fijn voor elkaar, ik ben echt dol op je." En een maand later dacht ik: "Hé lul, wat zie jij er belachelijk uit en wat probeer je in vredesnaam te doen? In de buurt van mijn vagina komen? Er in komen? Waarom zou je dat willen doen? Wat een belachelijk idee." Als Treadway het niet verschrikkelijk zou hebben gevonden, was ik in lachen uitgebarsten.'

'Dan neem je toch gewoon lekker een pilletje.'

Joan ging tegen een kussen zitten waarop een windmolen was geborduurd. 'Daar had ik de overgang niet voor nodig. Toen ik twintig was, keek ik op een avond naar Harold en ineens was zijn pik een neus, waren zijn tepels ogen en was zijn kleine bosje haar een wollige snor.'

Eliza spuugde piña colada op de grond. Harold was een keurig mannetje zoals hij door Croydon Harbour rondliep. Als je aan een buitenaards wezen zou moeten uitleggen hoe een menselijke man eruitzag of er een definitie van moest geven zou je Harold Martin als voorbeeld kunnen nemen.

'Van oktober tot juli doet hij zijn isolatie nooit uit.' Ze had al verteld dat Harold voor zichzelf een stuk onderkleding had gemaakt uit isolatiemateriaal – dat zilverkleurige spul met een laagje bubbeltjesplastic tussen twee lagen folie – dat wordt gebruikt om een huis te isoleren. Dat bond Harold met klittebands om zijn lijf. 'Dus wordt het effect nog eens versterkt.'

'Het is niet mijn bedoeling mijn echtgenoot belachelijk te maken,' zei Jacinta. 'Ik vind het alleen zo naar dat ik kennelijk een hek ben gepasseerd en dat hij nog aan de andere kant staat.'

'Wat gebeurt er dan aan jouw kant?' vroeg Joan.

'Ik sta nog bij dat hek, kijk om naar mijn echtgenoot en wacht op het moment waarop hij dat hek in de gaten krijgt. Maar hij denkt nog steeds dat het gewoon een onderdeel is van de omheining.'

'Je hoeft geen medelijden met hem te hebben, hoor,' zei Joan. 'Jij denkt dat hij nog altijd op hetzelfde veld tussen de paardenbloemen rondhannest, maar dat is niet zo. Je denkt dat hij niet kan zien waar jij bent, maar dat kan hij wel degelijk. Er is niets mis met zijn gezichtsvermogen. Hij praat er alleen niet over. Maar je kunt erop rekenen dat hij opeens de levendigste man in Croydon Harbour zou worden als jij morgen kwam te overlijden. Dan zou je vanuit je nieuwe thuis omlaag kijken en verbaasd staan. "Waarom was hij niet zo toen ik nog bij hem was?" zou je je harop afvragen. Dan zou hij opeens alles zijn geworden wat jij al jarenlang had gewenst.'

'Waarom denk je dat?'

'Hij zou een kilo of vijf afvallen. Hij zou groente gaan eten. Hij zou naar de Tuinclub gaan en aanbieden rozenstruiken langs de stoep te planten. Je zou meteen uit de hemel willen afdalen om met hem naar bed te gaan.'

Toen Treadway op de deur van Eliza Goudie klopte, waren Joan en Eliza vergeten hoe een echtgenoot eruitzag. Ze hadden zoveel gedronken dat het zien van Treadway hen in verwarring bracht. Een buitenaards wezen had de weg naar het huis gevonden. Alleen Jacinta herkende hem, maar toen hij haar zag, wilde hij niet dat ze in die toestand met hem meeging naar het ziekenhuis.

'Ik moet iets doen in Goose Bay,' zei hij. 'Ik wilde niet dat jij je zorgen maakte als je naar huis ging en mij daar niet aantrof.'

'Wat moet je daar doen?'

'Ik heb kleppen nodig voor mijn compressor.' Op dit moment kon hij haar niets over Wayne vertellen. Hij wilde niet over de weg door de wildernis naar Goose Bay rijden met een hysterische vrouw naast zich. Dus jokte hij. 'Maynard White heeft die en ik heb ze nodig voordat ik de bush in ga.'

'Waar is Wayne?'

'Die blijft bij iemand slapen.'

'Bij wie?'

'Bij de zoon van Roland Shiwack.' De andere vrouwen maakten een kabaal van jewelste in de huiskamer. Ze waren bijgekomen van de emoties die een echtgenoot voor de deur had opgeroepen en maakten een lijst van gewoonten die hun eigen mannen pas een paar jaar na hun huwelijk hadden prijsgegeven.

'Harold weigert kip te eten. Hij zegt dat die dieren door hun huid plassen,' zei Joan.

'Plassen?'

'Volgens hem zit hun huid voortdurend onder de urine en hij snapt niet hoe iemand hun vlees kan eten. Als je naar de achterkant van een kip kijkt, zegt hij, zie je alleen kippenstront.'

'Is alles oké?' vroeg Jacinta aan Treadway. Sirius stond boven zijn schouder aan de hemel. Ze herinnerde zich dat ze van hem hield en hij zag er niet uit als zijn normale zelf. Hij oogde alsof hij iets wilde zeggen dat zij als enige ter wereld kon begrijpen.

'Mijn echtgenoot is een ware connaisseur van zijn eigen winden,' zei Eliza in de verte.

'Hoe bedoel je dat?' vroeg Joan.

'Alles is oké,' zei Treadway. 'Kijk uit als je naar huis gaat. Er is nauwelijks maanlicht.'

'Misschien blijf ik wel hier.'

'Dat lijkt me inderdaad beter.' Hij gaf Jacinta een formele knuffel.

'Je jas is vochtig.'

'Dat komt door de avondlucht.' Treadway liet haar achter in de verlichte deuropening en klauterde zijn pick-up in.

Het noorderlicht vertoonde ongebruikelijke roze tinten naast het gewone turquoise en zilver en normaal gesproken was Treadway langs de kant van de weg gestopt en uitgestapt. Zijn ouders en zijn grootouders hadden het mysterie van dat licht gerespecteerd op een manier die de mensen van nu vreemd was. De ouderen keken ernaar zoals Engelse kinderen ooit op de velden hadden gelegen en dromen uit wolken hadden gehaald. In die tijd had er geluid uit de hemel geklonken. Nu hoorden alleen de oude mensen dat nog. Hoewel Treadway twintig jaar jonger was dan de meeste mensen die goed konden luisteren, had hij het klaaglied gehoord. Maar vanavond hoorde hij het niet. In zijn jeugd had hij zijn been op drie plaatsen gebroken en toen had zijn moeder hem naar Goose Bay gebracht. De narcose was te sterk geweest en hij was niet op het juiste moment wakker geworden. Maar dat gaf niet, zeiden de artsen tegen zijn moeder en ze hadden haar naar huis gestuurd met de mededeling dat ze nadere berichten moest afwachten. Toen ze thuis was, had Treadways vader gevraagd waar hij was en toen ze zei dat ze hem in het ziekenhuis had achtergelaten, was zijn vader na middernacht met zijn pick-up twee rivieren over gereden in plaats van op de veerboot van de volgende ochtend te wachten, had hem mee naar huis genomen en hem in een bed bij de kachel gelegd. Elke keer wanneer Treadway zijn vader dat verhaal had horen vertellen, was het geëindigd met: 'Ik zal nooit kunnen begrijpen hoe ze hem daar zo kon achterlaten.'

En het is inderdaad niet gemakkelijk de juiste dosis narcose voor een jonger iemand vast te stellen. De artsen van Wayne waren het er niet over eens geweest en hadden hem een narcose toegediend die tussen de dosis voor een kind en die voor een volwassene in lag. Het had hem in een toestand tussen waken en slapen gebracht en de pijn verdoofd van de incisie die dokter Lioukras had gemaakt om de verborgen vagina te openen. Het vlees was een centimeter dik en bij het maken van de incisie had dokter Lioukras de verpleegkundige meteen om een kom van roestvrij staal gevraagd.

Wayne had de grote hoeveelheid bloed niet gezien omdat er net als bij alle gynaecologische operaties een laken boven zijn borstkas was gespannen. Hij zag de gemaskerde gezichten vaag in slow motion bewegen en hij hoorde hun stemmen als een voortdurend gemompel, met nu en dan een duidelijk verstaanbaar woord. Hij hoorde *bloed* en *anomalie*, en *oh*. Hij hoorde *schiet op* en *nee* en *nooit*. Hij hoorde Thomasina 'nee' zeggen, en de staf aan haar vragen een paar passen achteruit te gaan, en hij hoorde haar een kreet slaken. Maar de geluiden waren gedempt. Wat recht op hem af snelde, was de kleur rood. Rood kan zwartrood zijn, en dat was het ook. Het kan felrood zijn, en dat was het eveneens. Als je jong bent, als de wereld je nog geen herinneringen opgedrongen heeft die onuitwisbaar zijn en je ligt op een veld met je ogen dicht, dan drukt roodoranje tegen je gesloten ogen aan en die kleur bevat de warmte van alle nog komende zomers. Het rood dat langs de gesloten ogen van Wayne raasde, bevatte dat rood ook. De wervelende rode wereld maakte hem bang maar wond hem ook op en door de narcose waren zijn armen en benen vastgezet op een heel zachte wolk. Hij kon niet wegkomen uit de duizeligmakende rode wereld, wat er vanuit die wereld ook naar hem keek, en net als de woorden die uit zachte geluiden van de zee lijken voort te komen was er in de rode wereld iets wat half was gevormd en naar hem keek. Hij wist niet wat het was, maar hij had het gevoel dat het in bloed verdronk en iets probeerde te zeggen, maar het rode wervelen ging te snel. In zijn verdoofde wereld stegen geluiden uit het onderbewustzijn op, geluiden die de wakende wereld normaal gesproken alleen bereiken door middel van het noorderlicht, de stem van een uil of de fluisterende aarde.

Wayne hoorde de geluiden luider worden en de stemmen van de staf overstemmen. De prille rode wereld kreeg vorm: een rode greppel, een tunnel, een kaart van de baarmoeder in zijn lichaam en het kanaal daarvandaan naar buiten, die allemaal dicht waren geweest, zodat hij geen idee had gehad van het bestaan ervan. De rode wereld kende alles in hem en liet hem de kaart van zijn vrouwelijke lichaamsdelen zien en die hadden de meest levendige, verleidelijke rode kleur die hij wakend of dromend ooit had gezien. Hij hoorde zichzelf in die tunnel vallen: een lang, laag gekreun en toen een kreet. De staf hoorde dat ook en geen van hen had buiten een kraamkamer ooit zoiets gehoord. De jongste verpleegkundige rende de operatiekamer uit, naar beneden naar de koelcel van de cafetaria, en dronk een pakje robijnrood grapefruitsap met fijngestampt ijs leeg.

16

Weg

IN ALLE KLEINE GEZINNEN, gezinnen met een moeder, een vader en een kind, valt op een gegeven moment iets weg. Vroeg of laat opent zich voor ieder kind een nieuwe wereld, ook al is het in het ouderlijk huis met nog zoveel liefde omringd. Of het nu gaat om sterke liefde, liefde die heeft gefaald, gecompliceerde liefde of liefde die dwars door lagen angst of voorzichtigheid heen probeert een kind te koesteren, op een dag vallen die lagen weg. Voordat Wayne de nacht in het ziekenhuis moest doorbrengen was hij nog verknocht aan zijn moeder, maar hij begon al wel te verlangen naar het onuitspreekbare mysterie waarnaar jonge mensen hunkeren.

Op de ochtend na Waynes operatie was Jacinta met een kater wakker geworden op haar eigen bank. Waarom was het koud in huis? Het was een kou die ze zich herinnerde uit winters in St. John's, in de niet-geïsoleerde huizen van haar vrienden. Een kwellende kou die in je gewrichten trok. Treadway liet het nooit zo koud worden in huis. Om halfzes 's morgens opstaan was voor hem al laat. Elke avond zorgde hij ervoor dat er droge aanmaakhoutjes in de kist naast de kachel klaar lagen. Hij verfrommelde kranten en zette de aanmaakhoutjes in de vorm van een piramide neer. Daar deed hij dan schaafsel uit de zaagmolen van Obadiah Blake bij en blokken van hetzelfde sparrenhout dat rook uit alle schoorstenen in Croydon Harbour liet komen. Jacinta ging staan, nog steeds gehuld in haar uitgaanskleren. Om drie uur 's nachts was ze de heuvel op gewankeld en had gezien dat de pick-up er niet was, maar Treadway liet hem om de een of andere reden heel vaak bij Maynard White achter. Bij Eliza had hij iets over kleppen gezegd. En hij had haar verteld dat Wayne een nachtje bij Brent Shiwack bleef slapen, wat ongebruikelijk was. Wayne was niet de meest populaire jongen in Croydon Harbour en Brent Shiwack was geen vriend van hem.

Jacinta liep de keldertrap af en stak de kachel zelf aan. Ze deed geweekte abrikozen in een kommetje met havermout en maakte voor zichzelf vruchtenpap en thee met het theezakje in de kop. Doordat Treadway maanden achtereen in de bush was en Wayne naar school moest, was ze eraan gewend geraakt alleen te zijn. Maar nu begon ze zich eenzaam te voelen, dus was ze blij Treadway te zien toen hij 's middags binnenkwam. Hij was echter helemaal niet blij. Hij klaarde totaal niet op toen ze hem een knuffel gaf. Zijn lichaam voelde aan als een van de koude houtblokken bij de omheining. Hij vertelde haar wat er was gebeurd: het bloed, de chirurg, hun geheim dat verbroken was. Maar er was ook iets waarvan hij geen melding maakte.

'Thomasina Baikie heeft Wayne alles verteld en er tegenover mij nog het een en ander aan toegevoegd,' zei hij.

'Waar is hij?' Jacinta voelde zich opgetogen, ook al kon ze zien dat de zorgen die het gezicht van haar man tekenden misschien blijvend waren. Het leven dat uit Treadway was weggesijpeld keerde in haar gezicht terug. Het viel hem op. Waarom leek zij op te leven terwijl hij het tegendeel voelde?

'Goose Bay.' Hij maakte de koelkast open, pakte zijn brood, maakte een boterham met worst en mosterd voor zichzelf klaar en zette water op. Hij ging aan de keukentafel zitten, at het brood op en wachtte tot het water kookte.

'Is hij daar alleen?'

Treadway schudde met volle mond zijn hoofd. 'Er waren zusters bij hem.'

Jacinta had haar jas aan de kapstok gehangen toen ze thuiskwam en nu trok ze die weer aan. De sleutels lagen naast zijn schoteltje. Ze pakte ze op, trok de gemakkelijkste schoenen aan die ze had en liep zonder sjaal naar buiten – iets wat ze nooit deed. Zelfs in de zomer sloeg Jacinta altijd een zijden of een dunne katoenen sjaal om haar schouders. Maar vandaag deed ze dat niet.

Toen ze bij het ziekenhuis was, liep ze direct door naar de kamer van Wayne en zag dat hij zo bleek was dat zijn sproeten in melk leken te drijven. Ze knuffelde hem en hij klemde zich aan haar vast, en voor het eerst sinds hij een baby was kon ze de liefde ongeremd uit haar hart naar haar kind laten vloeien. Dat leek gepaard te gaan met een gezoem als van de hoogspanningskabel in haar oude laantje in St. John's. Ze had niet vrijuit van het deel van Wayne dat een meisje was kunnen houden, omdat het bestaan van dat meisje nooit was erkend. Jacinta drukte een kus op het voorhoofd van haar kind. Ze wreef haar eigen tranen in haar wangen, zodat ze prikten in de striemen die de wind had veroorzaakt en nam haar kind mee naar huis.

Maar het wegvallen was begonnen. Wanneer een kind zich losmaakt van zijn ouders om de nieuwe wereld te verkennen, kunnen ouders twee dingen doen. Ze kunnen zich ertegen verzetten met regels, smeekbeden, tranen en woede. 'Waarom ga je als het zo koud is de deur uit in dat T-shirt terwijl ik die lekkere wollen trui voor je op de kachel heb voorgewarmd?' Maar ze kunnen ook het bestaan van die nieuwe wereld, hoe gevaarlijk en onweerstaanbaar ook, erkennen. Ontwakende kinderen zijn niet op zoek naar veiligheid. En ook niet naar materiële zaken.

'Waarom kijkt papa elke avond naar de beursberichten?' vroeg Wayne aan zijn moeder. Ze zat wortels te schrappen en hij was voor de jaarlijkse schoolwedstrijd bezig aan een gedicht over Remembrance Day, de herdenking van de Eerste Wereldoorlog. 'Weet je waaraan zijn pantoffels me doen denken?'

Het mesje van het schrappertje zat los en ratelde. Jacinta

liet de kraan openstaan om schilletjes van haar knokkels te spoelen.

'Weet je dat er gaten in zitten? De bruine sokken van papa steken erdoorheen op de plek waar de neus van een mol zou zitten. Ik doe alsof zijn pantoffels mollen zijn.'

Treadway bestelde elke lente en herfst dikke werksokken bij de Hudson's Bay Company. 'Als ze allemaal hetzelfde zijn, is het niet erg als je er een kwijtraakt. Ik heb nooit kunnen begrijpen waarom mensen sokken in alle kleuren en maten hebben. Kennelijk willen ze zichzelf graag werk verschaffen.'

'Waarom doet hij dat, mama?'

'Wat?'

'Elke avond naar de beursberichten kijken.'

'Je vader heeft wat goud gekocht en wil graag weten hoeveel dat waard is.'

'Heeft papa goud gekocht?'

'Een beetje. Genoeg om het even te kunnen uitzingen als er een crisis uitbreekt. Niet meer dan een tijdje, om de crisis door te kunnen komen. Dus blijft hij graag op de hoogte van het fluctueren van de goudprijs en hij vindt het ook prettig om de prijzen van andere dingen in de gaten te houden. Hij heeft er gewoon belangstelling voor. Mensen kunnen ergens belangstelling voor hebben.'

Maar de mollen waren blind, dacht Wayne. Hij vermoedde dat ze dood waren. Wat had het voor zin voeten te hebben wanneer die zich gedroegen als dode mollen?

'Waarom doet hij elke avond hetzelfde? Hij valt in zijn stoel in slaap en hij snurkt. Vindt hij dat dan niet saai?'

'Dat is precies de reden waarom je vader zes maanden per jaar naar zijn vallen gaat.' Jacinta smeet een wortel in de spoelbak. 'Hij is interessanter dan je denkt. Ik neem aan dat je je over mij hetzelfde afvraagt.'

Wayne keek haar schuldbewust aan. Toen Jacinta de avond ervoor tijdens de beursberichten in Lucas had zitten lezen en daarna in Johannes, had hij willen vragen: 'Hoop je soms dat God er sinds gisteravond iets nieuws bij heeft geschreven?' Toen het in de herfst steeds donkerder werd was hij zich gaan afvragen waarom allebei zijn ouders tevreden waren met zoveel stilte. Omdat hij geen broers of zussen had kon hij zijn rusteloosheid met niemand delen.

'Verder... O, ik haat dit ding.' Ze smeet het dunschillertje neer. 'Waar is mijn witte mesje? Dit maakt de wortels pluizig en ik heb een gruwelijke hekel aan pluizige wortels.'

Met haar rug naar hem toe trok ze een la open. 'Misschien vind je mij ook vreselijk saai, maar zo gaat dat nu eenmaal met mensen die trouwen, een kind krijgen en schillertjes en schoonmaakmiddelen en ga zo maar door kopen en ervoor zorgen dat alles op school oké verloopt voor hun kinderen en vijf keer per week naar het ziekenhuis in Goose Bay gaan...' Haar stem klonk steeds luider. Wayne moest ter controle vaak naar het ziekenhuis en dan ging zij met hem mee. De hechtingen waren er inmiddels uit en hij kreeg nieuwe hormonen toegediend. Ze moesten naar dokter Lioukras toe om signalen en symptomen te bespreken en te horen wat ze moesten doen als Waynes buik weer opzwol.

'Vrouwen krijgen allerlei passies,' zei Jacinta. 'Elke keer wanneer ik een doodgewone oude spreeuw zag, keek ik naar het goudkleurige streepje rond al zijn veertjes. Goudkleurig. Zo zag ik alles. Scherp. Randen van bladeren. Geluiden. Regen. Ik vond het heerlijk om de stad in te gaan, met al die straatlantaarns, en dan in etalages naar schoenen te kijken en licht te zien branden achter patrijspoorten van een groot schip uit Engeland. Maar weet je wat ik verschrikkelijk vind? Dat ik nu te moe ben om dat soort dingen te doen, zelfs als het zou kunnen. Zelfs als St. John's Harbour aan het eind van de omheining lag waar je vader de zak met zijn tent heeft neergezet. Vrouwen hebben geen tentzakken, Wayne. In elk geval niet in Labrador. Mannen hebben de tenten. Ik zou graag zelf ook een tent willen hebben, maar ik kan je wel vertellen dat de mijne anders zou zijn dan die van je vader.'

'Hoe zou die van jou eruitzien?'

Wayne was vastgelopen bij het tweede couplet van zijn gedicht, maar hij durfde haar niet om hulp te vragen. Zijn moeder vond het walgelijk dat de school van elke feestdag een opdracht maakte: Remembrance Day, Kerstmis, Valentijnsdag en zelfs St. Patrick's Day. 'Het is elk jaar hetzelfde,' zei ze klaaglijk. 'Ik denk dat ze het doen omdat niemand daar ook maar een greintje verbeeldingskracht heeft. Als er geen pompoenen, rendieren en van die verdomde Ierse kabouters waren, zouden ze geen idee hebben wat ze met de kinderen aan moesten.'

De oorlogsherdenking maakte haar bijna gek. Elk schoolkind moest zich proberen voor te stellen hoe het tijdens de Eerste Wereldoorlog in de loopgraven was geweest en aan zijn moeder vragen wat op klaproos rijmde. Misschien zat haar dat nu dwars, dacht Wayne.

'Mijn tent? In de eerste plaats zou ik er lampions in hangen en een manier bedenken om naar muziek te kunnen luisteren.'

Wayne wist dat wat op klaproos rijmde niet belangrijk was. Hij kende het verschil tussen echte gevoelens en de rijmelarij die je als huiswerk schreef. Hij zorgde voor nog meer tandafdrukken in zijn potlood en proefde de verf en het hout. Namen van dingen konden het je lastig maken. Wat was een klaproos als je hem geen klaproos noemde? Als je er alleen naar keek en weigerde het ding een naam te geven? Thomasina was er goed in aan dingen namen te geven die je nog altijd in staat stelden vragen te stellen. Toen ze die avond in het ziekenhuis op Treadway wachtte, had ze het koele laken opgetrokken tot de hals van Wayne en over zijn operatie gepraat. Thomasina had het geen operatie genoemd.

'Dat water stroomde snel, hè?' Haar hand op zijn voorhoofd was koel. 'Het stroomde heel snel over de vloedlijn. Het grootste deel van ons lichaam bestaat uit water, Annabel.'

'Nu noemt u me al weer zo.'

'Dat klopt. Mag dat?'

'Toen ik klein was, vond ik het leuk. Ik dacht dat u me Amble noemde.' Hij herinnerde zich dat het had aangevoeld als een naam voor een pasgeboren pup of een kind van wie je hield. 'Maar u noemde me geen Amble. U noemde me Annabel. De naam van uw dochtertje. Dat vind ik ook leuk.'

'Je moeder en ik waren goede vriendinnen. We hebben allebei dingen verloren. Dingen die te maken hebben met jou en de reden waarom je hier bent. Maar je moet op de dokter wachten. En op je vader. Het is niet aan mij om daarover te praten.'

'Hoe noemde u dat snel stromende ding?' Hij was half in slaap geweest. Treadways stem weerklonk in de gang. Thomasina ging naar hem toe. 'Snel stromend... Wat?' Het geluid in de hal werd luider. Schreeuwde Treadway? Treadway schreeuwde nooit. Wayne had de woorden niet kunnen verstaan. Snel stromend. Vloedlijn. Annabel. Verloren. Hij sliep.

Dokter Lioukras had zijn best gedaan. Hij geloofde dat je met ieder kind dat ouder dan elf jaar was kon praten, alsof het inmiddels voltooide lichaam zich dan ook vanbinnen had opengesteld, en hij had zijn best gedaan om de juiste woorden te gebruiken. Het medische jargon was naar zijn idee niet beperkter dan de taal in het algemeen. Natuurwetenschappen, geneeskunde, mythologie en zelfs poëzie hadden naar zijn idee in zekere zin dezelfde grandeur. Hij had twee exemplaren van de *Dictionary of Word Roots and Combining Forms* van Donald J. Borror waarin biologische termen tot hun oudst bekende fragmenten werden ontleed en daar zat hij af en toe voor zijn plezier in te lezen. Maar zelfs Donald J. Borror had nu moeite hem te helpen.

Wayne zat rechtop in bed met groene suikerboontjes te spelen en liet ze op zijn tong smelten. 'Dit is zo'n gelegenheid waarbij de medische wetenschap volledig is overgeleverd aan mythologische namen,' zei dokter Lioukras tegen Wayne. 'Een ware hermafrodiet is zeldzamer dan alle andere vormen. Het betekent dat je alles hebt wat jongens hebben en alles wat meisjes hebben. En in beide gevallen ontbreekt vrijwel niets.'

'Maar mijn ballen zijn anders dan die van andere jongens. Dat heb ik bij gymnastiek gezien.'

'Dat klopt. Jij hebt maar één testikel. En je penis... Als je je pillen niet slikte...'

'Zijn mijn pillen daarvoor?'

'Ja. Anders zou je penis niet zo groot zijn als hij nu is.'

'Hoe zou hij er dan uitzien?'

'Hermafroditisme is zo zeldzaam, dat we dat niet precies

weten. Als je die pillen niet slikte, zou je meer meisje zijn dan je nu bent. Vanbinnen ben je al een meisje.'

'Vanbinnen?' Hoe kon hij vanbinnen een meisje zijn? Wat betekende dat? Hij stelde zich meisjes uit zijn klas voor die zich in zijn lichaam hadden verstopt. Welk meisje zat er in zijn lichaam? Hij dacht aan Wally Michelin, kleiner dan ze in werkelijkheid was, die stilletjes verborgen in de rode wereld in zijn binnenste lag.

'Je hebt gemenstrueerd. Daarom was je buik zo opgezwollen. Het was menstruatiebloed dat niet kon wegvloeien.'

'Is dat nu wel gebeurd?'

'Ja, daar hebben wij voor gezorgd.'

'Maar het komt weer terug, hè?'

'Bij meisjes gebeurt het elke maand, maar in jouw geval weten we niet hoe vaak het zal gebeuren.'

'Kan het nu wel weg?'

'We hopen dat het met de nieuwe medicijnen zal stoppen.' Dokter Lioukras had ogen waaraan je het meteen kon zien als hij zich ongemakkelijk voelde.

'Maar als het niet stopt, hoopt het zich dan weer op?'

'Als dat gebeurt, zul je weer hierheen moeten komen. Dan moeten we opnieuw gynaecologisch ingrijpen.'

Dus had de dokter met termen – hechtingen, ware hermafrodiet, menstruatiebloed, gynaecologisch ingrijpen – zijn best gedaan om Wayne vertrouwd te maken met het verhaal van zijn mannelijke lichaam waarin een vrouwelijk lichaam schuilging. Dokter Lioukras was niet blij geweest met het gesprek. Hij had over het leven en over mogelijkheden willen praten, niet over bloed en hechten en snijden. Hij moest zichzelf weer opnieuw inprenten dat het werk van een chirurg uit een soort poëzie bestaat, waarbij bloed de betekenis is en vlees de tekst. Zonder zijn werk, hield hij zichzelf voor, zouden veel mensen voor hun tijd begraven liggen onder de stenen op Crow Hill boven de koude baai en zouden ze geen vreugde, leven of liefde meer kennen.

Na de operatie hadden namen voor Wayne een nieuwe betekenis gekregen. Zijn vader at 's avonds geroosterd brood, soms met een gerookte haring erbij. Jacinta haakte. 's Avonds keken ze niet naar buiten. Wayne probeerde zich een tijd te herinneren voordat hij het woord *hemel* kende. Je verklaarde het mysterie van de nacht, dacht hij, door namen te geven aan onderdelen ervan: duisternis, Kleine Beer, zilverberk.

Het witte mesje van zijn moeder bleef zoek. Wayne wenste dat hij het voor haar kon vinden. Na het eten was hij blij dat ze haar blik met haaknaalden openmaakte. Dat blik was ovaal en versierd met een vrouw in een wit gewaad.

'Kon je het me wel vergeven?' vroeg ze. Ze zat met groene wol de rand van een muts te haken.

'Wat vergeven?' Wayne vond het prettig haar iets te zien maken. Treadway goot een emmer met cement in drie door een wezel gegraven gangen die hij in de kelder had ontdekt.

'Dat we het geheim hebben gehouden.'

Hoewel dokter Lioukras Wayne had verteld hoe zijn aandoening werd genoemd werd er door zijn ouders verder niet over gesproken. Ze waren naar huis gegaan en hadden de draad van hun oude leven opgepakt alsof er niets bijzonders was gebeurd.

'Jij hebt me mijn badpak laten bestellen,' zei Wayne.

Jacinta legde haar haaknaald op de hoed. 'Dat was iets heel kleins. Dat stelde niets voor vergeleken met die geheimhouding.'

'Jij hebt me een doos gegeven om het badpak in te verstoppen. En nu wordt het me te klein. Papa is degene die zijn mond hield. De hond...' Wayne had nooit van de hond kunnen houden die Treadway op de dag waarop hij de Ponte Vecchio had ontmanteld mee naar huis had gebracht. Wayne had van het dier willen houden maar was daar nooit toe in staat geweest en daarvan gaf hij zijn vader de schuld. 'De hond verdiende liefde.'

'Dat weet ik. Liefde raakt geblokkeerd als je haar indamt. Jouw vader bouwt dammen in zijn slaap zonder dat hij dat weet.' Wayne had een hond waarvan hij niet kon houden ook al wilde hij dat wel en Treadway had een zoon van wie hij niet kon houden ook al wilde hij een zoon en wilde hij van hem houden. Vader en zoon gingen allebei gebukt onder een overdosis bevroren liefde en dat vrat aan Jacinta's hart.

'Ik geef die hond aan Roland Shiwack voordat ik naar de vallen ga,' had Treadway uiteindelijk gezegd. 'Omdat ik de enige ben die dat beest te eten en te drinken geeft. Roland heeft me er vijfenzeventig dollar voor geboden en dat geld moet jij maar gebruiken in de tijd dat ik weg ben.'

Jacinta ging weer verder met de muts en zei: 'Als ik iedere keer als ik voelde dat je mijn dochter was, mijn mond had opengedaan...'

'Vertel me dat nu dan maar,' zei Wayne zo enthousiast dat ze de tel van de steken kwijtraakte. Ze had zich nooit gerealiseerd dat Wayne daar alles van wilde weten, alsof het mooie verhalen waren. Ze had nooit gedacht dat al die verloren momenten weer konden worden opgehaald door erover te praten.

'Vertel eens over de tijd toen ik nog een baby was.'

'Ik weet niet of ik me specifieke momenten kan herinneren.'

'Helemaal niets? Ook niet ééntje?'

'Nou ja, ik wiegde je altijd in mijn armen. Je had een groen dekentje en je leek echt op een meisje.'

'Echt waar?'

'En ik zong wiegeliedjes voor je waarin het woord "meisje" voorkwam.'

'Zoals?'

'Wayne, dat weet ik echt niet meer. Moeders vergeten dingen, ook al denkt iedereen altijd dat ze zich alles herinneren. Ik denk dat ik "Dance to Your Daddy" voor je heb gezongen. Dat was een liedje dat mijn vader kende.'

'Zing dat dan nog eens.'

'Vooruit dan maar. "Dance to your daddy, my little laddie, dance to your daddy, hear your mammy sing." Dat zing je voor een jongen. En voor een meisje zing je: "Dance to your daddy, my little lassie." Voor de rest is het hetzelfde.'

'En jij hebt "lassie" gezongen?'

'Ik kon "laddie" niet over mijn lippen krijgen. Jij en ik waren alleen en niemand kon me horen. Ik had het gevoel dat ik voor het deel van jou dat een meisje was moest zingen, omdat ze zich anders eenzaam zou gaan voelen, ziek zou worden en zou doodgaan.'

‘Ken je de rest van de woorden nog?’

‘Ja. “You shall have a fishy on a little dishy. You shall have a kipper when the boat comes in.” Eerst is het een kipper en dan een andere vis, en je blijft het liedje zingen tot je geen vissoort meer kunt bedenken, of het kleine meisje slaapt.’

‘Wat voor andere vissen?’

‘Een bokking. Dan een makreel. Er waren allerlei soorten vis, Wayne. Ik heb alle vissen genoemd die je hier niet kunt krijgen. Vissen uit Engeland, waar het liedje vandaan komt. Vissen waarover mijn vader me heeft verteld.’

‘Wanneer was ik nog meer bijna een meisje?’

Treadway kwam naar binnen en zei: ‘Daarmee is dat probleem wel opgelost.’ Hij had het over de wezel. Waynes ogen straalden terwijl hij wachtte op de volgende openbaring van zijn moeder, maar die avond kreeg hij niets meer te horen. Herinneringen aan de momenten waarop Wayne een meisje was, werden geheime onderwerpen van gesprekken die plaatsvonden als Treadway voorbereidingen trof voor zijn wintertocht langs de vallen.

‘Je voeten waren slank,’ zei Jacinta terwijl Treadway buiten zijn reistassen en zijn buidel van kariboehuid inpakte.

‘Zijn ze dat nog?’ Wayne trok zijn sokken uit.

‘Bepaalde lichaamsdelen van jou waren zo vrouwelijk dat ik dacht dat mensen me op straat aan zouden houden om me te vertellen dat ze wisten dat je een meisje was.’

‘Welke mensen?’

‘Dat weet ik niet meer, Wayne. Mensen als Kate Davis, denk ik. Moeders kunnen zich toch niet alles herinneren?’

‘Weet je nog wel welke andere delen van mij vrouwelijk waren?’

‘Hè?’

‘Je had het over lichaamsdelen. Meervoud.’

‘Dat was voordat je al die pillen ging slikken.’

‘Leek ik daarna niet meer op een meisje?’

‘In elk geval niet meer zo sterk.’

‘Om welke andere lichaamsdelen van me ging het voor die tijd?’

‘Je gezicht. Je hele gezicht. Ik weet niet waarom de hele stad niet kon zien wat ik zag.’

‘Omdat jij mijn moeder was en zij niet.’

‘Je zult wel gelijk hebben.’

‘En zij keken niet goed.’

‘Waarschijnlijk niet.’

‘Ik had jongenskleren aan en iedereen noemde me Wayne, behalve één persoon.’

‘Thomasina.’

‘Ja. Zij noemde me Annabel.’ Het was de eerste keer dat Wayne die naam in aanwezigheid van iemand anders dan Thomasina over zijn lippen liet komen. ‘Mam?’

‘Wat is er?’

‘Zullen ze Thomasina laten terugkomen om ons les te geven?’

‘Ik weet niet of ze wel terug wil komen, Wayne.’

‘Voor hoelang heeft juf Huskins haar geschorst?’

‘Dat heeft juffrouw Huskins niet gedaan, Wayne. Dat heeft de schoolcommissie voor oostelijk Labrador gedaan.’

‘Voor hoelang?’

‘Een maand.’

‘Die is nu gauw voorbij.’

‘Ja, maar als er een verandering in de stand van zaken plaatsvindt, zelfs al is het maar voor eventjes, kan een breuk soms een soort ravijn worden.’

‘Zoals de Gulch?’

‘Ja. Ook als de verandering maar een maand, of zelfs een week of een dag duurt, wordt het patroon doorbroken en daardoor is alles veranderd.’

‘Ik hou van Thomasina.’

‘Dat weet ik, Wayne.’

‘Ik hoop dat ze terugkomt.’

‘Ook dat weet ik.’

‘Mam, zou je me bij mijn meisjesnaam kunnen noemen?’

‘Annabel?’

‘Ja.’

‘Dat weet ik niet.’

‘Mam?’

'Ja?'
'Herinner je je nog iets anders?'
'Je vader zou me kunnen horen.'
'Hij haalt zijn Ski-Doo uit elkaar. We hebben tijd zat.'
'Ik dacht dat hij aan het pakken was.'
'Ik hoorde dat hij zijn moersleutels klaarlegde.' Waynes oren waren afgestemd op het klikken van metaal op cement en op alle andere geluiden die Treadway binnen en buiten maakte.
'Toen je op de kleuterschool zat, heb je een tarantula uit een exemplaar van *National Geographic* geknipt. De poten van dat dier waren even dun als een haar van mij. De onderwijzer zei dat geen enkel ander jongetje dat klaarspeelde.'

Waynes oren mochten nog zo goed zijn, er was toch één ding dat hij Treadway niet hoorde doen. Het was iets dat zijn vader zich plechtig had voorgenomen te doen voordat hij maandenlang naar zijn vallen zou gaan. Hij deed het terwijl Wayne op school zat en Jacinta suikerklontjes was gaan kopen omdat Treadway die liever had dan losse suiker. Suikerklontjes waren duurder en het was niets voor Treadway om aan een minder economische keuze de voorkeur te geven. Lang geleden had ze hem gevraagd waarom hij wilde dat ze suikerklontjes voor hem kocht.
'Ik vind klontjes mooi,' zei hij. 'Het bevalt me dat ze zo mooi in de doos passen. En één klontje is precies genoeg voor een kop thee. Je kunt ze niet verspillen. Als een rat een gat in een zak suiker knaagt, ben je de suiker kwijt die eruit is gelopen. Vocht ruïneert een zak suiker, maar om klontjes te ruïneren moet je ze in de rivier gooien.' Hij was nog een tijdje doorgegaan met het opnoemen van alle voordelen van suikerklontjes en Jacinta was verbaasd geweest dat hij over zoiets kleins zo goed had nagedacht.
Dus kocht Jacinta suikerklontjes en dat gaf Treadway de kans de telefoongids in te kijken, wat hem behoorlijk veel moeite kostte. Treadway kon Voltaire lezen. Hij kon acht uur in stilte wachten op een lynx, de sporen van een tiental eendensoorten lezen die hij allemaal bij naam kende. Hij kon ze vinden in de

vogelgids van Roger Tory Peterson en hij had de dagboeken van James Audubon gelezen, maar de telefoongids was voor hem een kwelling, net als ambtelijke documenten, belastingformulieren, verzekeringspolissen, brieven van banken en rekeningen van de telefoonmaatschappij of het waterbedrijf. Dat soort dingen regelde Jacinta allemaal. Als ze thuis was zocht ze dingen voor hem op in de telefoongids, maar hij wilde dit doen zonder dat iemand het wist.

Hij belde eerst de bibliotheek in Goose Bay. Daar zeiden ze dat hij de A.C. Hunter Bibliotheek in St. John's moest bellen en bij A.C. Hunter zeiden ze dat hij bij de Memorial Universiteit de meeste kans had om te slagen. Er was bijna een uur verstreken voordat hij een vrouw had gevonden die Augusta Furey heette en hij was uitgeput toen hij het adres in New York opschreef dat zij hem gaf nadat ze de *Albert J. Breton Catalogue of Sheet Music for Soprano, Alto, Tenor, and Bass Voices* geraadpleegd had.

'De prijs kan gewijzigd zijn,' zei ze waarschuwend. 'Dit komt uit de catalogus van vorig jaar. We blijven vragen ons meteen na uitgave de nieuwe toe te sturen, maar we hebben niet alles in de hand.'

Treadway schreef Albert J. Breton een brief om een exemplaar te bestellen van 'Cantique de Jean Racine' van Gabriel Fauré. Hij belde het postkantoor van Croydon Harbour en kreeg het postbusnummer van Gerald en Ann Michelin.

De week daarna maakte Treadway zijn Ski-Doo schoon en zette hem weer in elkaar. Hij vulde de bagageruimte van zijn slee en zijn kist met leesvoer. Hij pakte zijn exemplaar van het verzamelde werk van Robert Frost in.

'Soms keek je naar me alsof je het wist,' zei Jacinta tegen Wayne.

'Maar ik wist het niet!'

'Ik deed net alsof je het wel wist. Mensen denken van alles en nog wat als ze in hun eentje met een geheim rondlopen. Ze denken wat ze willen denken. Misschien heb ik me die blik van jou wel verbeeld.'

Treadway pakte twaalf kilo extra meel en havermout in en hij hoopte dat de bossen mooi, donker en diep zouden zijn.

Aan de hoofdstraat in Goose Bay was een klein reisbureau gevestigd. Thomasina beschouwde dat als een verborgen poort. De directrice, Miriam Penashue, had al haar zomers in de bush in de buurt van de grens met Quebec doorgebracht en de middelbare school niet afgemaakt. Ze had de lagere school niet eens afgemaakt. Ze was niet van plan geweest ooit nog naar school te gaan tot ze had ontdekt dat de overheid zes reizen voor je betaalde als je de cursus voor reisagent aan de volksuniversiteit van Goose Bay had gevolgd. Toen Miriam Penashue die zes reizen achter de rug had, was ze geen gewone reisagente. Ze hing geen posters op van vakantiebestemmingen in de Dominicaanse Republiek en bood geen reizen met korting aan naar Disney World. In haar winkel was maar één poster te vinden – op de deur – en die had ze zelf gemaakt. Erop stond: KOM BINNEN EN PRAAT MET MIRIAM PENASHUE OVER DE PLEK WAAR JE NAARTOE WILT.

Toen Thomasina was geschorst leek die poster van Miriam Penashue zo pretentieloos en veelbelovend dat ze naar binnen liep. Ze had een zak van de Happy Valley Northmart bij zich met zes grapefruits erin en ze wenste dat het betere grapefruits waren. Ze zouden oké zijn als ze de velletjes eraf had gehaald, maar tijdens hun reis vanuit Californië had zich een laagje lucht gevormd tussen de schil en het vruchtvlees. Als je een brief hebt gekregen waarin staat dat je niet in het beste belang hebt gehandeld van de kinderen aan wie je lesgeeft, is het moeilijk je niet beschaamd te voelen. Thomasina was tegelijkertijd beschaamd en boos: beschaamd omdat ze het anders had moeten aanpakken. Ze had discreter moeten zijn en ze had meer geduld moeten hebben in plaats van Wayne mee te slepen naar het ziekenhuis op een manier die de aandacht had getrokken van mensen die niet wisten wat medeleven was. Mensen als meneer Henry, die lucht had gekregen van de rit naar het ziekenhuis en er op het kantoor van de school naar was gaan informeren. Bij het schoolhoofd Victoria Huskins met haar witte broek en haar intercom.

'Er zijn twee redenen waarom ik geen keus heb en wel disciplinaire maatregelen moet nemen,' had Victoria Huskins gezegd. 'In de eerste plaats heb je samen met een kind het schoolterrein verlaten, zonder je iets aan te trekken van de hier geldende regels. En ten tweede, misschien minder belangrijk behalve dan voor mij omdat ik hier een zekere orde moet handhaven, het openlijk belachelijk maken van mijn reprimande aan het adres van het kind dat met opzet poep op de vloer van de wc had achtergelaten. Je zou beter moeten weten, Thomasina Baikie. Omwille van de kinderen. Mensen zullen gaan denken dat wij niet om de kinderen geven en dat kan ik op mijn school niet hebben.'

Thomasina voelde zich ook beschaamd toen ze die met de hand geschreven poster van Miriam Penashue zag. Dat was nergens voor nodig, maar ze schaamde zich wel degelijk en dat gevoel dompelde haar hart onder in een poel van ellende. Vervolgens verbrandde het de randen van haar hart zodat ze achterbleef met een hoopje houtskool en wat trieste vonkjes. De poster van Miriam Penashue rook naar vrijheid: KOM BINNEN EN PRAAT MET MIRIAM PENASHUE OVER DE PLEK WAAR JE NAARTOE WILT.

Miriam Penashue zat qua leeftijd halverwege tussen Thomasina en haar leerlingen uit de zevende klas in. Haar haar was kort, ze had altijd kauwgum in haar mond en op haar koffiekop stond GRENFELL HUSKIES. Ze had geen personeel en haar kantoor was geschilderd met turquoise verf, een restantje van de visfabriek waar haar vriend werkte. Wat Thomasina prettig vond was dat Miriam echt met je wilde praten over waar je naartoe wilde gaan, en niet over waar ze je naartoe wilde sturen. Het leek alsof het haar niets kon schelen of ze een reis verkocht of niet.

'Er zijn plaatsen waar je naartoe gaat om alleen maar zuchtend neer te vallen in een leunstoel zoals jij daar hebt staan,' zei Thomasina.

'Kijk uit voor de veer in de rugleuning.'

'De hobbels zitten op de juiste plekken.'

'Hoe gaat het met je?'

'Dat zul je wel hebben gehoord.'

'Als honderd kinderen het nieuws rondbazuinen heb je geen

artikel in de *Labradorian* nodig. Helemaal niet als het over poep gaat. En waarom zou je niet met een kind naar het ziekenhuis mogen gaan? Hij had toch een blindedarmontsteking? Misschien was die wel gesprongen als jij hem niet had meegenomen. Waarschijnlijk heb je zijn leven gered.'

'Ik had het anders moeten aanpakken. Victoria Huskins spoort niet.'

'Geen van de ouders neemt het jou ook maar in de verste verte kwalijk. Ze zouden naar die commissie moeten gaan om de schorsing opgeheven te krijgen. Maar dat gebeurt toch niet. Ze praten erover, maar ze doen het niet. Wat voor een reis wil je maken?'

'Ik heb twintigduizend overgehouden aan de verkoop van mijn huis.'

'Dat is het huis waar de Michelins nu in wonen, hè? Waarom heb je dat verkocht?'

'Vierduizend is opgegaan aan het financieren van mijn studie en nog eens vierduizend aan de reizen die ik in mijn eentje heb gemaakt.'

'Heb je ooit spijt van die verkoop gehad?'

'Aanvankelijk was ik niet van plan het te verkopen.'

Direct na de dood van haar man Graham Montague en hun dochter Annabel was Thomasina alles gaan opruimen wat binnen vier muren verdriet vast kon houden. Wekenlang was ze in de achtertuin bezig geweest met een emmer vol zeepsop en een spons om klemmen, moersleutels, buizen en hamers schoon te maken. Ze betastte ze voorzichtig, zoals haar blinde echtgenoot dat moest hebben gedaan, maar in de wetenschap dat haar handen die vormen nooit zo zouden herkennen als de zijne dat hadden gedaan. Ergens wilde ze bepaalde dingen wel houden, zijn nietpistool bijvoorbeeld, zijn waterpas en het lange meetlint in het leren etui. Maar dat had ze niet gedaan.

'Maar ik was ook niet van plan hier vandaag binnen te lopen.'

Thomasina was naar de kamer van haar verdronken dochter gegaan en had de poppen, de zakjes met lavendel en de boeken verzameld. Ze had geroken aan de kleren van Annabel en ze vervolgens aan Isabel Palliser gegeven, voor kinderen langs de kust. Ze had het zalmroze vestje met knoopjes in de vorm van een hond ook niet bewaard.

'Het was een huis dat ik niet leeg kon maken. Ik dacht dat ik, als ik me ervan kon ontdoen... Je zou toch denken dat een volwassen vrouw beter moest weten.'

'Nee. Ik denk dat veel volwassen vrouwen allerlei verschillende nuances van verdriet verborgen houden.'

Thomasina vond het moeilijk troost te accepteren. 'Dus heb ik nog twaalfduizend over en ik heb gehoord dat er een ticket bestaat waarmee je over de wereld kunt reizen. Je gaat naar Heathrow, je kunt naar Portugal vliegen en vandaar verdervliegen, waar je maar naartoe wilt.'

'Maar je moet wel bepalen welke route je wilt nemen, en je reis moet binnen twaalf maanden zijn afgerond. Ik heb de indruk dat je dat niet wilt.'

'Ik weet niet wat ik wil.'

'Misschien wil je op de ene plek een uurtje op een plein zitten en naar mensen kijken, en op een andere plek misschien een maand. Dat zie ik aan de manier waarop je die grapefruit pelt. Je wilt alles van je afschudden en ergens naartoe waar mensen een doodgewoon leven leiden waaraan jij kunt meedoen. Glip die wereld in en neem een kom soep in de kleren die je nu aanhebt. Ga naar een concert waarover je hebt gelezen op een poster aan een telegraafpaal. De wereld zit vol met dat soort plekjes.'

17

Een echt mannetje

'Je mag het aan niemand vertellen,' zei Jacinta.

'Niet eens aan Wally Michelin?' Wally bleef zich afzijdig houden. Op school haalde ze de hoogste cijfers en nu liep ze rond met haar scheikundeboek tegen haar borst gedrukt zoals ze eens had rondgelopen met de 'Cantique' van Fauré.

'Aan niemand.'

Jacinta dacht alleen maar aan Waynes veiligheid. Ergens wist hij dat wel, maar dat deel van hem dat hij net had gevonden – Annabel – wilde het aan iemand vertellen. In bed deed Wayne zijn ogen dicht en zag zijn tweede ik op het schoolplein, in een jurk met een groene sjerp en rode leren schoenen met een hakje, net als Gwen Matchem. Als je een meisje was, veranderde er een heleboel: niet alleen je schoenen of de manier waarop je je haren kamde, ook de dingen waarover je sprak en de manier waarop je de wereld bekeek. Die wetenschap welde langzaam in Wayne op.

Toen hij in groep acht zat, was zijn glitterbadpak hem veel te klein geworden. De bandjes sneden in zijn schouders, het kruis zat strak en hij was niet meer zo jong en onschuldig, dat hij er nog een in een grotere maat kon bestellen. Hij wilde het dolgraag weer aantrekken, maar hij liet het gekreukt in het blik onder zijn bed liggen. Hij miste Wally en hij vroeg zich af wat er zou gebeuren als hij haar kon vertellen dat ze allebei een meisje waren, op zijn minst gedeeltelijk. Hij wou dat hij Wally kon vragen hem Annabel te noemen. Ze zouden dikke vriendinnen kunnen zijn, net als Carol Rich en Ashley Chalk, die tijdens de les van meneer Wigglesworth papiertjes aan elkaar doorgaven om zeeslag te spelen en samen op de brandtrap op zoethout knabbelden. Wally en Annabel.

Maar Annabel had de benen genomen.

Waar was ze naartoe gegaan? Ze zat in zijn lichaam, maar hij kreeg haar niet te pakken. Misschien komt ze er via mijn ogen uit als ik ze opendoe, dacht hij. Of via mijn oren. Hij lag in bed en wachtte. Annabel was zo dichtbij dat hij haar kon aanraken, ze was hém, maar toch was ze ongrijpbaar.

Er was nog iets over de nacht die Wayne in het ziekenhuis had doorgebracht dat Treadway Jacinta niet had verteld.

Toen Treadway naar zijn vallen was vertrokken, hoorde zijn gezin niets van hem en hij hoorde niets van hen. Sommige mannen zorgden ervoor dat ze bereikbaar waren. Voordat Graham Montague was gestorven had hij Thomasina altijd verteld hoe ze hem kon vinden als ze hem in de bossen een boodschap wilde sturen. De echtgenoot van Eliza Goudie had in zijn hut een radiozender en een ontvanger. Zelfs Harold Martin was – ondanks zijn Innu-vrouw – binnen twee dagen het bos uit gekomen toen Joan derdegraads brandwonden aan haar voet had opgelopen. Jacinta had nooit geprobeerd contact op te nemen met Treadway.

'Ik dacht dat u dat wist,' zei dokter Lioukras bij een van de controles tegen Jacinta terwijl Wayne naar het lab was om bloed te laten prikken.

'Nee.'

'Uw man wist het wel. De vrouw die hier die avond was – de lerares van Wayne, geloof ik – wist het ook.'

'Thomasina. Maar zij is Waynes moeder niet. Dat ben ik.'

'En het is waar dat ik het er met u nooit over heb gehad.'

'Ik was er niet bij. Ik had een stompzinnig gezellig avondje en zat me samen met mijn vriendinnen te bezatten.'

'Ik ging ervan uit dat u het wist en dat was verkeerd van me.'

'Een normale echtgenoot had het me wel verteld.'

'Misschien kunt u het bespreken wanneer u weer thuis bent.'

'Tot de lente valt er niets met Treadway te bespreken.' Jacinta wierp een peinzende blik op de Griekse dokter. Hij was een man die van een vrouw kon houden. Niet een gesloten, kille en onbegrijpelijke machine. Ze zakte iets onderuit op haar stoel. Hij drukte een hand tegen haar rug en die hand voelde warm aan.

'Ik weet dat het drastisch was.'

'En niemand heeft het aan Wayne verteld?'

'Niet voor zover ik weet.'

'Moet ik het hem vertellen?'

'Nee.'

'Ik heb er zo genoeg van dingen voor hem achter te houden.'

'Ik kan het u niet beletten maar uit ervaring, hoe beperkt die ook is, weet ik dat hij nog niet rijp genoeg is om het te kunnen begrijpen.'

'Hoe zou iemand zoiets kunnen begrijpen? Mozes kon het niet begrijpen. Ik zou wel eens willen weten of u het had begrepen als het u was overkomen.'

'Als hij ouder is, zal het misschien niet zo'n grote schok voor hem zijn.'

Jacinta dacht niet dat Treadway een Innu-vrouw had, zoals Harold Martin. Maar ze had wel het idee dat hij er dezelfde gedachtegang op na was gaan houden als de dieren die hij in zijn vallen ving. Hij was gaan lopen en slapen zoals zij. Hij was wild geworden en je kon hem op geen enkele manier een boodschap sturen als je de taal van de wildernis niet sprak. Dus moest Jacinta dit nieuwe brokje informatie alleen verwerken.

Het voornaamste onderwerp van gesprek tussen Jacinta en Wayne was tijdens die winter niet het mysterie van zijn lichaam. Voor zijn vertrek had Treadway tegen haar gezegd dat hij wilde dat ze Wayne zou leren om verstandig met zijn verdiende geld om te springen. 'Het is tijd dat Wayne leert zijn lichaam en ziel bij elkaar te houden,' had hij gezegd. 'Voor zijn eigen bestwil. Hoeveel verdient hij met die kabeljauworen?'

'Dat weet ik niet,' zei Jacinta, hoewel ze het precies wist. In de zomer voordat Wayne naar de achtste klas ging had hij geleerd hoe hij vijfentwintig dollar per week kon verdienen. Hij pelde garnalen voor Roland Shiwack en op de kade van Croydon Harbour sneed hij kabeljauwtongen uit en verkocht die van deur tot deur voor vijftig dollarcent per dozijn. Hij haalde ook het mooie, als een schelp ogende botje dat het oor werd genoemd uit de kop van de kabeljauw en liet dat weken in een kom water met een paar druppels bleekwater. Daarna verkocht hij ze aan het winkeltje van het nieuwe museum in North West River, waar er oorbellen van werden gemaakt.

'Ik schat dat hij zo'n vijfentwintig dollar per week spaart.' Treadway wist meestal precies hoe hard iemand werkte en hoeveel dat waard was. 'Laat hem de helft houden en de andere vijftig dollar per maand als kostgeld betalen.'

'Moet ik hem laten betalen voor de stroom die hij verbruikt als hij naar zijn platenspeler luistert?'

'Hij kan beginnen mee te betalen aan de door hem gemaakte kosten. Zijn boeken en zijn kleren. Na de kerst kan hij bijdragen in de huishoudkosten. Het gaat om het principe en dat zal hem echt geen kwaad doen. De komende lente zou ik wel eens wat later terug kunnen komen. Misschien blijf ik de hele lente langs de rivier jagen. Nu Wayne ouder is, kan hij je beter helpen.'

Toen Wayne met de rekening voor zijn nieuwe scheikundeboek thuiskwam, gaf Jacinta hem het geld maar zei: 'Je vader wilde dat ik je vroeg een deel ervan zelf te betalen.'

'Moet ik voor mijn schoolboeken betalen?'

'Hij zei dat je de helft van je zelfverdiende geld mocht houden en mij de andere helft moest geven voor boeken, kleren en het huishouden.'

Wayne had zich zijn leven lang al neergelegd bij de door Treadway uitgevaardigde bevelen en dat deed hij nu ook. Voor zover hij wist, kregen andere jongens meer en niet minder geld van hun vader naarmate ze ouder werden. Brent Shiwack had van zijn vader een Arctic Cat gekregen en de vader van Mark Thevenet had zijn eigen jetski voor hem besteld en die kostte meer dan een auto. Maar Wayne verwachtte niet dat zijn vader hetzelfde zou doen als de andere vaders en hij protesteerde niet. In het huis van Treadway was zuinigheid troef – deels als zelfverloochening en deels als morele exercitie – dus daar was Wayne aan gewend. Er waren wel dingen die hij graag wilde hebben, maar een jetski was daar niet bij.

'Heb je meer geld nodig, mam? De coöp wil altijd meer kabeljauworen hebben.'

'Je vader wil gewoon dat je onafhankelijk bent. Dat is zijn manier om...'

'Maakt niet uit, mam. Ik kan best meer geld verdienen. Roland Shiwack wil dat ik meer uren voor hem ga werken. Hij heeft liever niet dat Brent het doet. Ik zou met gemak vijfentachtig per week kunnen verdienen.'

'Zoveel hoef je niet te verdienen. Je schoolwerk...'

'Met mijn schoolwerk gaat het prima, mam.'

Wayne ging meer werk doen voor Roland Shiwack en zijn voeten begonnen opnieuw te vervellen, net zoals ze hadden gedaan in de zomer voordat hij naar groep zeven ging. Hij vertelde dat aan Roland, die zei dat het door de garnalen kwam.

'Daarom kan ik ze zelf niet pellen. En ook omdat het me teveel tijd kost en ik duizenden andere dingen te doen heb. Er zit iets in waardoor mijn handen rood en rauw worden. Gek dat het op jouw voeten slaat. Gek dat het verschillende plekken aantast. Mag ik eens zien?'

Wayne trok een van zijn gympen uit. De huid van zijn voetzolen was gebarsten en de randen van de vellen waren gekruld. Hij trok een stukje vel los.

'Ik heb precies hetzelfde, maar dan op mijn handen.'

'Het doet geen pijn.'

'Mijn handen doen wel zeer.'

'Mijn voeten niet, maar ik ben blij dat ik nu weet wat het is.'

Wayne had zijn vervellende voeten altijd in verband gebracht met de dag waarop Thomasina halsoverkop met hem naar het ziekenhuis was gereden. Hij dacht dat het iets te maken had met zijn opgezwollen buik. Daarom was hij nu bang geweest dat het allemaal opnieuw begon.

'Het is een hele opluchting dat ik nu weet waardoor het komt en dat het zal overgaan als ik klaar ben met de garnalen.'

'Als je ermee wilt stoppen snap ik dat best hoor. In plaats daarvan zou je de uiteinden van die palen voor de omheining kunnen afschaven.'

Jacinta vertelde Wayne niet dat de kans bestond dat Treadway de hele lente in het binnenland zou blijven. Ze dwong zichzelf aardappelen te schillen, te koken en ze vervolgens te snijden en te bakken met eieren en gehakt zoals ze dat voor hen drieën als gezin zou hebben gedaan. Maar toen ze niet meer zo vaak naar het ziekenhuis hoefden en het november werd, toen de wintertijd inging en de nachten langer werden, bleef ze 's avonds langer op. Wayne moest 's morgens op tijd op om naar school te gaan. Aanvankelijk sleepte Jacinta zich haar bed uit en maakte een uitgebreid ontbijt klaar. Daarna maakte ze gemakkelijkere dingen: geroosterd brood met jam of pindakaas, en melk. Nog weer later liet ze Wayne zelf zijn ontbijt klaarmaken. Ze werd om tien uur wakker, toen om elf uur en vervolgens om twaalf uur.

Ze at en dronk in de winkel gekochte jam, brood en thee. Af en toe een gekookt eitje. Treadway had een voorraad hakhout voor de kachel achtergelaten waar ze drie maanden mee toe konden. Toen die op was pakte ze de schulpzaag en zorgde elke dag voor een paar houtblokken. Maar op een dag kwam Wayne thuis en merkte hij dat de kachel uit was. Daarna zaagde hij op zaterdagochtend voldoende hout voor een hele week. De voeding was, net als bij alle andere huishoudens in Croydon Harbour, altijd gebaseerd op voorraden die in de diverse seizoenen waren opgebouwd en economisch werden gebruikt. Nu begon hun huishouden te draaien op een manier die de moeder van Jacinta hapsnap zou hebben genoemd. Wayne maakte geroosterd brood en at konijnenvlees uit de pan. Hij waste zijn eigen overhemden, broeken, gymkleren en ondergoed in de kleine machine op wieltjes en zag zijn moeder even onbereikbaar worden als zijn vader. Op een dag trof hij haar languit op de bank aan, met een of ander roze spul op haar hele gezicht.

'Wat heb je op je gezicht?'

'Aardbeienmoes. Uit de diepvries.'

'Waarom heb je dat op je gezicht gesmeerd?'

'Het maakt je huid zachter.'

Er lagen nog meer aardbeien op de keukentafel. Later die avond keek hij toe hoe zijn moeder er melk overheen goot en ze opat. Ze keek niet naar de televisie. Ze zat in de stoel voor het televisietoestel en haakte katoenen vaatdoeken: groen en wit, of blauw en wit. Dat deed ze avond na avond terwijl Wayne het werkwoord *avoir* leerde vervoegen, zijn rekenliniaal bestudeerde en zich zorgen maakte over haar. Hij was bang dat het zijn schuld was dat zijn vader eerder naar zijn vallen ging dan andere vaders en later naar huis kwam. Hij was bang dat Jacinta verdrietig was omdat hij nooit een normale zoon zou zijn, wat hij ook deed. Een zoon met twee testikels in plaats van één. Een zoon wiens vader zijn hond niet hoefde te verkopen aan een man die hij niet aardig vond.

'Haken is net zoiets als tekenen,' zei Jacinta. 'Je hebt een lijn en daar kun je van alles van maken. Het hoeft geen stomme vaatdoek te zijn.'

'Jij zei dat die van jou beter werken dan de vaatdoeken die je kunt kopen.'

'Ik heb er geen honderd van nodig. Als je de basissteek en een paar variaties kent kun je elke gewenste vorm haken. Een roos, als je daar zin in hebt. Zie je die wilde roos bij de keukendeur? Je zou de hele struik kunnen haken als je dat wilt. Het enige wat je hoeft te doen is drie lussen haken, die aan elkaar zetten, de ring langs haken en met elke steek een bloemblad maken door middel van rijen halve stokjes.' Overal in huis lag garen: roze, mosterdkleurig, groen.

'Kun je ook een kop en schotel haken?'

Ze bestudeerde een kop die op de tafel stond. 'Ik zou het kunnen proberen.' Toen Wayne de volgende dag zijn boekentas op de tafel legde, was het haar gelukt.

'Kun je ook een paardenhoofd haken?'

'Als ik er in slaag om dat te tekenen.'

Dat schooljaar verschenen er op de planken, de televisie, de vensterbanken en de grote kast ineens allerlei gehaakte voorwerpen, van messen en mosselen tot een trompetschelp, een forel, een spiering, een zalm, zeven zee-egels, drie kop-en-schotels en achtentwintig zeesterren. Ze was dol op zeesterren.

Jacinta maakte haar wol op, ging over op vlasdraad en daarna op een soort garen van zijde en zeewier, dat ze had bewaard om slofjes te maken voor de eerstvolgende baby die in Croydon Harbour werd geboren. In de schuur van Treadway vond ze zijn touw en maakte er potten van die overeind bleven staan. Ze deed er stenen en takken van een jeneverbesstruik in, haakte vogeltjes en zette die op de takken. Ze haakte een metalen mandje dat leek op de mandjes uit de catalogus waarin mensen in grote landhuizen hun bruine eieren bewaarden en ze kocht van Esther Shiwack eieren om erin te doen. Ze ging abstracte vormen haken. Een groene en blauwe spiraal van wol, verstevigd met ijzerdaad. Een blauwe rivier met kralen. Extreme close-ups van bladeren.

'Ik laat het materiaal tot me spreken,' zei ze over de telefoon tegen Eliza Goudie. 'Ik kan alle vormen niet verklaren.' Ze bleef de hele nacht op en maakte er nog meer, en de vormen waren niet langer herkenbaar.

Dat was allemaal misschien heel mooi geweest als Jacinta in een stad had gewoond. Dan was er misschien begrip geweest voor wat ze maakte. Dan had iemand misschien iets van haar gekocht en het opgehangen in de grote hal van de Bank of Montreal. Dat waren de gedachten die Wayne bekropen toen hij wat ouder was. Maar tussen zijn veertiende en zestiende wenste hij dat zijn moeder maar weer zeesterren ging maken. Zijn vader woonde meer buitenshuis dan binnenshuis. Hij kwam thuis met hout, kariboes, zalm en spiering en geld dat hij voor zijn bontvellen had gekregen. Voordat hij weer naar zijn vallen of zijn hut op Bereneiland vertrok, nam hij Wayne mee naar Goose Bay, voor medische controles. Onderweg stopten ze in Goose Bay voor hamburgers en limonade, en ze waren het er roerend over eens dat een hamburger zonder bacon niet lekker was. Treadway vroeg nooit hoe het Jacinta was vergaan gedurende de maanden dat hij van huis was. Ze praatten over het bevernest bij Thevenet's Bend, zo'n vijfenveertig kilometer landinwaarts, en ze vroegen zich af of de bevers waren vertrokken of dat ze er nog zaten, omdat er stoom uit het hol kwam. En als Treadway bevertanden te pakken had kunnen krijgen gaf hij die aan Wayne. De coöp betaalde twee dollar per set, om er kettingen van te maken. Er werd over geld gepraat en Treadway informeerde of Wayne nog wist waar hij de sleutel van zijn kluis kon vinden, voor het geval het gezin in zijn afwezigheid het goud nodig zou hebben, of Wayne zijn medicijnlijst moest raadplegen, die Treadway onder zijn testament onder het goud bewaarde.

'Je moet zorgen dat je altijd genoeg medicijnen in huis hebt en ze ook op tijd inneemt,' zei hij waarschuwend.

'Oké, papa.'

'En maak je geen zorgen over de kosten van die medicijnen.'

'Daar maak ik me ook geen zorgen over, papa.' Wayne had nooit aan de mogelijkheid gedacht dat zijn ouders voor zijn medicijnen moesten betalen.

'Daar kun je je nog genoeg zorgen over maken als je ouder bent.'

'Hoeveel kosten ze?'

'Honderden dollars, jongen. Maar de verzekering dekt negentig procent van de kosten tot je achttien bent. Daarna veertig procent tot je eenentwintigste, tenzij je gaat studeren. Dan blijf je tot je vijfentwintigste veertig procent vergoed krijgen.'

'Honderden dollars?'

'Het zijn behoorlijk sterke medicijnen, jongen, en ik denk niet dat ze die voor veel mensen in voorraad hebben.'

Wayne slikte zijn pillen maar lette altijd op mogelijke bijverschijnselen: opgezwollen buik, buikpijn in welke vorm dan ook, het verschijnen van borstweefsel. Elke verandering in zijn gezichts- of schaamhaar. Als een van die symptomen de kop opstak, moest hij Jacinta meteen vragen hem naar dokter Lioukras in Goose Bay te brengen. En er ging geen dag voorbij dat Wayne zich niet verbeeldde dat er iets veranderd was en het viel niet mee om uit te vissen of de pijn wel echt was. Hij was zo opgelucht dat zijn voeten vervelden door de garnalen en niet door een nieuwe gezondheidscrisis, dat hij weer iets vrijer kon ademhalen.

Terwijl zijn vader steeds afstandelijker werd, maakte Wayne vis schoon en schaafde houten palen voor Roland en voor de andere mannen in Croydon Harbour. Hun eigen zoons werkten parttime op de militaire basis in Goose Bay en voelden er niets voor de traditionele klusjes voor een zoon in Labrador op te knappen. Hij verkocht kabeljauworen, botjes waarvan oorbellen werden gemaakt en bevertanden.

Af en toe kwamen er toeristen uit Maine of Newfoundland naar Labrador en dan fungeerde Wayne als gids voor wandeltochten of tochten met sneeuwschoenen aan over paden langs de Beaver River. Of hij hielp die mensen een stuk of vijf forellen te vangen met vliegen die Treadway keurig netjes voorzien van een etiket had achtergelaten op een stuk schapenvacht dat aan de muur van de schuur was gespijkerd.

'Je hebt veel steun aan Wayne, hè?' zei Eliza Goudie tegen Jacinta. 'Hij bedenkt steeds weer iets nieuws om een steentje bij te dragen aan het huishouden. Hij begint een echt mannetje te worden.'

18

Het eindexamenfeest

TOEN WAYNE ZEVENTIEN WAS trok hij het behang van de muren van zijn slaapkamer en wist zijn moeder zover te krijgen dat ze hem toestemming gaf om een groot blik kastanjebruine verf te kopen. Hij was vaak in zijn slaapkamer en zat daar dan te spelen op een mandoline die hij had gekocht van een zekere James Welland, een man die het instrument eigenlijk mee had willen nemen in zijn kajak, voor een reis die hij voor *National Geographic* langs de oude Mina Hubbard-route maakte. Journalisten probeerden altijd in de voetsporen van Hubbard en George Elson te treden, en ze moesten zich altijd van de helft van hun uitrusting ontdoen zodra ze echt kennismaakten met Labrador.

'Je mag drie muren schilderen,' zei Jacinta. 'De vierde moet je wit laten.'

'Waarom maar drie? Wat maakt die vierde muur zo bijzonder?'

'Als je alle muren schildert, wordt je kamer te donker. En wil je die spirograaf alsjeblieft opbergen als je hem niet gebruikt?'

'Oké.'

'Er zit weer een tandwieltje in de slang van de stofzuiger. Berg ze op en laat ze niet op de vloer van je kast slingeren.

Daar staan trouwens een heleboel dingen in waar je nooit meer naar omkijkt. Al je tekeningen, bijvoorbeeld.'

'Je moet ook niet stofzuigen in mijn kamer.'

'Onder je bed stonden twee schoteltjes met kaas en augurken. De kaas was al helemaal beschimmeld. Als ik je kamer niet opruim...'

'Oké.'

'Wil je die spirograaf eigenlijk nog wel hebben? Als kind vond je dat ding prachtig.'

Hij was dol geweest op de purperen en groene pennetjes en de platte tandwieltjes om cirkels te tekenen die elkaar sneden in een oneindig aantal symmetrische ontwerpen.

'De inkt is al lang geleden verdroogd, mam.'

Hij had zijn mandoline voor vijfenzeventig dollar gekocht en zodra hij erop was gaan spelen had hij het oude Elizaveta Kirilovna-badpak weggegooid. Je kon hetzelfde met noten op een mandoline doen zonder jezelf voor aap te zetten. Hij speelde en liet ruimte rond elke noot vrij. Met de noten maakte hij patronen. Een noot was net zoiets als een synchroonzwemmer: op zich elegant, deel van een exquise taal wanneer hij met de andere noten zweefde. Wanneer je met geluid speelde, zou niemand merken dat er in je binnenste een meisjeslichaam school. Niemand zou het raar vinden dat je een muziekinstrument bespeelde. Brent Shiwack en Mark Thevenet oefenden elke vrijdagavond in de schuur van de Shiwacks met hun gitaar. Zij hadden de nummers van kant één van Jackson Brownes *Running on Empty* al onder de knie en ze waren nu bezig met kant twee. Een mandoline was ongebruikelijk voor Croydon Harbour, maar James Welland, de eerste eigenaar, had in de krant gestaan en er was niemand die hem raar vond. De zus van Donna Palliser had muffins met maanzaad voor hem gemaakt, die hij kon meenemen op zijn tocht.

Wayne kon in zijn eentje in zijn kamer mandoline spelen zonder dat iemand vermoedde wat er allemaal door zijn hoofd spookte. Niemand zou weten dat hij soms wakker lag en zich afvroeg wat er met zijn lichaam zou gebeuren als hij die pillen niet meer zou slikken. Of zijn handen slanker zouden worden en zijn schouders smaller, zodat die er niet meer uit zouden zien als het frame van een grote vlieger. Of zijn borsten dan de vorm zouden krijgen die ze een paar jaar geleden hadden willen aannemen, voordat hij extra hormonen kreeg voorgeschreven. Of zijn adamsappel niet meer op en neer door zijn keel zou gieren als hij slikte. Dan zou hij misschien Gwen Matchems hooggehakte schoenen kunnen dragen en zou niemand er iets van zeggen als hij wilde dansen.

Wayne danste in zijn kamer, in het licht van een enkele straatlantaarn. Als hij naar zijn schaduw keek, in de cirkel van goudkleurig licht die de straatlantaarn op zijn muur wierp en als hij zijn lichaam op een bepaalde manier draaide, kon dat net zo goed het lichaam van een vrouw zijn.

Niemand in Croydon Harbour wist dat hij de eyeliner van zijn moeder gebruikte, of dat zijn jukbeenderen, als hij zijn hoofd een beetje schuin hield, er bijna net zo uitzagen als de jukbeenderen van Wally Michelin, die volgens Wayne nog altijd met gemak het allermooiste meisje van de school was. Op zijn zeventiende had hij moeiteloos verliefd op haar kunnen worden. Het deed er niet toe of je een meisje of een jongen was. Je kon hoe dan ook verliefd op haar worden.

Maar Wally was niet naar hem teruggekomen. Ze had hem niet verteld dat er op het postkantoor een nieuw exemplaar van de muziek van Gabriel Fauré voor haar was afgeleverd en ze leek Wayne niet te missen. Hij miste haar zo verschrikkelijk dat zijn borstkas als hij haar zag aanvoelde als het speldenkussen van zijn moeder, met een stopnaald erin.

Wally Michelin was verzeild geraakt in haar eigen universum. Er was een lange jongen, Tim McPhail, wiens vader de nieuwe voorganger van St. Mark's, de anglicaanse kerk, was geworden toen zijn voorganger, Julian Taft, was teruggegaan naar Kent om fraaie rozen te kweken. Wally was de enige – was altijd de enige geweest – met wie Wayne wilde omgaan. Wally stond voor het kluisje van Tim McPhail, met een exemplaar van *The Rainbow* van D.H. Lawrence in haar hand. Wayne had het idee dat Tim McPhail niet eens het verschil kende tussen dat boek en *The Password to Larkspur Lane* van Carolyn Keene, dat Wayne Gracie Watts in de bus had zien lezen. Wayne had *The Rainbow* gelezen. Hij had ook *Sons and Lovers* gelezen. Wally Michelin deed hem aan Gudrun denken. Ze droeg dezelfde felgekleurde kousen. Wayne wist zeker dat Tim McPhail daar geen idee van had. Tim haalde tienen voor natuurkunde en hij speelde schaak. Als Wayne hem met de andere jongens vergeleek, was hij bijna goed genoeg voor Wally Michelin, maar ze verdiende iets veel beters. Tim stond niet samen met Brent Shiwack te smoezen over hun kansen om op het eindexamenfeest een nummertje te maken, maar hij dacht er wel aan. Wayne had de jongens horen praten. Het eindexamenfeest draaide voor de jongens van Croydon Harbour om bier, het roken van hasj, parkeren, uitvogelen hoe je een beha moest losmaken en hoe je een meisje zo dronken kreeg dat ze zich liet nemen. Hij had de meisjes ook horen praten. Voor de meisjes ging het alleen maar om verliefd worden, en om er zeker van te zijn dat ze vóór die tijd de juiste jurk hadden uitgekozen.

Gracie Watts had Wayne gevraagd voor het eindexamenfeest.

Om de dag informeerde ze of hij wel een corsage zou uitzoeken die bij haar jurk paste. Daar kreeg hij meer dan genoeg van en hij wenste dat hij had gezegd dat hij niet naar dat feest toe ging. Maar je moest erheen. Dit jaar had Donna Palliser gezegd dat ze het een prom moesten noemen, want zo heette dat in de Verenigde Staten ook.

De jurken werden meteen na de kerst afgeleverd bij de Hudson's Bay Store. De oude Eunice White, die een purperen moedervlek had die de helft van haar gezicht bedekte, hing ze aan ronde rekken in het achterste deel van de winkel dat normaal werd gebruikt om seizoensgebonden koopwaar op te bergen. Elk jaar waren de jurken anders. Het ene jaar was de kleur groen favoriet, in allerlei nuances: chartreuze, bosgroen, mintgroen, smaragdgroen. Een ander jaar waren glittertjes in de mode geweest, met daaroverheen lagen tule zodat de jurken glinsterden als de schubben van droomvissen of de vleugels van libellen. In 1984 was de stof van de jurken schuin geknipt, met asymmetrische zomen die Wayne een ongemakkelijk gevoel hadden gegeven. Dit jaar keek hij, op een andere manier dan de andere jongens, naar wat Eunice aan de rekken hing toen ze de laatste kerstslingers en serpentines van de jaarwisseling had opgeruimd.

Hij wist wat hij zou aantrekken. Iedere jongen in Croydon Harbour die in de hoogste klas van de middelbare school zat, huurde een smoking bij Eunice. Het enige wat voor de jongens elk jaar anders was, was de kleur van de sjerp. Het jaar daarvoor waren ze purper geweest: een grote teleurstelling voor Brent Shiwacks oudere broer en al zijn vrienden. Echt een kleur voor een mietje. Dit jaar waren ze felrood en je kon ze in mat linnen met een zwarte streep krijgen, die waren het meest populair, of in satijn. Als je een hele jurk had in de kleur en de stof van de satijnen sjerpen, dacht Wayne, zou je een jurk hebben die de moeite waard was om over te praten.

Hij probeerde Eunice niet te laten merken dat hij de jurken aan de rekken een voor een bekeek om het exemplaar te zoeken dat hij in een perfecte wereld voor zichzelf zou uitkiezen. Als Eunice bij hem in de buurt kwam met haar lange stok, die aan het eind voorzien was van een spijker, om een tas of een reflecterend vest van de bovenste plank te halen, deed hij alsof hij naar spullen voor vliegvissen keek. Het ene moment keek hij naar gaas en kant en het volgende naar veren en glazen kralen. Sommige van die laatste zouden niet misstaan op de jurken.

Ergens in Midden-Amerika – het hart van het eindexamenfeestland waar meisjes op hun prins wachtten – had een revolutie plaatsgevonden. De jurken waren kort dit jaar en de meisjes voelden zich bedrogen.

'Korte jurken waren eigenlijk twee jaar geleden in de mode,' zei Donna Palliser op het schoolplein. 'Zo lang heeft het geduurd voordat ze hier in Labrador kwamen. Mijn moeder heeft het allernieuwste voor me besteld: een citroengele jurk uit Californië. Hij heeft precies de kleur van de citroenen die ten zuiden van San Francisco groeien, waar de ontwerpster een zomerhuis heeft. Hij sleept over de grond en je moet tien centimeter hoge hakken dragen om niet te struikelen. Korte jurken dateren uit 1983.'

Maar Wayne vond de korte jurken mooi en met name één exemplaar was qua lijn, stof en kleur zelfs een beetje ingetogen. Geen tule, lovertjes of kralen. De jurk was bruin en had een groen satijnen lintje in de zoom, dat alleen te zien was als je de zoom omsloeg. Het was een glanzend groene kleur, met iets van bruin. De jurk had een strak lijfje en verschilde ook van de andere jurken omdat het een mouwloos model was, zonder alle tierlantijnen bij de schouders die de snit van andere jurken bedierven. De bruine jurk met het in de zoom verborgen groen was elegant. De stof voelde koud aan en je kon hem verfrommelen in je hand, zo plooibaar was hij.

'Heb je belangstelling voor die jurk, Wayne?' vroeg Eunice tijdens zijn derde bezoek aan de winkel. 'Voor het meisje met wie je naar het feest gaat?'

'Misschien.'

Eunice schudde de jurk uit om de kreukels weg te krijgen die Wayne er liefdevol in had veroorzaakt. Ze legde haar stok neer en hing de jurk over haar arm. 'Het is een mooie jurk.'

'Inderdaad.'

'Hij doet een beetje denken aan de jaren twintig.'

De moedervlek van Eunice had de vorm van Afrika en hij was ongeveer even groot als Afrika op de wereldbol in de klas van meneer Ollerhead. Haar haren waren bruin en wit en op sommige plaatsen dun.

'Hebt u ooit zo'n jurk gedragen?'

'Zo oud ben ik nog niet, Wayne. Ik dacht aan mijn moeder. Zij moet een jurk als deze hebben gedragen als ze voordat ik werd geboren met mijn vader ging dansen. Alleen zou de hare niet van satijn zijn geweest, want daar had ze het geld niet voor. Hoe duur is deze?' Ze zocht naar het prijskaartje.

'Honderdnegenennegentig dollar en negenennegentig cent.'

'Dat is behoorlijk duur. Je vriendinnetje zou deze kunnen kopen voor maar honderdnegentien dollar.' Ze streek met haar hand over een roze jurk van kunststof met een kanten ceintuur. 'Maar die vind jij niet mooi, hè?'

'Dat klopt.'

'Tja, je krijgt waarvoor je betaalt. Met wie ga je naar het feest?'

'De persoon met wie ik erheen ga, is niet degene aan wie ik dacht. Voor de jurk.'

'O. Dus er is iemand anders die je graag zou willen meenemen.' Eunice hield de elegante jurk voor haar lichaam.

Wayne was blij dat er schaduwen in de winkel waren. Hij wilde dat het deel van hem dat Annabel was die jurk aanpaste. Hij wilde hem dolgraag mee naar huis nemen om haar erin te laten dansen, één avond maar.

'Je mag het hart van het meisje dat met je mee wil niet breken omwille van een meisje dat dat nooit zal doen.' Eunice keek hem aan alsof haar hele leven om die wijsheid draaide. 'Moet ik deze jurk apart hangen?'

Had Eunice gezien dat hij de jurk de andere keren dat hij hier was geweest verstopt had onder een winterjas aan het rek met uitverkoopjes?

'Zodat je tegen het meisje aan wie je denkt kunt zeggen dat zij hem eens moet gaan bekijken?'

'Niet echt.'

'Met wie ga je naar het feest? Ik hoop dat je het niet erg vindt dat ik dat vraag.'

'Gracie Watts.'

'Gracie Watts.' Eunice hield de jurk een eindje van zich af en staarde ernaar. 'Ik kan me Gracie Watts niet voorstellen in deze jurk.'

Wayne ook niet. Hij kon zich Gracie wel voorstellen in de roze jurk met het kant, of in het identieke mintgroene exemplaar.

'Om je de waarheid te zeggen...' Dat zei Eunice altijd. Om je de waarheid te zeggen worden die naamloze erwten in dezelfde fabriek gemaakt als Aylmer-erwten. Om je de waarheid te zeggen wordt verse melk binnen twee dagen zuur als die hier eindelijk is afgeleverd. Om je de waarheid te zeggen kunnen bosbessen uit Quebec twee keer zo groot zijn als de onze, maar ze smaken niet half zo lekker. Ze maakte haar zin nu af. 'Ik zie niemand uit jouw klas deze jurk dragen. Het meisje dat deze jurk aantrekt zou haar eigen... stijl moeten hebben, zal ik maar zeggen. Het moet iemand zijn die het niet erg vindt niet mee te gaan met de massa. Iemand die zelf elegant is. Een kunstenares, iemand die in toneelstukken speelt. Om deze jurk tot zijn recht te laten komen, moet ze opvallend zijn. Als Gracie Watts hem droeg, zou ze eruitzien als een champignon. Natuurlijk is het niet zo dat ik Gracie niet aardig vind. Om je de waarheid te zeggen is ze een verre achternicht van me. Ze zal het goed doen op de verpleegstersopleiding. Jammer dat haar vader alcoholist is. Weet je wie deze jurk goed zou staan? Wally Michelin. Die zou er direct een succes van maken. Maar om je de waarheid te zeggen heeft ze al een jurk gereserveerd.' Eunice maakte de kast achter haar toonbank open en haalde er een arm vol rode satijn uit, die net als de sjerpen glansde in de schaduwen in de winkel.

Wayne was niet voorbereid geweest op de transformatie die de meisjes voor het eindexamenfeest hadden ondergaan. Natuurlijk hadden zij zich erop voorbereid, ze waren maandenlang in de weer geweest met zelfbruinende crème en hadden geëxperimenteerd met krultangen, met rijnsteentjes bezette haarkammetjes en gipskruid. Het in de gymnastiekzaal geserveerde diner bestond uit kippenborst, aardappelpuree en sperziebonen en werd gevolgd door de afscheidsrede die Donna Palliser uitsprak. Daarna werden de lichten gedimd en rommelde Rodney Montague een halfuur met zijn discoapparatuur voordat Joe Cocker en Jennifer Warnes de luidsprekers uit knalden met het lied waaraan Donna Palliser het thema voor dit eindexamenfeest had ontleend. Donna en haar feestcommissie hadden overal in de gymzaal spandoeken opgehangen waarop stond: DE EINDEXAMENKLAS VAN 85: WHERE EAGLES FLY.

Gracie nam hem mee naar de dansvloer. Ze duwde zijn armen op de plekken waar ze die om haar heen wilde hebben, schoof een van haar handen onder zijn jasje en stopte iets gekoelds in zijn binnenzak met een etiket waarop TURINA SUPERIOR MENSWEAR MADE IN ROMANIA stond. Hij wist dat het de flacon met cognac was die ze beloofd had mee te zullen nemen. Het verbaasde hem hoe flodderig haar jurk aanvoelde, hoe ruw de stiksteken waren, als de naden in de meelzakken die zijn vader kocht om mee te nemen langs de vallen. Haar lichaam zat als meel in de stof geperst: solide. Maar haar middel was slank. Zijn eigen handen voelden groot terwijl hij haar vasthield. Nadat Gracie de flacon in zijn binnenzak had gestopt schoof ze haar hand verder onder zijn jasje en verwarmde zijn nieren. Hij voelde haar lichaam tegen zijn kruis drukken. Omdat haar jurk uit een paar lagen stof bestond, kon niemand zien hoe dicht ze tegen elkaar aan dansten. Hij voelde haar warmte en hij raakte opgewonden, wat hem verbaasde omdat hij bij Gracie eigenlijk nooit aan seks dacht. Hij was met haar meegegaan omdat ze hem had gevraagd. Iedereen ging naar het feest en Gracie had hem op de gang zakelijk verzocht haar te vergezellen, met haar gezicht keurig in de plooi voor het geval hij nee zou zeggen. Kon je opgewonden raken door een meisje alleen aan te raken, ook als je niets bijzonders voor haar voelde? Dat zat hem dwars, maar feit bleef dat hij warm en opgewonden was en hij piekerde er niet over afstand tussen hun lichamen te scheppen. Hij kon haar parfum ruiken. De hele gymnastiekzaal was doortrokken van een misselijkmakende geur, zoals die van de lelies die waren meegenomen door de familie van de jongen die naast hem had gelegen toen hij een nacht in het ziekenhuis had doorgebracht. Gracie drukte haar andere hand tegen zijn borstkas en speelde met de bloemen van zijn corsage. Zijn hart sloeg onder die bloemen en ze legde er haar hand op. Ze wist precies waar ze hem moest aanraken. Die hand op zijn hart maakte hem bijna aan het huilen. Hij had niet geweten hoe intens zijn hart had gewacht tot iemand het fysiek aanraakte, met een hand die zo sterk was als die van Gracie. Het was alsof iemand haar een boekje had gegeven met aanwijzingen over hoe je een jongen moest laten smelten. Hij had zich zorgen gemaakt over deze avond: wat hij moest doen, hoe hij moest dansen. Met Gracie hoefde hij zich alleen maar op een natuurlijke manier op de muziek te bewegen, en zij loste de problemen op van hoe je elkaar moest vasthouden en waarover je moest praten.

'Het is *cry*,' zei ze nu. Ze hief haar gezicht op, zodat haar wang langs zijn hals streek.

'*Cry*?'

'*Where eagles cry*. Niet *fly*. Dat valt kennelijk niemand op. De feestcommissie vond de echte woorden te triest voor het thema, dus hebben ze die veranderd. Donna heeft in haar toespraak de helft van het liedje overgenomen.'

'Echt waar?'

'De weg is lang, er zijn bergen onderweg, maar we komen elke dag hoger. Bla-bla-bla. Is je dat niet opgevallen?' Gracie zei het alsof een beetje stom zijn een aantrekkelijke kant van Wayne was. Ze streelde over zijn kaak en hij voelde de plek tussen zijn testikel en zijn anus zich spannen en ontspannen. Hij herinnerde zich dat ze hem in de zevende klas, tijdens dat spelletje met de fles, had verteld dat ze vanaf haar vierde jaar met heel veel jongens had gezoend. De puntjes op haar bovenlip waren nog altijd scherp en er zaten ook nog sproetjes tussen: sterren achter de bergen.

'Je hebt aftershave opgedaan.' Ze snoof even, hongerig. 'Laten we naar buiten gaan en de cognac opdrinken achter de school.'

Ouders en een paar leraren hadden zich vrijwillig als chaperonne aangeboden, maar ze waren nog niet in actie gekomen. Ze praatten nog met elkaar, aten een lekker hapje en zetten ballonnen weer vast die aan het plakband waren ontsnapt. Sommige mannelijke leraren dansten met de brutalere meisjes die lid waren van het volleybalteam of van de feestcommissie en die de leraren al maanden met dit feest hadden geplaagd.

'Hoe heeft ze haar haar zo gekregen?' vroeg Wayne toen Donna Palliser langs hen draaide in de armen van meneer Ollerhead, die geflatteerd en lichtelijk verdwaasd keek. Er zaten nieuwe platinablonde krullen in, die uitstaken boven glanzend strak gekamde haren die als het vel van een zeehond om haar hoofd lagen. 'Hoe blijven die krullen op hun plaats en wat maakt ze zo dik?'

'Het is een haarstukje. Ze heeft het laten doen bij Details and Designs in Goose Bay. Vannacht heeft ze ermee moeten slapen.'

'Hoe doe je dat?'

'Met twee kussens en een lege bleekwaterfles. Daarmee moet je een soort mal maken en je kunt je de hele nacht niet bewegen.'

Wayne keek naar de krullen van Gracie, die ook boven op haar hoofd lagen, maar zonder mal, haarlak of Sun-Inspray.

'Vind je haar haar mooier?'

'Het ziet er nogal kunstmatig uit.'

'Maar vind je het mooi?'

Wayne bewonderde het omdat het veel fraaier was dan wat alle andere meisjes hadden geprobeerd te realiseren, maar die bewondering ging niet gepaard met affectie, begeerte of verlangen. 'Het ziet er een beetje uit als iets uit een jaren-vijftig-film.'

'Ze zou het prachtig vinden om dat te horen. Aan welke film denk je? Met Elvis, Gidget, de Beach Boys of zo?'

Wally Michelin was in haar satijnen jurk de gymzaal in gelopen met Tim McPhail. Wayne zag nu dat die jurk langer was dan de korte jurken, maar korter dan die van Donna Palliser. De jurk van Wally reikte tot even onder haar knieën en op een mouwloze schouder had ze een witte roos vastgezet. Tim McPhail had zijn smoking niet bij Eunice gehuurd, zag Wayne direct. Zijn smoking was voorzien van smalle satijnen revers en zijn sjerp was even wit als de roos van Wally.

'O.' Grace zag tot haar verdriet dat Wayne zijn ogen niet kon afhouden van het stel dat leek te zweven terwijl ze nog niet eens dansten. Het nummer van Joe Cocker was ten einde en Rodney Montague ging over op Kenny Loggins en Stevie Wonder. Gracie danste halfhartig en zei toen tegen Wayne dat ze naar de wc moest. Toen ze terugkwam, zag ze er strijdlustiger uit. Samen met Wayne liep ze via de nooduitgang naar buiten. De deur bleef openstaan omdat er een stoel tegenaan was gezet. Midden tussen de distels nam ze een slok cognac en gaf de flacon aan hem. Wat draaide Rodney nu? Zware bastonen en een jammerende stem. Bowie. Wayne ging tussen de distels zitten. Hier was de lucht fris en waren de sterren bekend maar wel ver weg.

'Wat is er eigenlijk zo interessant aan Wally Michelin? Ze

doet haar mond nooit open. Ben je nog van plan je jasje voor mij op de grond te leggen?'

'Mijn jasje?'

'Zodat ik ook kan zitten. Waarom wil je haar?'

Hij trok zijn jasje uit en zij zorgde ervoor dat haar jurk op de voering van dat jasje rustte en niet op de grond. Hij leunde met zijn rug tegen de muur. Hij had niet beseft hoe ruw stenen waren. Elke keer wanneer hij de flacon omhoogbracht, bleef zijn overhemd eraan vasthaken. Wat hij wilde was voor eeuwig en altijd met Wally praten, maar dat zei hij niet tegen Gracie.

'Ik wil haar niet.'

'Je zag er anders uit alsof je dat wel wilde. Je leek wel een kleine hond die naar haar toe wilde rennen om op haar schoot te zitten en haar hand te likken.'

'Dat wilde ik helemaal niet.'

'Wil je met haar slijpen?'

Misschien zou dat iets zijn. Niet het voelen van Wally Michelins lichaamswarmte zoals hij die van Gracie had gevoeld. Dat niet. Maar als hij langzaam met Wally Michelin kon dansen, zou dat de stilte doorbreken. Nu hij met Gracie had gedanst wist hij dat je alles kon zeggen wat je wilde als je zo dicht bij elkaar was. De normale terughoudendheid waardoor je dingen privé hield, was gedurende de paar minuten dat een nummer duurde verdwenen. Daarvoor zorgden de muziek, het halfduister en elkaars nabijheid. Kon hij maar één dans zo dicht in de buurt van Wally Michelin komen. Daar ging het bij het dansen om, begreep hij nu. Dan kon je samen je eigen wereld in gaan en van die wereld kon je maken wat je wilde. Je kon zo ver mogelijk hiervandaan gaan, terwijl de andere aanwezigen zouden denken dat je hier nog was. Ze zouden geen idee hebben dat je ervandoor was gegaan.

Hij kon de Black River nu horen, dichterbij dan de geluiden van Bowie of Billy Ocean of Joan Jett en de Blackhearts. De Black River stroomde langs de achterkant van de school en langs de voet van de Mealy Mountains. Hij stroomde kilometers tussen berken en sparren door en bleef voortdurend smal. Hij had vaak een blad in de Black River zien drijven zonder de spanning van het wateroppervlak te breken, en in gedachten was hij dan meegegaan tot het blad uit zijn gezicht was verdwenen. Nu bewoog het verlokkelijke geluid van de rivier zich hiervandaan, alsof het net begonnen was aan een langzame, intieme reis zonder einde. Zo zou het ook zijn om met Wally Michelin te dansen, maar jammer genoeg wel korter. Een gevoel van mysterie, van voortgaan met meer dan alleen je lichaam. Ondergrondse stromen die je geest voedsel gaven. Je zou vragen stellen en samen verloren raken.

'Wat hoop je van haar te krijgen dat je van mij niet kunt krijgen?'

'Dat weet ik niet.'

'Je moet iets weten, want anders zou je het niet denken. Ik kan voelen dat je het denkt.' Ze maakte de bovenste knoopjes van zijn overhemd los en drukte haar hand op die plek bij zijn hart die alles rustiger maakte. Wat raar dat haar hand die plek precies wist te vinden. Ze gaf hem nog meer cognac. Hij nam een grote slok en de warmte ervan stroomde naar de plek onder haar hand, waardoor hij van binnen en van buiten werd verwarmd.

Hij probeerde het uit te leggen. 'Herinner je je het laatste gedicht dat we tijdens de Engelse les hebben behandeld?'

'Dat gedicht waarvan niemand wist wat het betekende?'

'Van John Donne.' Brent Shiwack had klaaglijk opgemerkt dat het woord *sublunary* niet eens in het woordenboek stond. Maar het stond er wel degelijk in. Wayne had het opgezocht. '*Dull, sublunary lovers' love, whose soul is sense...*'

'Wayne?'

'Ja?'

'Maar dat zijn alleen maar woorden, hè?'

'Ja.'

'Van een man die dood is. Voel je mijn hand niet?'

'Jawel.'

'Voel je dit ook?' Ze raakte zijn kaak aan en zijn heupbeen. Ze raakte hem niet meteen in zijn kern, maar koos plekjes uit waarvan ze wist dat die zijn kern wakker zouden schudden. Hij stribbelde tegen en ze zei: 'Ik wil heus niet tot het uiterste gaan, hoor. Voor het geval je je daar zorgen over maakt. Zo stom ben ik niet.'

Het was juni en er lag nog sneeuw op de Mealy Mountains. De wind blies over de sneeuw voordat hij naar beneden kwam en Wayne had een dun overhemd aan. De alcohol liet hem ook niet onberoerd. Hier zat hij echt niet op te wachten. De kou, de distels... Hij begon te klappertanden.

'Ik moet naar de wc.'

'Hier.' Ze viste iets uit haar jurk en hij was doodsbang dat het een condoom zou zijn, maar het was een pakje Sen-Senademverfrissers. 'Zorg dat meneer Ollerhead je adem niet ruikt. Ik moet ook even naar de wc.'

Wayne hoefde niet te plassen. Hij zag Tim McPhail, die een Sprite en een Pepsi kocht. Hij controleerde of zijn knoopjes weer dicht waren en stopte een Sen-Sen onder zijn tong voordat hij Wally Michelin ten dans ging vragen. Het was geen langzame dans. Cyndi Lauper zong 'Girls Just Wanna Have Fun'. Daardoor werd het moment dat hij had willen creëren helemaal niet gecreëerd, en hij voelde zich stom. Hij besefte dat Wally wist dat hij dronken was. De muziek was luid en in plaats van te zeggen dat ze met hem wilde dansen, leunde Wally tegen de muur en zei iets wat hij niet kon verstaan. Dus schreeuwde hij.

'Het is oké als je niet met me wilt dansen,' schreeuwde hij. 'Ik wilde je alleen even gedag zeggen.' Ze deed haar mond weer open maar hij kon haar met geen mogelijkheid verstaan en het bracht hem een afschuwelijke zomermiddag in herinnering, in de maand juli nadat ze haar stem had verloren.

Wayne was tot voorbij de appelboom gelopen die achter de schuur van Treadway in bloei stond om in het lange gras *My Darling, My Hamburger* te lezen. Maar de appelbloesems hadden hem ertoe verlokt onder die boom te gaan liggen. Hij lag met het boek op zijn borst en luisterde naar de bijen, naar het geritsel van kevers in het gras, naar het roodborstje dat een nest had gebouwd in het kapotte raam van de schuur en naar de zangvogels overal in het dorp. Als je eenmaal een bepaald geluid hoorde, vestigde dat je aandacht op andere geluiden die werden gemaakt. Meeuwen in de verte, die gewoonlijk hard klonken, krijsten die dag – een zaterdag – minder luid. Net zoals alles aan meeuwen op een stralende dag zachter wordt. De meeuw die op een novemberdag met natte sneeuw uitgehongerd krijst, wordt in de zon een andere vogel: wit en goudkleurig – wiekend in glijvluchten tot op ongelooflijke hoogte – en transparant, met zonlicht dat door de vleugels heen schijnt. En ineens had Wayne daar onder die boom een ander geluid gehoord: iets dat gewond was geraakt, een gewond of razend geworden dier. Het gezang van een heremietlijster zweefde over de boomtoppen heen en toen hoorde hij weer dat rauwe – bijna menselijke – geluid. Wayne liet zijn boek onder de boom liggen en liep behoedzaam en geruisloos naar de plek waar dat geluid vandaan kwam. Daar stond Wally Michelin, in haar eentje, en produceerde met open mond dat afschuwelijke geluid, dat zodra het over haar lippen was gekomen naar de grond zakte. Ze zingt, had Wayne beseft. Ze probeert zich Fauré te herinneren. Hij had gebloosd van schaamte, was weggelopen en vergat zijn boek. Het was een bibliotheekboek dat de volgende dag zou natregenen, waardoor hij acht dollar zou moeten betalen omdat de bibliothecaresse een nieuw exemplaar moest bestellen. Hij liep weg en hoopte dat Wally hem niet had gezien. Wally had met haar rug naar hem toe gestaan, maar met haar wist je het nooit.

Nu zei hij iets onnozels tegen haar. Hij wilde haar gewoon gedag zeggen? Stom. Dat wilde hij helemaal niet. Hij wilde haar vragen of ze hem die dag had gezien. Hij wilde haar stem weer horen, ook al kon ze niet meer zingen. Hij wilde haar horen praten, alleen tegen hém. Ook al zou ze niet meer dan 'hallo' kunnen zeggen. Maar misschien zou dat 'hallo' de sleutel naar hun wereld van vroeger zijn. Sleutels waren kleiner dan de dingen die ermee werden geopend en sommige sleutels zagen er niet uit als sleutels. Om zijn schuurdeur af te sluiten had Treadway een steen die aan een touwtje achter een smal gat in de planken hing. Als je een stok door dat gat stak en die omlaag bracht, trok de steen de grendel los. Welke steen zou Wayne nu aan Wally Michelin kunnen geven? Tim McPhail baande zich een weg door de menigte heen, balancerend met de Sprite voor Wally en de Pepsi voor hemzelf, en het lukte hem zijn ellebogen onhandig en tegelijkertijd galant uit te steken. Ineens kwam Wayne op het krankzinnige idee om Wally Michelin zijn sjerp te geven. Hij maakte de haakjes op zijn rug los, verfrommelde de stof tot een satijnen roos en stopte die in haar hand.

19

Uitzetkist

'HOE KAN HET DAT EEN ANSICHTKAART er vijf maanden over doet om hier te komen?' vroeg Wayne aan zijn moeder.

'Ze zijn zo klein dat het op zich al een wonder is dat ze hier komen, zeker van overzee.'

De brug op de kaart van Thomasina uit Boekarest was maar een halve brug. Hij begon midden in een veld en eindigde midden in de lucht. Hij was niet mooi en hij had niet kunnen worden voltooid omdat er niet genoeg geld was, of de ingenieurs hadden geen rekening gehouden met het feit dat hij door zijn hoogte in conflict zou komen met de elektriciteitspalen aan de andere kant, of het was een combinatie van beide. En daar kwamen dan nog de andere factoren bij die de stad zo'n mengelmoes maakten van grandeur en chaos.

Thomasina kon best begrijpen dat iemand aan reizen over de hele wereld verslaafd kon raken. Je begon op een nieuwe plek en dan was de hele stad, zoals Boekarest in dit geval, een soort spirituele openbaring. De mensen waren mooi. Het deed er niet meer toe dat je in Parijs zo eenzaam was geweest dat je in de parken tegen de bomen was gaan praten. Je was nu weg uit Parijs, waar het rook naar Gitanes en viooltjes, en je was in

Boekarest. ‘Ik heb nog nooit in mijn leven zoveel interessante schoenen gezien,’ schreef ze aan Wayne. ‘Mensen die van hot naar her rennen.’

Na Parijs, waar elke straathoek en elk balkon aan bepaalde eisen moesten voldoen, voelde Boekarest wild aan en vol willekeur.

‘Ik vind de lelijke delen mooi,’ schreef Thomasina. ‘De oude uit betonblokken opgetrokken gebouwen, het lawaai en het stof, en hele stukken afgebroken in verband met reparaties. Dat vind ik even mooi als de grootste boulevard met zijn straatkeien en heel oude, grootse rijtjeshuizen.’

Op de stoep had een stapel boeken gestaan waarover ze was gestruikeld toen ze naar de gebeeldhouwde lateien keek.

‘Ik vond het geweldig,’ schreef ze. ‘Een soort boekenmarkt. Natuurlijk besefte ik dat ik geen van die boeken kon lezen. De rijen boeken begonnen bij de deur, gingen door over de trap, dwars door de kleine tuin, tuimelden het hek uit en verspreidden zich op de stoep. Het leek alsof iemand ’s morgens de deur had opengemaakt, waarop de boeken zelfstandig naar buiten waren gemarcheerd en zich op een comfortabel plekje hadden laten neerploffen. Net toen ik ze wilde gaan bekijken zag ik een magere man die geleund tegen het hek een sigaret zat te roken. Hij werd niet alleen omgeven door boeken, hij ging ook helemaal op in een boek. Hij was nauwelijks van de boeken te onderscheiden. Ik had bijna op hem getrapt. Ik moest hardop lachen, maar hij verroerde geen vin. In gedachten zag ik hem al tegen het invallen van de schemering opstaan, de trap oplopen en zeggen: “Tijd om naar binnen te gaan.” Waarna de boeken slaperig achter hem aan zouden gaan om een dutje te doen... om de volgende morgen weer vrolijk de deur uit te buitelen zodat het feest opnieuw kon beginnen.’

Thomasina kon vier maanden op een nieuwe plek blijven en de euforie voelen die je ervaart wanneer je straten verkent die je nooit eerder hebt gezien, een nieuwe taal hoort en nieuwe gerechten eet. Op een gegeven moment zou ook de glans van de bezienswaardigheden van Boekarest verdwijnen. Als dat gebeurde, zou ze Wayne geen tweede ansichtkaart sturen. Ze zou

Wayne niet vertellen dat het in Boekarest wemelde van mensen die net zulke kleren droegen als je kon kopen in het Avalon Winkelcentrum in St. John's, noch dat er dezelfde fastfoodketens waren, met net zulke zeemeeuwen die op de parkeerterreinen frietjes verorberden. Ze zou niet schrijven over de te dikke mensen, de armoede, de schade die de zon aan de huid van mensen toebracht: al die gigantische moedervlekken. Als Thomasina genoeg kreeg van een bepaalde plek, als ze alle oppervlakkige schoonheid in zich had opgenomen, pakte ze haar kleine koffer en stapte in een trein om ergens anders naartoe te gaan. Er waren momenten waarop ze ernaar verlangde iets eenvoudigs met haar handen te doen, dingen die iemand die op deze aarde een huis had zou doen, ook als de blinde echtgenoot en de roodharige dochter Annabel van die persoon lang geleden waren verdronken. Iets eenvoudigs als meel en ijskoud water met een houten lepel in een kom mengen om het deeg vervolgens uit te rollen en met appelschijfjes te vullen.

Wayne wenste dat hij Thomasina terug kon schrijven. Hij wenste dat ze een adres op de ansichtkaarten zou schrijven en dat die er niet zo lang over zouden doen om hem te bereiken. De kaart uit Boekarest was in april verstuurd, en nu was het september. Wat had het voor zin iemand te vriend te hebben – hoeveel de persoon in kwestie ook om je gaf – als die persoon onbereikbaar was? De mensen die hem na stonden, kon hij geen van allen bereiken. Zijn vader was steeds vaker in de wildernis. Zijn moeder zat uren achtereen in de keuken te haken of helemaal niets te doen. Wally Michelin, de enige persoon voor wie hij alle andere vrienden zou hebben opgegeven, was verder van hem verwijderd dan ooit. Haar ouders hadden haar naar haar nichtje in Boston gestuurd, waar ze in de winkel van haar tante werkte. In die tijd gingen veel mensen naar Boston. Het was een stad die opwinding uitstraalde. Als je daarheen ging, was je in Amerika, maar het was een elegant en rustig deel van Amerika. Het was dus een plek om een nieuw begin te maken, maar toch heel anders dan het Wilde Westen. Als je naar Boston ging, wisten de mensen thuis in St. Anthony of Croydon Harbour dat je serieus aan je toekomst dacht.

Jonge mensen – vooral de jonge mannen – waren Croydon Harbour ontvallen als bladeren van de berken rond de baai nu zich andere mogelijkheden voordeden naast vallen uitzetten en jagen. Veel jongens gingen naar de militaire academie in New Brunswick, daarheen gelokt door de goed uitziende soldaten op de Amerikaanse basis in Goose Bay. Tim McPhail, de jongen met wie Wally Michelin naar het eindexamenfeest was geweest, ging naar St. Franciscus Xavier om ingenieur te worden. In het jaarboek stond dat hij altijd dol was geweest op natuurkunde, maar iedere jongen wist dat je op iets praktisch moest kunnen terugvallen, zij het niet op jagen of het uitzetten van vallen. De oude manieren om in je levensonderhoud te voorzien waren goed genoeg geweest voor de vaders en grootvaders, die vonden dat die je een soort vrijheid gaven en die niet begrepen waarom een zoon werkkleding wilde dragen die je in een warenhuis in Goose Bay moest kopen in plaats van jassen en laarzen van zeehondenbont of het vel van een kariboe. Treadway was niet de enige vader die de nieuwe zonen van Labrador niet begreep, maar hij was wel de enige die er tegenover de andere mannen niet over klaagde. Als hij het betreurde, deed hij dat in zijn eentje, langs zijn vallenroute, of hij sprak erover met de wilde dieren daar. De enige echte vriendin die Wayne in Croydon Harbour had was Gracie Watts, en over die vriendschap maakte hij zich zorgen.

De vader van Gracie had een kwaaie dronk en zijn wreedheid werd alleen geëvenaard door zijn lafheid en zelfverachting als hij niet dronken was. De moeder van Gracie hield hun huis onberispelijk schoon. Er stonden bijna geen meubels in, omdat Geoffrey Watts alles kapotmaakte wat poten of klossen had. Als je naar de moeder van Gracie keek, kreeg je het idee dat ze vroom en sterk was. Je zou haast denken dat ze had besloten het leven als een sobere vrouw te benaderen en had gekozen voor een vreugdeloos bestaan. Ze zag er vroom uit, maar ze was eerder uitgehold dan godsdienstig: alle vreugde was haar door het huwelijk ontnomen. Gracie had dat zien gebeuren en was van plan het huis uit te gaan. Ze had Wayne gevraagd een uitzetkist voor haar te maken en dat had hij gedaan. Hij ging vaak naar haar huis toe als haar vader op de slaapbank in de kamer achter de keuken zijn roes uitsliep en haar moeder de deur van de kleine kamer die ze als naaikamer gebruikte achter zich had dichtgetrokken. Op die momenten was het in hun huis zo stil dat je zou denken dat de heer en mevrouw Watts schaduwen waren.

Wayne maakte zich zorgen over die uitzetkist. In Croydon Harbour waren jonge mensen, mensen die even oud waren als Gracie en hij, die eerder naar elkaar toe leken te drijven als gevolg van een soort getijdenpoel dan door verlangen of een bewust genomen beslissing. Dan gingen ze samen een paar keer dansen en voordat je het wist was een van de vaders al bezig om achter op het terrein van het gezin ruimte vrij te maken voor een nieuwe bungalow. En opnieuw voordat je het wist, werd door de mannen van Croydon Harbour begonnen met de bouw van een bungalow, was het meisje zwanger en zat het nieuwe gezinnetje in hun splinternieuwe bungalow.

Nu zette Gracie in de postordercatalogus een kringetje om het bestelnummer van een Panasonic tosti-ijzer dat $16,99 kostte. 'Hier staat dat hij ribbeltjes in het brood drukt en daarmee het oppervlak vergroot, waardoor een boterham in de helft van de normale tijd is geroosterd.'

'Ik wil niet net zo worden als Archie Broomfield en Carol Rich,' zei Wayne. Hij zat te kijken naar de onderkant van motten die op de buitenkant van het raam waren neergestreken. Ze zagen er gepantserd en boosaardig uit. De vleugels leken delicaat, maar het mechanisme dat de vleugels voedde en in beweging bracht, was lelijk.

Wayne had de uitzetkist van Gracie met zwaluwstaarten in elkaar gezet en de bodem van cederhout gemaakt om de motten weg te houden bij de kussenslopen en een tafellaken dat haar moeder met satijngaren had omgezoomd. De uitzetkist was klein, net als de dingen die erin zaten, maar hij was bang dat ze een soort macht hadden waarvoor hij op zijn hoede moest zijn. Hij wist dat Gracie bestek kocht uit de catalogus van Eaton, één couvert per keer, en dat het ontwerp Sambonet heette.

Er waren momenten waarop Gracie begeerte bij hem opriep, net als toen ze hem tijdens het eindexamenfeest bijna had laten smelten door hem aan te raken en hij haar had willen beschermen. De meest recente pillen die dokter Lioukras had voorgeschreven hadden een cumulatief effect. Na verloop van tijd was zijn spiermassa erdoor vergroot, zodat hij er tegenwoordig net zo uitzag als iedere andere zoon in Croydon Harbour. Zijn stem klonk als die van een jongeman en hij was sterker dan een meisje. Uiterlijk oogden hij en Gracie als een stelletje.

Omdat Gracie meer dan iets anders een thuis wilde hebben, kwam ze naar zijn huis toe als hij niet hoefde te werken. Ze ging met hem wandelen en ze kuste hem tussen de struiken. Ze had al veel jongens gezoend en ze geloofde dat de zoenen van Wayne die van een normale jongeman waren. Er was niets dat op het tegendeel wees, maar ze voelde toch wel aan dat hij gereserveerd was.

'Wil je niet met me vrijen?'

'Jawel.' Dat was ook zo. Als Gracie vlak bij bij hem was en hij haar parfum – Evening in Paris – rook, voelde hoe zacht de huid aan de binnenkant van haar polsen was en ze hem op die hongerige manier van haar aanraakte, ja dan wel. Maar als hij alleen op zijn kamer zat en nadacht over zijn leven en welke kant hij op wilde, wist hij dat hij niet van Gracie hield. Ze zette hem niet in vuur en vlam, ook al reageerde zijn lichaam op het feit dat ze naar hem hunkerde. Maar twee jonge mensen kunnen lang bij elkaar blijven als het verlangen van een van beiden maar groot genoeg was. Dat kon een leven lang duren en daarover maakte hij zich zorgen.

'Ik wil ook niet op Carol Rich en Archie Broomfield lijken,' zei Gracie. 'Om te beginnen wil ik niet zwanger worden. En ik ga zelf geld verdienen. Ik ga de paramedische opleiding in Goose Bay volgen en iets nuttigs doen. Ik ga honderdvijftig kilometer per uur in een ambulance rijden, mensen op brancards vervoeren en bloedtransfusies geven. Zo krijg ik mijn eigen baan, ga ik zelf verdienen en kan ik zelf een bankrekening openen.'

Zei ze dat om te voorkomen dat hij zou gaan denken dat hij genoeg geld voor hen beiden moest verdienen? Zijn klasgenoten hadden voor een normaal carrièrepad gekozen, terwijl hij kabeljauwtongen, kabeljauwfilet en pakjes met de garnalen van Roland Shiwack bleef verkopen. Verder bleef hij werken als gids en hakte hij hout voor de vrouwen van mannen die naar hun vallen waren en zoons die waren vertrokken om ergens anders te gaan werken. Hij wist dat hij daardoor min of meer van de hand in de tand leefde, maar hij had geen idee wat hij anders kon doen. Hoe kwam het dat zijn klasgenoten zo zeker wisten wat ze na de middelbare school wilden doen? Hij had het gevoel dat de wereld tegelijkertijd groot en klein was. Je had Croydon Harbour, met alles wat hij kende, en je had een wereld buiten Croydon Harbour waarvan hij niets wist. Hoe kwam je daarachter?

'Ik wist niet dat Carol Rich zwanger was.'

'Nou, dat is wel zo. Al vijf maanden. Daarom hebben haar vader en zijn broers het huis voor haar en Archie al voor de helft af. Het moet klaar zijn als de baby in januari wordt geboren. Waarvoor dacht jij dat ze dat huis bouwden?'

'Weet ik veel.'

'Ik denk niet dat Carol per ongeluk zwanger is geraakt. En denk alsjeblieft niet dat ik dat ook wil. Ik heb al tegen je gezegd dat ik zelf geld ga verdienen. Ik ben niet van plan om voor mijn vijfentwintigste zwanger te worden. Dat duurt dus nog minstens zes jaar.'

Hoe was ze dan van plan die zes jaren door te brengen, vroeg Wayne zich af. Het was hem opgevallen dat ze het deksel van haar uitzetkist altijd open liet staan. Onwillekeurig moest hij daarbij altijd denken aan een geopende, hongerige mond. Zijn lichaam reageerde op haar aanrakingen, maar haar geestelijke honger joeg hem angst aan en hij wist niet hoe hij daaraan kon ontsnappen. Eigenlijk voelde hij elke keer medelijden als hij naar Gracie keek. Gracie met haar stellige beweringen dat ze bloed zou stelpen en traumaslachtoffers in haar ambulance zou verbinden. Ze zou een zendertje hebben, zei ze, waarmee ze 's avonds en 's nachts opgeroepen werd voor noodgevallen:

verwondingen, hartinfarcten, vergiftigingsgevallen. Ze had hem verteld dat ze dat prachtig zou vinden. Ze zou het geweldig vinden zich bezig te houden met slachtofferhulp, het ter plaatse dichtbranden van wonden en het toedienen van zuurstof. Ze wilde in panieksituaties en tijdens crises de persoon zijn die het heft in handen had, de steun en toeverlaat van andere mensen, iemand die levens redde. Dat zou haar werk zijn en daarna zou ze naar huis gaan, waar het vredig en stil was. Dat idee van vrede en stilte zat Wayne dwars. Die angst voor huiselijke stagnatie deed hem meer op zijn vader lijken dan hij besefte.

Nu keek hij toe terwijl Gracie bladzijde zeventien opsloeg en elektrisch mes nummer A00C94 onderstreepte. Waarom moesten motten zo walgelijk zijn? De duisternis rond hun oranje lijven drukte tegen het raam. Gracie bladerde langzaam verder en onderstreepte een strijkijzer en een kleine stofzuiger met een opvangbak die je los en weer vast kon klikken.

'Weet je wat ik leuk vind? Dat je voor dit model geen stofzuigerzakken nodig hebt. Die haat ik. Je kunt nooit de juiste zakken vinden. Mijn moeder is al vijftien jaar op zoek naar zakken maat vier voor een Electrolux en ze heeft ze nog altijd niet gevonden. Dat zal mij echt niet gebeuren.'

20

Moerassneeuwhoen

De ansichtkaart van Thomasina uit Londen had er slechts twee weken over gedaan.

'Ik denk dat iedereen een punt bereikt,' schreef ze, 'dat je voeten geen stap meer willen verzetten. Ze hebben genoeg van hun eenzame tocht. Ik moest zelfs een paar inleghieltjes gaan kopen. En van alle plaatsen waar ik ben geweest zou ik het liefst in Londen willen gaan wonen, Wayne. Maar alles is hier wel erg duur. Als je op een bank in Kensington Gardens gaat zitten komt een man in uniform je om tien cent vragen. Ongelooflijk. Je moet betalen om in het park te mogen zitten. Het ziet ernaar uit dat ik wat meer geld moet verdienen als ik wil voorkomen dat ik net als George Orwell op thee, brood en margarine moet leven. Ik mag als invaller aan de slag op Goose High. Op zestien september kom ik in Goose Bay aan en Nelson Meese is al op zoek naar een appartement dat ik daar voor de winter kan huren. Heeft je vader de brief gekregen die ik hem vanuit Boekarest heb gestuurd? Toen ik die naar het postkantoor bracht, werd hij door de dame daar in een container gegooid die uit de middeleeuwen leek te dateren.'

Het was al dertien september. De telefoongids van Labrador

was vijftien bij twintig centimeter en inclusief de Gouden Gids ruim een centimeter dik. Wayne besloot Nelson Meese junior te bellen, maar hij had de andere Nelson Meese moeten bellen.

'Dat doet mijn vader, maar ik weet waar het over gaat,' zei Nelson Meese junior. 'Hij heeft haar donderdag opgehaald en ze heeft haar intrek genomen in een van de appartementen van Daniel Lavallee aan Michelin Street.'

Wayne stapte in de pick-up van zijn vader. Hij werd geacht visuitrustingen in te pakken voor drie parlementsleden die in Rigolet wilden gaan vissen. Ze vonden ter plaatse gerookt vlees lekker en ze kwamen liever niet zonder alcohol te zitten. Hij moest naar Roland Shiwack toe om kariboeworst te kopen, maar hij moest ook naar Goose Bay om rum in te slaan. Hij zou eerst een bezoekje brengen aan Thomasina en dan de rum gaan kopen.

Maar ze was niet in haar appartement. Hij stond in het trapportaal van het vier appartementen tellende gebouw en keek naar het kleine parkeerterrein, waar snoeppapiertjes en lege chipszakken tegen het hek waaiden tussen Goose High en de hoofdweg. Op de andere drie deuren zaten naamplaatjes. Hij klopte overal aan, maar niemand deed open. Het gebouw voelde doods aan en hij was teleurgesteld. Hij ging naar de drankwinkel en kocht een kist El Dorado voor de parlementsleden. Het was drie uur. Hij besloot naar de school te gaan en op het parkeerterrein te wachten. Om tien over drie kwamen de leerlingen naar buiten. Hij voelde zich veel ouder, ook al had hij een jaar geleden nog op school gezeten. Hij wachtte tot ze in de schoolbussen waren gestapt en bleef de deur in de gaten houden. Maar misschien zou ze via een andere deur naar buiten komen. Hij zette de motor van de pick-up uit en liep de school in. Het kantoor was aan het begin van de gang, bij de muur met de hockey- en basketbalbekers, en hij liep naar binnen.

'Geeft Thomasina Baikie hier vandaag les?'

'Wie?' zei de secretaresse. Maar een man, een jonge docent, had haar gezien.

'Ze was hier gisteren. Ze valt in. Vandaag heb ik haar niet gezien.' Hij probeerde een velletje papier los te krijgen dat in het fotokopieerapparaat was vastgelopen. De deur van het kantoor van de directeur stond open, maar daar was niemand. Leraren liepen snel in een uit, op zoek naar nietjes en de nieuwe wereldkaart voor de elfde klas. Was het er op zijn school ook zo ongeorganiseerd aan toe gegaan? Wayne had het gevoel dat hij verzeild was geraakt in een wereld waar mensen elkaar nauwelijks opvielen. Ze liepen snel rond, vonden het vervelend dat ze hier moesten zijn en konden de meest eenvoudige dingen niet vinden. Zelfs de gatenprikker die altijd met een ketting aan de balie vastzat, bleek zoek te zijn.

'Mag ik uw telefoon gebruiken?' vroeg Wayne aan de secretaresse.

'In de hal is een publieke telefoon.'

'Mag ik dan even wat geld bij u wisselen?'

'Het lunchgeld is naar Beaver Foods gegaan en ik vraag al zes dagen om een potje met kleingeld.' Ze gaf hem de hoorn van haar eigen toestel. Het koord was kort, maar hij trok het strak. 'Welk nummer?'

Wayne gaf haar het nummer van Nelson Meese junior en dat belde ze. Maar er werd niet opgenomen. Toen hij terugkwam bij zijn pick-up had iemand het raampje ingetikt en de kist El Dorado meegenomen. Honderdzevenendertig dollar. Ik had het al veel eerder moeten opgeven, dacht hij. In dat appartementengebouw had ik al moeten beseffen dat ik haar vandaag niet zou vinden.

Hij ging vissen in Rigolet en raakte in het moeras bijna een van de parlementsleden kwijt. De mannen waren liever zonder Wayne de wildernis in gegaan en daarom gaven ze er de voorkeur aan alles wat hij zei te negeren, zodat ze bij hun terugkeer in het parlement tegen hun collega's konden zeggen dat ze al die vissen op eigen kracht hadden gevangen. Maar nu verscheen er in de St. John's *The Telegram* een verhaal over hoe een van hen bijna de dood had gevonden. Dat Wayne zijn leven had gered werd niet vermeld. Als die man echt dood was gegaan, zou Wayne zeker zijn genoemd. Hij had een soort web van sparrentakken gemaakt, was daarop gaan liggen en had de man in veiligheid getrokken, maar het artikel in de *The Telegram* impliceerde dat de man zichzelf net zo gemakkelijk had kunnen redden als hij kon vissen. Iedereen zei dat het organiseren van tochten naar de wildernis een van de belangrijkste nieuwe banen in Labrador was. Een echte kans voor iedereen die er iets voor voelde. Wayne was daar niet zo zeker van.

Terug in Croydon Harbour stonden de rekeningen voor gas, water en elektriciteit tegen het broodrooster aan. Hij zag ook een brief uit Boekarest, maar niet voor hem. Hij was geadresseerd aan Treadway.

'Maak je die niet open?' vroeg Wayne aan zijn moeder. Ze had de rekeningen ook niet opengemaakt. Hij deed dat wel. Hij regelde al dat soort dingen als zijn vader maanden in de bush zat. Zijn moeder kéék niet eens naar de brief. Ze keek tegenwoordig alleen nog maar naar *As the World Turns* op kanaal zes, wat ze vroeger altijd een vreselijke, sentimentele serie had gevonden.

'Overdag naar de televisie kijken is een soort dood,' had ze tegen Wayne gezegd. 'Ik kan niet begrijpen dat iemand die midden in het leven staat daarnaar kan kijken.' Maar nu keek ze er wel naar en zei: 'Je vader moet die brief zelf maar openmaken en lezen als hij ooit besluit naar huis te komen.'

Elke avond na het journaal van zes uur was er een reclame voor Minute Auto Glass, die beloofde een autoruit nog dezelfde dag te kunnen repareren, maar Wayne had het nog nooit meegemaakt dat de ruit van een pick-up in Goose Bay in minder dan vijf dagen werd gerepareerd. Er was altijd wel iets waardoor jouw ruit apart moest worden besteld. Hij moest drie keer naar Goose Bay toe voordat zijn pick-up klaar was en de derde keer – de laatste keer hadden ze beloofd en anders hoefde hij maar de helft van de prijs te betalen – moest hij nog eens twee uur wachten. Hij liep naar de cafetaria aan de overkant van de straat en ging bij het raam zitten met zijn uienringen en zijn Teenburger speciaal. Toen zag hij Thomasina Baikie over de weg lopen, met twee boodschappentassen.

In de achtste klas had Wayne het idee gehad dat Thomasina sterk was. Nu leek ze kleiner. Hij had haar voor het laatst gezien toen ze achter in de veertig was. Nu was ze in de overgang en wat veel vrouwen dan overkomt, was haar ook overkomen. Ze leek een totaal andere persoon te zijn geworden. Wat gebeurde er dan precies met vrouwen, vroeg Wayne zich af, en waarom gebeurde dat niet met álle vrouwen? Neem nou Jacinta. Als je haar niet kende en een foto van haar zag op de dag waarop ze met Treadway was getrouwd en dan een recente foto, zou je geen enkele overeenkomst vinden. Als je meedeed aan een wedstrijd waarbij je een miljoen kon winnen door de oude en de jonge Jacinta aan te wijzen, zou je dat geld alleen door puur geluk kunnen winnen. Thomasina was beter te herkennen, maar haar gezicht was wel veranderd, zag Wayne. Eerst vroeg je je af wie die onbekende was. Dan zag je je vriendin terug in die onbekende. Haar haar groeide nog dezelfde kant op. De blik in haar ogen was niet veranderd, maar de achtergrond wel. Wayne vroeg zich af wat Thomasina zou zien als ze naar hem keek.

Als je een Teenburger speciaal bestelde, kreeg je er twee en Wayne bood Thomasina de tweede aan. Hij kocht ook limonade voor haar. Ze hoorden de zus van Mark Thevenet bij het drive-inloket door de microfoon vragen of iemand er frietjes bij wilde hebben.

Wayne zag in het gezicht van Thomasina dingen die hij in de zevende klas niet had gezien. Hij zag de dag waarop de blinde Graham Montague met hun roodharige dochter in zijn witte kano was vertrokken. Hij zag de zilverkleurige onderkanten van nieuwe bladeren van de espen die boven de Beaver River hingen.

'Heb je mijn ansichten gekregen?'

'Ze waren geweldig. Ik weet niet of ik ze al allemaal heb. Sommige hebben er lang over gedaan om hier te komen.'

Hij wist dat het stom was om een hamburger een Teenburger te noemen. Iedereen kon zo'n ding eten, niet alleen een tiener. Toch kon hij er niets aan doen dat hij dacht dat Thomasina niet iets moest eten wat een Teenburger werd genoemd. Hij wou dat hij iets anders voor haar had besteld, een stuk warme appeltaart bijvoorbeeld.

'Is mijn brief aangekomen?'
'Er is inderdaad een brief van u voor mijn vader.'
'Heeft hij hem gelezen?'
'Hij is bij zijn vallen. Daar is hij tegenwoordig altijd.'
'Heeft iemand die brief gelezen?'
'Hij is pas kortgeleden gekomen en mijn moeder wilde hem niet openmaken.'
'Heb jij hem opengemaakt?'
'Nee.'
'Denk je dat ik hem terug kan krijgen?'

De laatste keer dat Wayne met Thomasina over de weg tussen Goose Bay en Croydon Harbour had gereden, had zij achter het stuur gezeten en had hij gedacht dat ze de antwoorden op alle vragen kende. Dat was nu niet zo. Zijn nieuwe ruit rammelde niet en was schoon. Hij besefte dat de andere ruiten moesten worden gewassen. Hij zette de radio aan om de stilte te verbreken. Waarom zou iemand een verstuurde brief terug willen hebben? De ansichtkaarten die Thomasina hem had gestuurd maakten duidelijk welke bruggen en steden ze had gezien, maar via via had hij wel het een en ander gehoord over haar privéleven, al waren het slechts brokjes die even gefragmenteerd waren als elke willekeurige ansichtkaart.

'Ze is te ver gegaan,' had Treadway in bed tegen zijn vrouw gezegd toen Thomasina was geschorst. 'Ze is geen eenentwintig meer, ze is niet net afgestudeerd.'

'Ze probeerde alleen Wayne te helpen.'

'Als Thomasina Baikie haar zin kreeg zouden we allemaal knettergek worden.'

'Praat wat zachter. De deur van Waynes kamer staat open.'

'Ik wil alleen maar zeggen dat die vrouw niet weet wanneer ze moet ophouden.'

Nu zong er iemand op de radio. Kwikzilverachtig: een geluid dat je aantrok.

'Zo'n stem hoor je niet vaak,' zei Thomasina.

De stem was hoog maar toch intens. Zo zingen was moeilijk, wist Wayne. Dat had Wally Michelin hem verteld. Als je heel hoog ging zingen, kon het geluid iel worden. 'Herinnert u zich Wally Michelin?' vroeg Wayne nu.

'Dat je me die vraag stelt, betekent dat ik kennelijk lang weg ben geweest. Of ik me haar herinner? Ze heeft een heel eigen plekje in mijn hart, net als jij. Hebben jullie nog contact met elkaar?'

'Nee.'

'Weet je dat er in Londen een kliniek is, de Harley Street Clinic, waar ze allerlei verwondingen aan stembanden herstellen? Wally Michelin spaart elke cent die ze in de winkel van haar tante in Boston verdient om daarheen te gaan.'

'U heb dus nog wel contact met haar?'

'We hebben elkaar over de telefoon gesproken en ik heb haar geschreven, net zoals ik jou heb geschreven.'

Wayne dacht aan de ansichtkaarten die Thomasina over de Atlantische Oceaan naar hem had gestuurd en aan de andere ansichtkaarten die Thomasina vanuit Engeland, Parijs en Boekarest naar Wally Michelin in Boston had gestuurd. Hij zag de twee lijnen als potloodstrepen over de oceaan, elk leidend naar Wally Michelin of naar hem. In zijn verbeelding probeerde hij een derde lijn te trekken, een lijn die Wally Michelin en hem met elkaar verbond, maar hij zag alleen Boston, de oostkust van Labrador, de Golf van St. Lawrence die zich uitstrekte langs de westelijke kust van Newfoundland, dan Blanc-Sablon en Pinware en Battle Harbour en het land tussen die nederzettingen in Labrador en Croydon Harbour. Land dat hij nu voor het eerst als een lege ruimte zag. En hij bevond zich in dat land.

Op de radio werd nog altijd gezongen en de schoonheid ervan sloot naadloos aan bij de grimmige rij bomen langs de weg, zoals muziek altijd een soundtrack wordt als je ermee door een landschap rijdt.

'Wayne, ik weet dat het vreemd lijkt dat ik die brief terug wil hebben, maar ik heb hem geschreven toen ik drie glazen wijn op had.'

'Goed, hoor.'

'En hoewel ik die brief aan je vader heb geschreven, stond er iets in wat ik tegen jou wilde zeggen. Nu ik je weer zie, dringt het tot me door dat je... ouder bent geworden. Er zijn dingen die ik nu niet meer met je vader hoef te bespreken.'

Ze naderden het deel van de weg dat uitzicht bood op de zanderige vlakten van de Hamilton River en een deel van de Mealy Mountains, dat bijna even transparant was als de hemel, bedekt met sneeuw. Dit was het enige deel van deze weg dat je een gevoel van hoogte en perspectief gaf en Wayne stopte om er samen met Thomasina naar te kijken.

'In die brief heb ik je vader gevraagd jou iets te vertellen. Als hij dat niet deed, heb ik geschreven, zou ik het doen.'

'Wat?' Hij draaide het contactsleuteltje om.

'Wat herinner je je nog van die keer dat ik je heb meegenomen naar het ziekenhuis?'

'Weet ik niet.'

'Herinner je je er iets van? De kleur van de muren?'

'Groen.'

'Nog iets anders?'

'In het bed naast me lag een jongen met een bord met gepaneerde vis. Die kon ik ruiken.'

'En toen?'

'De dokter werd bang. Zijn gezicht. Hij vond het niet prettig mijn bloed op zijn kleren te krijgen. Hij rende naar de wasbak en waste zijn manchetten. Ik dacht dat dokters altijd bloed op hun kleren kregen. Ik dacht dat ze daaraan gewend waren. Ik dacht dat ze in de kast een grote voorraad extra kleren hadden en dat het er niets toe deed.'

'Het doet er ook niets toe.'

'Kijk eens naar die berk.' Wayne dacht niet graag terug aan die avond en nacht in het ziekenhuis. Een moerassneeuwhoen had op een lage tak gezeten en liep nu rond over de grond. 'Hij is op zoek naar insecten. Hij moet nog laat een nest jongen hebben gekregen.'

'Is het geen zij?'

'Het is een mannetje. Ze zijn vegetarisch, behalve wanneer ze jongen moeten voeren en bij moerassneeuwhoenen zorgt het mannetje voor de jongen.' Dat had Treadway hem verteld, net zoals hij hem duizenden andere brokjes informatie had gegeven over vogels, zoogdieren en vissen in Labrador. Hij herinnerde zich meer dan zijn vader dacht, maar om de een of andere reden voelde hij zich daardoor nu eenzaam.

'Wat herinner je je nog meer, Wayne?'

'Het woord *hermafrodiet.* Dat nam een van de dokters in zijn mond. Ik vroeg me af waarom hij het over de Griekse mythen had die we van u hadden geleerd. Ik wist niet waarover hij het had tot dokter Lioukras het me uitlegde. Zelfs daarna wist ik het nog niet echt. Tot lang daarna.'

Hij bedoelde zelfs nu nog. Hij bedoelde dat zelfs nu nog niet alle stukjes op hun plaats waren gevallen. Hij keek naar zijn hand op het stuur. Naar zijn arm. Na de laatste ronde hormonen was die arm meer gaan lijken op die van andere jonge mannen, maar op school waren zijn armen dun geweest en zijn lichaam sprieterig. Hij had geprobeerd dat voor zijn vader verborgen te houden, omdat die wilde dat hij breedgebouwd was. Wayne had gelopen alsof hij een kleinere jongen met zijn armen beschermde. Hij had rondgelopen met zijn armen een eindje van zijn lichaam vandaan, alsof ze de kleinere jongen omcirkelden. Dat hoef je niet meer te doen, dacht hij nu. Je kunt als een man lopen. Maar hij moest zichzelf dat wel voortdurend in herinnering brengen. In gedachten was hij altijd de kleinere jongen, de meisje-jongen.

'Kun je je herinneren dat je vader naar het ziekenhuis kwam en dat hij en ik ruzie hebben gemaakt?'

'Jullie hadden een verhitte discussie. Op de gang. Het was een andere ruzie dan de ruzies tussen mijn vader en mijn moeder. Mijn vader was gemener dan hij thuis was. Toen bent u vertrokken.'

'Dat klopt.'

'Mijn vader zat op een radiator onder het raam, met gleuven erin en opgedroogde druppels verf op de zijkant. Hij zei niets, en u had geen afscheid van me genomen. Nadat u aldoor bij me was geweest. Daarna heb ik u nooit meer gezien.' Wayne zocht naar het vrouwtje van het moerassneeuwhoen. Ze zou ergens in de lage struiken moeten zijn.

'Wayne, wat ik ga zeggen zul je misschien afschuwelijk vinden. Het kan je zelfs nachtmerries bezorgen. Ik weet dat ik erover heb gedroomd en ik wil dat je weet dat het me spijt. Het spijt me dat het is gebeurd en het spijt me dat ik het jarenlang heb geweten en het je toch nooit heb verteld. Ik heb naar je vader geschreven dat ik wilde dat hij het je vertelde. Maar ik ga het je nu vertellen omdat het opnieuw kan gebeuren en het dan anders zou kunnen zijn. Omdat je misschien iets moet doen.'

Sneeuwhoenders bleven altijd bij elkaar. Ze streken op belendende takken neer en als de een eten ging zoeken, was de ander altijd ergens in de buurt. Maar Wayne kon het vrouwtje nergens ontdekken. Was ze door een jager gedood?

'Toen ik je meenam naar het ziekenhuis, was er opgehoopt menstruatiebloed. Dat weet je.'

'Dat snapte ik pas later. In eerste instantie dringt zoiets niet tot je door. Je weet niet wat zoiets in werkelijkheid is. Ook als ze het je vertellen dringt het niet echt door. Ik ken de medische termen. Ik weet dat ik de witte pillen en de gele pillen moet innemen en nu ook een grote groene pil. Maar er zijn heel veel dingen die ik niet weet. Het lijkt alsof niemand alles weet. Niet eens de dokters.'

'Er was inderdaad menstruatiebloed maar in een eileider zat ook... Het zou nooit hebben geleefd. Wayne, er was een foetus.'

Het sneeuwhoen kakelde en schreeuwde: een kort, boos geblaf, als van een man die steeds weer tegen de stille bossen schreeuwde: 'Maak dat je wegkomt!'

'Zoiets kan vanbinnen gebeuren, Wayne, als de mannelijke en de vrouwelijke voortplantingsorganen in hetzelfde lichaam dicht bij elkaar zitten. Het kwam niet door iets wat jij had gedacht of gedaan. Het heeft niets te maken met masturberen of ejaculeren of wat mensen verder nog zouden kunnen verzinnen. De foetus zou vanwege zijn locatie nooit zijn gegroeid. Dokter Lioukras heeft de vrucht verwijderd, samen met de rest van het slijm van de baarmoederwand, het vruchtwater en het bloed. Ik heb hem gevraagd hoe groot de kans was dat dat nog eens zou gebeuren en hij zei dat hij dat niet wist. Hij zei dat het niet had horen te gebeuren. Maar als het nog eens gebeurde, vroeg ik, zou de foetus in zo'n geval altijd afsterven? Of zou zo'n vrucht kunnen groeien?'

Daar was de vrouwelijke moerassneeuwhoen, in het donker onder de lage takken van een spar. Het mannetje voegde zich bij haar en samen liepen ze verder het donker in, met hun houterige bewegingen als die van een kip, met hun dikke lijven waarop je zo gemakkelijk kon schieten. Maar voorlopig was het stelletje veilig. Ze gingen weg om hun jongen te eten te geven. Het wit op hun buik begon zich al uit te breiden over hun bruine bovenlijf. In de winter zouden ze in de sneeuw niet te onderscheiden zijn.

'Dokter Lioukras kon me geen antwoord op mijn vraag geven, Wayne. Hij kon geen ja en geen nee zeggen.'

Wayne zette de radio weer aan en startte de motor. Hij nam Thomasina mee naar het huis van zijn ouders en gaf haar de ongeopende brief. Hij vertelde zijn moeder niet dat hij de brief had teruggegeven. Hij vertelde zijn moeder dat Thomasina oude plekjes nog eens wilde bekijken en nadat hij haar de brief had gegeven nam hij haar weer mee naar buiten en maakte een ritje door Croydon Harbour. Bij haar oude huis, waarin de ouders van Wally Michelin nog steeds woonden, minderde hij vaart en daarna nam hij haar mee naar het strand, waar zijn kano lag. Alsof dit een doodgewone gelegenheid was om iemand een rondleiding te geven. Maar hij dacht aan die foetus.

'Waarom heb ik altijd het gevoel dat je hier niet eens bent, ook al zit je hier?' vroeg Gracie die avond.

Ze speelden cribbage. Hij wist dat zij hartenzeven had omdat er een hoek van die kaart was afgescheurd. Hij wist ook dat ze schoppenvrouw had. Die had haar neefje met een marker bewerkt. Ze had drie boeken geleend van haar nichtje van wie de vriend de paramedische opleiding volgde die zij ook wilde doen, en de boeken lagen op een stapel op de vensterbank. Hij had de titels gelezen en zich erover verbaasd dat Gracie echt alles wilde weten wat er in die boeken stond. *Hollinshead's Textbook of Anatomy*. Een groot, duur boek over medische fysiologie dat was geschreven door iemand die Arthur Guyton heette. Gracie had hem verteld dat die man polio had gehad en dat boek had geschreven toen hij besefte dat hij door die polio geen chirurg kon worden. *Basic and Clinical Pharmacology* van Bertram G. Katzung. Wayne keek naar de boeken, zag Gracie haar schoppenvrouw neerleggen – goed voor twee punten – en dacht aan wat het moerassneeuwhoen had geschreeuwd. Maak dat je wegkomt! Maak dat je wegkomt! Hij vroeg zich af of ergens in die boeken zijn eigen fysiologie en anatomie omschreven werd. Zou Gracie bij bladzijde 217 komen, of bij bladzijde 499, en een diagram zien van iemand die in hetzelfde lichaam mannelijke en vrouwelijke voortplantingsorganen had? Zou er een dwarsdoorsnede in staan van een man die een baarmoeder had, of een eileider met een foetus erin? Maak dat je wegkomt! Maak dat je wegkomt!

In zijn eigen bed moest hij ineens weer denken aan de rode wereld. De manier waarop de lakens en instrumenten en chirurgen waren verdwenen onder al het rood aan de binnenkant van zijn oogleden. Hij herinnerde zich de gemaskerde gezichten, de lens met gel, het woord *bloed*. Toen rood, zwartrood, roodoranje. Toen de duizeligheid, een rode, kolkende poel. Hij was in die poel, onder water, en iets was daar bij hem geweest. Dat herinnerde hij zich. Iets had naar hem gekeken, verdrinkend en proberend iets te zeggen en hij had niet geweten wat dat was. Zijn vader had het geweten, besefte hij. Zijn vader had aldoor geweten dat die dokters een foetus hadden gevonden. Waar was Treadway Blake nu? Hij was verdwenen in dezelfde bossen als het moerassneeuwhoen. Waar was de foetus nu? Die had ogen gehad en die ogen hadden naar hem gekeken. Hij was in de rode wereld geweest en de foetus en hij hadden naar elkaar gekeken. Had de foetus gewild dat hij de vrucht redde? Als hij die niet was verloren, als de foetus was uitgegroeid tot een persoon, wie zou dat persoontje nu dan zijn?

Thomasina had gezegd dat wat ze hem ging vertellen misschien wel afschuwelijk was, maar hij vond het helemaal niet afschuwelijk. Hij vond het alleen intens triest. Ze had gezegd dat hij er nachtmerries van kon krijgen. Maar hij droomde er niet over, omdat hij geen oog dicht deed.

De volgende ochtend had hij besloten de raad van het moerassneeuwhoen op te volgen en Labrador achter zich te laten.

Het zou niet moeilijk zijn dat tegen Gracie te zeggen. Gracie had haar studieboeken. Ze had in haar felle vuistje kaarten die ze per se wilde uitspelen, ook al waren ze gemarkeerd en gescheurd. Om het aan zijn moeder te vertellen zou wel moeilijk zijn. Wayne vond het niet prettig dat hij Jacinta alleen moest laten. Toch zou hij dat doen, maar zijn verdriet daarover was niet zo bodemloos als zijn verdriet over de foetus.

Zijn verdriet om Jacinta was het verdriet dat alle zoons en dochters voelen wanneer hun boot wegvaart en de ouders op de kade achterblijven, zwaaiend terwijl ze steeds kleiner worden. Een verdriet dat prikt en dan verwaait in een frisse wind.

Deel vier

21

De supermarkt van Caines

Als Thomasina de winter in Croydon Harbour had doorgebracht in plaats van in Goose Bay, had ze de heuvel op kunnen lopen, de drie treden van het trapje van Jacinta op, aankloppen met een appeltaart in haar handen en wachten tot Jacinta opendeed. Dan zou ze direct hebben gezien dat het met haar niet in orde was. Ze zou een arm om de schouder van Jacinta heen hebben geslagen, haar hebben omgedraaid, de vieze theekoppen in een heet sopje hebben gedaan en een paar ramen hebben opengezet. Thomasina zou een berg was hebben weggewerkt en ze zou de zee van verward garen van de grond van de huiskamer hebben opgeraapt. Ze zou Jacinta hebben geholpen haar haren te wassen en ze voor haar hebben geborsteld, ze zou haar armen om haar heen hebben geslagen en hebben geluisterd.

Gedurende een eenzame herfst en het begin van de winter kan er veel uit de hand lopen in een eenzaam huis zonder dat de andere mensen in het dorp dat weten, zeker als dat dorp er prat op gaat dat het een onafhankelijke geest heeft. Jacinta's buren konden op haar vensterbank niet de pop zien staan met de afmetingen van een duim, die Jacinta had gemaakt van klei waar ze met een eetlepel water doorheen had geroerd. Niemand zag de huisjurk en het vest die ze de hele winter lang dag en nacht aanhad. Broodpudding was iets wat Jacinta als kind had gegeten. Haar moeder had een keukenla voor broodkorsten gereserveerd. Die korsten lieten de gezinsleden op hun bord liggen. Op sommige zat jam. Je brak de korsten boven een pan met melk en boter, deed er nootmuskaat, een ei en een beetje suiker bij en bakte dan de pudding. Als je een kind was, je moeder niet keek en je tussen de maaltijden door honger had, trok je de la open en pikte een korst met jam erop. Het brood raakte nooit beschimmeld, want er kwam lucht bij de la, en een droge korst met jam smaakte tussen de maaltijden door knapperig en heerlijk. Dat at Jacinta nu en het eten van iets lekkers uit haar kindertijd bood haar troost. Je kon lang leven op korsten en thee en je had veel uren om te denken aan je zoon in wie een meisje zat verborgen.

Kenden jongens geen momenten van zachtheid, momenten waarin hun tederheid ongelooflijk veel groter was dan die van een meisje? Wie bepaalde in welk hokje zo'n moment thuishoorde? Toen Wayne nog klein was, was er vaak een windvlaag door Jacinta's mond geblazen. De wereld had via haar geademd en haar verteld dat haar zoon ook een dochter was. Waarom had ze daar vraagtekens bij gezet? De windvlaag sloeg door haar mond wanneer hij wenste. Op een ochtend was Wayne in zijn hockeykleding naar binnen gerend en toen was de wind met hem meegekomen. Hij verdween rechtstreeks in de mond van Jacinta en ze had ineens gezien dat Waynes huid en haren van meisjesmateriaal waren gemaakt, van meisjesmoleculen, met de doorschijnendheid die kenmerkend was voor meisjes. Ze had hem een hotdog gegeven en iets te drinken en tegen hem gezegd dat hij zijn huiswerk moest gaan maken. Jacinta had niet gereageerd op de windvlagen die dwars door haar heen sloegen, maar ze had meer verdriet over het verloren gegane meisje dan wanneer zij zelf dat verloren meisje was geweest.

Als Wayne was opgegroeid als een dochter en niet als een zoon, zou Jacinta hem hebben verteld over haar eigen jeugd in

St. John's. Ze zou hem hebben verteld naar welke plekjes hij moest gaan: Snow's, bij het oostelijke uiteinde van Duckworth, vol violette pastilles en crinolines uit de tijd dat de moeder van Jacinta nog een kind was. Lar's aan de voet van Barters Hill, met veel lampjes en karamelappels opgestapeld in piramides – hoe had Lar die appels zo glanzend gekregen? De supermarkt van Caines, waar sneeuwballen vijf dollarcent kostten. Jacinta wist best dat het allemaal veranderd en misschien zelfs al verdwenen was, maar ze zou er Wayne over hebben verteld als hij het leven van Annabel had geleefd. Dat dacht Jacinta in Croydon Harbour, in haar eentje in het eenzame huis terwijl Treadway bij zijn vallen was.

Het was waar dat St. John's tegenwoordig anders was dan in Jacinta's jonge jaren. De eerste dag dat Wayne er was, volgde hij de raad op van een vrouw op de veerboot en ging naar het treinstation aan Water Street om het bord te bekijken waarop pensions en appartementen werden aangeboden, maar hij kende geen enkele straatnaam en wist ook niet waar die straten waren. Hij liep naar Duckworth Street, in de hoop een winkel te vinden waar hij een stadsplattegrond kon kopen, maar hij zag niets anders dan advocatenkantoren, een winkel die bonen en graan in grote glazen potten verkocht, en het gerechtsgebouw. Hij passeerde een paar kleine cafeetjes en pas toen hij bijna bij het Newfoundland Hotel en de Battery was zag hij de supermarkt van Caines: het soort winkel waar je misschien de plattegrond kon vinden die je nodig had. Tegen die tijd moest hij ontzettend nodig naar de wc en was hij graag even gaan zitten om uit te rusten, want zijn tas was zwaar en hij was moe van de intensiteit waarmee hij alles bekeek, omdat het allemaal zo nieuw was.

Hij kon de oceaan op een andere manier ruiken dan in Labrador. Hier kwamen riolen op de haven uit. Meeuwen cirkelden rond boven de baai onder de supermarkt van Caines en je kon de rioollucht ruiken. Je rook ook zeewier, vis, patat en azijn uit een rijdende winkel op straat. De huizen waren veel feller geel, rood en groen dan in Labrador. Ze waren allemaal hoog en smal en ze stonden dicht tegen elkaar aan. De huizen oogden vrolijk en streng tegelijk en de lucht was zo helder dat de kleuren tegen hem leken te schreeuwen. Hij was moe van het zien van alle hoeken en de scherpe lijnen van de overnaadse planken.

Hij zag een krantenrek met *The Evening Telegram* en *The Newfoundland Herald*, een paar aanbiedingen van makelaars en andere brochures, en er waren kaarten van het gehele hoofdwegennet van Newfoundland en Labrador, maar hij kon geen plattegrond van alleen St. John's ontdekken. Een man praatte met een vrouw die naar de kassa was gelopen met twee pakken macaroni met kaas en een zak appels. Hij gaf haar iets: een cheque. Hij sprak haar niet bij haar naam aan.

'Ik denk dat u deze cheque de vorige keer per ongeluk hebt uitgeschreven, zonder te beseffen dat hij niet gedekt was.' De man klonk vriendelijk. Hij droeg een schort vol vingerafdrukken en bloed van de vleeswarenafdeling, maar Wayne voelde instinctief dat hij geen bediende was. Hij had wit haar en er kwam geen onvertogen woord over zijn lippen. De vrouw kon op geen enkele manier met hem in discussie gaan. Ze viste geld uit haar portemonnee en wilde de appels en de macaroni terugzetten, maar de man zei dat het oké was. 'Die kunt u meenemen en de volgende keer afrekenen.' Hij liet haar vertrekken met het gevoel dat hij niet geloofde dat ze met opzet een ongedekte cheque had uitgeschreven. Toen draaide de man zich naar Wayne toe en Wayne had het gevoel dat hij hem alles kon vragen wat hij nodig had.

'Ik ben op zoek naar een onderkomen en ik heb een plattegrond nodig. Ik zou ook graag gebruikmaken van een wc als u die hier hebt.'

De wc was boven aan de smalste trap die Wayne ooit had gezien. Toen hij weer beneden kwam, vertelde de man, die zei dat hij meneer Caines was, dat de trap honderd jaar oud was en dat er de volgende dag twee mannen zouden komen om hem af te breken en een nieuwe te maken die niet doorzakte of kraakte en vijftien centimeter breder zou zijn.

'Je hebt net iets heel ouds gezien dat er straks niet meer zal zijn. Ik ben benieuwd hoe ze het gaan aanpakken.' Meneer Caines maakte een nieuwe doos toffeetjes open en zette die naast het zoethout. 'Ik wil graag zien hoe ze de oude trap uit elkaar halen.'

Hij had geen plattegrond te koop, maar achter de toonbank had hij zelf wel een kaart van het centrum van St. John's. Die vouwde hij open en liet Wayne zien hoe King's Bridge Road uitkwam op een weg die Forest Road heette, achter het Newfoundland Hotel. 'Iemand zoals jij, die deze stad niet kent, kan het beste in een van de appartementen aan Forest Road gaan wonen. Ze zijn schoon en niet te duur en het is maar vijfentwintig minuten lopen vanaf het centrum... Steve!'

Een jongen die broodjes met ei in een gekoelde vitrine had gezet, kwam naar hen toe. Meneer Caines markeerde de route drie keer met een potlood, om er zo zeker mogelijk van te zijn dat Wayne wist hoe hij daar moest komen en zei toen: 'Steve, loop met deze meneer Duckworth Street af in oostelijke richting en wijs hem hoe hij bij Forest Road komt.' Meneer Caines zocht het telefoonnummer van Chesley Outerbridge op. Hij zei dat Chesley Outerbridge de appartementen aan Forest Road in eigendom had en Wayne zou helpen als hij zei dat meneer Caines hem had gestuurd.

Steve was een jaar of vijftien en Wayne vroeg zich af waarom hij niet op school zat. 'Forest Road is waardeloos,' zei hij tegen Wayne. 'Je moet naar de Battery gaan, waar ik woon. Ik weet minstens vier appartementen die daar te huur staan. Ze zijn bovendien veel goedkoper en het is er ook veel interessanter. Het appartement van Katie Twomey staat leeg en één muur is een soort kale rots waar het water vanaf druipt en op de vloer voor poelen zorgt waaruit je kunt drinken.'

'Steve, ik heb Wayne de appartementen aan Forest Road aangeraden omdat veel mensen die net in deze stad zijn gearriveerd daar hun intrek nemen. Het zijn goede appartementsgebouwen voor een nieuwkomer.' Tegen Wayne zei hij: 'De Battery is goed als je er bent geboren of als je aan de universiteit doceert en een van de oude huizen kunt slopen om er een nieuw huis voor in de plaats te bouwen. Maar de helft van de huizen daar heeft geen water en geen riolering en het gaat er nogal ruw aan toe.' Hij schreef het telefoonnummer van Chesley Outerbridge op en gaf het aan Wayne. Hij vroeg Steve te doen wat hem was opgedragen, dan terug te komen en door te gaan met het vullen van de koelvitrine.

Wayne kocht een paar worstjes en een doos chocolaatjes en bedankte meneer Caines. Steve liep met hem mee naar buiten.

'Ik kan de weg zelf wel vinden.'

Wayne vroeg zich af of er iets aan hem was waardoor meneer Caines dacht dat hij Forest Road niet zelf zou kunnen vinden terwijl de plattegrond heel duidelijk was geweest. Hij vroeg zich bezorgd af of meneer Caines had gevonden dat hij er niet intelligent uitzag. Maar toen ze bij de rotonde van King's Bridge Road waren, was Wayne blij dat Steve met hem was meegegaan, want daar leek de weg een gekkenhuis te worden. Je kon vijf kanten op: King's Bridge Road, Military Road, Gower Street, Ordnance Street en Fort William Place. Forest Road bevond zich even rechts van die rotonde, maar zonder Steve had Wayne hem niet gevonden. Steve vertelde dat zijn achternaam Keating was en hij niet op school zat omdat het na drieën was. Hij wilde echter dolgraag zo snel mogelijk definitief van school af, omdat naar school gaan een marteling was en bovendien zinloos. Dat zei Steve Keating, maar Wayne merkte toch dat hij een slimme knul was. Dat kwam door de manier waarop Steve hem de laatste aanwijzingen gaf en ook omdat de jongen heel enthousiast was, al ging hij alleen terug naar de supermarkt om de koelvitrine van meneer Caines te vullen met broodjes en appelflappen.

22

Stoffen en fournituren

THOMASINA HAD WALLY MICHELIN vanuit Boekarest een andere ansichtkaart gestuurd dan Wayne. Toen ze de kaart naar Wally schreef was ze al maanden in Boekarest. Ze vond de chaos, het lawaai, het stof en de betonnen gebouwen niet langer mooi en ze had besloten met een trein en een boot naar Engeland te gaan.

'Ik wil in het park in Londen zitten,' schreef ze. 'Ik kan van begin augustus tot half september bijna voor niets logeren in het Cale Street Hostel en als ik genoeg heb van de jonge Australische backpackers ben ik van plan te kijken of ik kamer 118 in het Cadogan Hotel aan Sloane Street kan krijgen. Die kost bijna honderd pond per nacht, maar ik wil minstens één nacht doorbrengen in de kamer waar Oscar Wilde is gearresteerd. Daarna ga ik misschien naar een ander hotel in de buurt van Poet's Corner om een bezoek te brengen aan de monumenten voor mijn oude vriendinnen, de gezusters Brontë, en Wordsworth. Ik wou dat ze ook een monument hadden opgericht voor Dorothy, de zus van Wordsworth. Als niemand kijkt, laat ik in een nisje misschien wel iets kleins achter om haar te gedenken. Een blaadje van een van de rozen van de koningin, of een viooltje van een van de zigeunerinnen op Trafalgar Square. Iemand moet iets achterlaten ter nagedachtenis aan Dorothy.'

Wally Michelin had niet gehouden van Tim McPhail, de jongen die haar had meegenomen naar het eindexamenfeest. Ze had gehouden van de Franse componist Gabriel Fauré, en ze had gehouden van het bestuderen van muziek. Toen ze na haar eindexamen in Boston arriveerde om in de winkel van haar tante te gaan werken, was haar tante aardig geweest. Ze gaf Wally de kamer die van haar volwassen dochter was geweest, ze had een grammofoon voor Wally gekocht en ze had gezegd dat ze naar de Berklee College of Music-boekhandel aan Boylston Street kon gaan als ze boeken of platen wilde kopen. In die winkel zag Wally op het prikbord een advertentie van de Harley Street Voice Clinic in Londen.

De zaak van haar tante Doreen was een stoffen- en fourniturenwinkel aan Brattle Street, en Wally had het er naar haar zin. Ze vond het prettig dat ze leerde linnen en jersey stoffen op precies de juiste lengte van de rol te knippen, met behulp van een meetlat die op de toonbank was vastgezet. Ze was blij dat haar tante haar leerde een enkele draad uit de stof te trekken, waardoor het afknippen gemakkelijker werd. Dat vond ze een mooi trucje. Ze vond ook de muur mooi waaraan een verzameling mysterieuze apparaatjes hing: spoelen voor Singer-naaimachines, lange spelden en radeerwieltjes met parelmoeren handvatten waarmee je een patroon op papier kon overbrengen. Ze was ook gesteld op het bezadigde en schaduwrijke Boston, maar ze had wel het vermoeden dat de stad somber zou zijn geweest, als er eind augustus geen studenten arriveerden die het rode baksteen en de zonovergoten scherpe hoeken opfleurden wanneer ze en masse uitwaaierden over Harvard Square en de omliggende straten, met hun armen vol studieboeken en hun jonge, intense gezichten waarop avontuurlijkheid en ijver te lezen stonden.

Toen Wally Michelin op de middelbare school zat, hadden haar docenten en haar mentor haar studiegidsen laten zien en haar testen afgenomen waaruit duidelijk werd dat ze allerlei studies zou kunnen volgen. Dat hadden ze niet voor iedere leerling gedaan, alleen voor degenen die naar hun idee de intelligentie en het geld hadden om verder te komen. Dat had ze oneerlijk gevonden en ze had zich afgevraagd waarom ze haar en een paar anderen zoals Tim McPhail hadden uitverkoren, terwijl leerlingen als Wayne Blake werden genegeerd en het zelf maar moesten uitzoeken. Een van de docenten had Wally gevraagd een lijst te maken van familieleden die ze in Boston had, alsof ze mede daardoor een speciaal academisch talent had. Ze had gezegd dat ze geen familie in Boston had, gewoon om die docent de mond te snoeren. Dat had die dag gewerkt. De docent was teleurgesteld weggelopen. Wat die docent niet had geweten en wat Wally aan niemand had verteld, was dat ze niet van plan was wat dan ook te gaan studeren als ze geen muziek kon studeren. Ze zou in de winkel van haar tante gaan werken en het verschil leren kennen tussen Frans en Amerikaans lint, leren zien welke knopen een lang leven waren beschoren en welke goedkoop waren, en in haar vrije tijd zou ze haar grammofoon aanzetten, of naar gratis concerten voor studenten gaan en luisteren naar muziek die door andere mensen werd gemaakt.

De moeder van Wally en haar tante Doreen waren zusjes, maar Wally vond dat haar tante er gelukkiger uitzag dan haar moeder. Ze ging vaker naar de kapper en ze ging ook naar de pedicure. Haar teennagels waren warm roze gelakt. Ze vond het heel normaal drie keer per week in een restaurant te eten. Wally had haar moeder horen zeggen dat Doreen en haar man samen meer geld verdienden dan Doreen kon uitgeven en nu vroeg Wally zich af of tante Doreen gelukkiger was omdat ze meer geld had, of dat ze gewoon van nature gelukkiger was. In de huiskamer was een erker en daarin stond een met satijn gevoerde mand met een witte moederpoedel en vijf pups. Er stond ook een piano en op een plank prijkte Doreens verzameling poppen, die geen speelgoed waren en heel mooi waren aangekleed. Door een catalogus die haar tante in een la van haar porseleinkast bewaarde, wist Wally dat die poppen meer dan honderd dollar per stuk kostten, sommige zelfs driehonderd of nog meer. Alleen al hun schoenen waren kunstwerkjes.

Maar haar tante Doreen had niet alleen een piano, raszuivere pups, haar winkel en poppen, ze was ook in veel dingen geïnteresseerd. Ze wist wanneer er een beroemde operazanger naar de stad kwam of wanneer er een nieuwe Italiaanse film in de bioscoop draaide en ze luisterde graag naar allerlei nieuwsuitzendingen om erover na te denken en er op een levendige manier over te praten. Na de stilte in Croydon Harbour vond Wally de drukte en de activiteiten in Boston heerlijk, net als de levendige manier waarop tante Doreen van alles in het leven een ware gebeurtenis maakte. Toen de post een ansichtkaart voor Wally afleverde die Thomasina haar vanuit Parijs had gestuurd en daarna een uit Boekarest, zette Doreen die op het tafeltje in de hal, tegen de vaas waarin altijd een bos anjers en witte irissen stond. Er klonk muziek in het huis, er waren boeken en er was altijd een cake in een doos van de Modern Pastry Shop aan Hanover Street.

Met tante Doreen kon je over alles praten en op de dag dat Wally die advertentie van de Harley Street Voice Clinic in een boekhandel had gezien, begon ze daar tegen haar tante over. De cake was die dag een opgerolde cake met jam en kokos en Wally stond ervan te kijken dat hij zo sponzig was toen haar tante voor hen allebei een plak afsneed, voor bij de thee in Engelse theekopjes.

Als je niet wist dat Wally in een van de lagere klassen van de middelbare school een verwonding aan haar stembanden had opgelopen, zou je denken dat ze een meisje was met een stem die iets zachter was dan normaal. Misschien zou je vinden dat haar stem iets moois had, dat die als het ware verkruimelde op een manier die uitnodigend klonk. In een wereld vol harde stemmen was de gewonde stem van Wally zacht, maar daar was Wally zelf niet blij mee en dat wist haar tante.

De Harley Street Voice Clinic, zei Wally tegen haar tante, was helemaal niet in Harley Street maar in een straat die Wimpole Street heette. Er was een ploeg artsen aan verbonden die niets anders deden dan stembanden repareren waar knobbetjes op zaten, die waren verrekt, gescheurd of op een andere manier beschadigd. Ze deden het voor mensen die hun leven aan zingen hadden gewijd maar niet meer konden zingen omdat iets hun instrument had verwond. Hun stem was hun instrument. Dat vertelde Wally aan haar tante en haar tante – die piano had willen spelen maar nooit les had gehad toen ze daar nog jong genoeg voor was – had begrepen wat Wally haar vertelde. Haar tante wist alles over die beschadigde stemband, over wat haar jaren geleden tijdens dat feestje van Donna Palliser was overkomen.

'Ik neem aan dat het duur is om dat te laten doen,' zei Wally. 'En het is zo ver weg. Misschien is er ook zo'n kliniek in Boston.'

'Als er zo'n kliniek in Boston was, zou het Berklee College of Music geen informatie over die kliniek in Londen op het prikbord in de boekhandel ophangen. Dat hebben ze gedaan omdat ze weten dat je voor zoiets naar Londen moet.'

'Ik wou dat Londen niet zo ver was. Als hier zo'n kliniek was, zou ik op de bus kunnen stappen om er een kijkje te gaan nemen.'

'Als we iemand in Londen kenden, zouden we die persoon kunnen vragen er eens naartoe te gaan. Dan zou je weten hoe de Harley Street Voice Clinic aanvoelt. Of de sfeer daar serieus is, of ze echt kunnen doen wat ze beweren.'

'Op haar laatste ansichtkaart schreef Thomasina Baikie dat ze naar Londen ging, weet u nog wel? Ze had genoeg van Boekarest en ze verheugde zich erop naar haar lievelingsdeel van Londen te gaan, vis en patat te eten en te logeren in dat pension en dat andere hotel.'

'Haal die kaart eens op.'

Ze lazen de kaart nog eens door.

'Ze is daar nu,' zei tante Doreen. 'En als ze heeft gedaan wat ze van plan was, is ze er nog steeds. Ze is in dat pension of in een van die twee hotels. We kunnen opbellen en vragen of ze ons terugbelt.'

'Helemaal vanuit Engeland?' Wally zou nooit aan Thomasina durven vragen om een telefoontje over duizenden kilometers oceaan te plegen. Maar haar tante was opgewonden. Ze was een vrouw die over bepaalde dingen enthousiast kon raken en nu pakte ze drie van de pups op en voerde ze stukjes cake.

'Natuurlijk nemen wij de kosten voor onze rekening, malle meid. Ze kan ons gratis terugbellen en dan vragen we haar gewoon naar Harley Street te gaan.'

'Naar Wimpole Street. De Harley Street Voice Clinic staat aan Wimpole Street nummer vijfendertig.'

'Wimpole Street dan. Dat doet die vrouw vast wel voor je. Ze kan even voor je rondkijken. We geven haar alle informatie die je dokter heeft doorgestuurd toen je hier kwam wonen, zodat ze die aan die artsen in Wimpole Street kan overhandigen en dan kunnen die zeggen wat zij ervan denken. Dan weet je waar je aan toe bent.'

23

Licentiekoning

FOREST ROAD BEGON ALS een elegante straat, ook al grensde hij aan de gevangenis en een stadion dat niet meer werd gebruikt. Er stonden huizen met drie verdiepingen met dakvensters, portieken met glas-in-lood en deurkloppers in de vorm van een draak. Er waren herfstkrokussen, winterbessen en leisteen uit Bell Island. Er waren relingen en oude taxusbomen en het was er stil. Maar aan het eind werd de straat breder, heuvelafwaarts naar Quidi Vidi Lake, en in dat teleurstellend lege stuk had Chesley Outerbridge zijn appartementen gebouwd van onopvallende stenen, waar mensen woonden die voor callcentra werkten en waar veel appartementen leeg stonden of gebruikt werden voor alles behalve een thuis. Op het parkeerterrein zag Wayne een bord met TE KOOP op een witte pick-up met op het portier: STOCKLEY'S: EXPERTS IN ONGEDIERTEBESTRIJDING, SINDS 1971. Achter het gebouw liep een pad rond het meer voor mensen die het joggen serieus namen. Het wemelde er van mismoedig makende algen en ganzen die waren verminkt door vishaken en strooizout. Toen Wayne er drie dagen woonde, stond er iemand bij hem voor de deur met een pizza die hij niet had besteld.

'Echoes?' De besteller wierp een blik op zijn aantekenboekje en keek toen met samengeknepen ogen naar Wayne.

'Nee.'

'Hoe heet u dan?'

'Wayne Blake.'

'Mag ik daar even in kijken?' De telefoongids van Wayne lag op de grond. 'Gouden Gids,' zei de man. 'Onder Escortbedrijf.'

Hoewel Wayne op dezelfde verdieping woonde als Echoes had hij nog nooit iemand dat appartement in of uit zien komen. Hij had wel mannen de trap op horen komen en hij had zich afgevraagd wat die hier deden. Hij zat hele dagen op de grond, naast zijn geopende koffer. In die koffer zat alles wat hij uit Labrador had meegenomen: zijn spijkerbroeken, een paar lievelingsoverhemden, een map met zijn tekeningen van bruggen, de ansichtkaarten van Thomasina en werksokken uit de Hudson's Bay Store.

'Koop al je sokken in dezelfde kleur,' had Treadway gezegd. 'Dan hoef je uit de was geen paren bij elkaar te zoeken.' Dat was het enige advies dat zijn vader hem had gegeven toen hij uit huis ging.

In de map met zijn ansichtkaarten en tekeningen had hij een zwart-witfoto van Wally Michelin gestopt, die hij uit zijn jaarboek van de middelbare school had gehaald. Het onderschrift, van de hand van Donna Palliser en haar jaarboekcommissie, luidde: 'Ze zeggen dat liefde om elke hoek te vinden is. Dan loop ik kennelijk in een kringetje rond!' Hij zat bij de koffer en keek door het raam naar de bosbessenstruiken op de heuvels.

De heuvels illustreerden hoe bruut iets kan zijn wanneer je niets doet om het zachter of mooier te maken. Dit appartement, zou Waynes moeder tegen een dochter hebben gezegd, was zo ongeveer het meest beroerde appartement dat een meisje kon hebben als ze voor het eerst in St. John's ging wonen. Tegen een dochter zou Jacinta hebben gezegd: 'Je had net zo goed je intrek kunnen nemen in het Waterford.' Maar tegen een zoon zou ze dat niet hebben gezegd. Een zoon kon naar de heuvels staren, maar daarna zou hij gevoerde laarzen aanschaffen en proberen of hij die pick-up op het parkeerterrein kon kopen.

Hij wist dat hij er juist aan had gedaan Gracie Watts achter te laten, maar hij vroeg zich af of hij haar nu kon bellen om te horen wat zij vond van het idee die pick-up te kopen. Al was het maar om de eenzaamheid te doorbreken. Als hij Gracie had meegenomen, zou ze hem hebben geholpen iets te vinden wat hij voor de ramen kon hangen. Ze zou een paar borden en zo hebben gekocht. Vrolijk uitziende borden, met tarwe langs de rand. Rode koppen. Een zoutvaatje waardoor hij geen zout meer op zijn hand hoefde te strooien uit een oude pot die de vorige bewoner had achtergelaten, zodat de helft ervan in de gootsteen verdween. Hij wist dat hij Gracie niet had kunnen meenemen, maar hij wenste wel dat hij nu met haar kon praten.

Elke ochtend priemde de stem van een vogel als een naald door het raam aan Forest Road. 's Nachts voelde het vloerkleed ruw onder Waynes wang en scheen het felle maanlicht door zijn oogleden heen. Waarom was hij niet gewoon blijven rondlopen toen hij in St. John's was gearriveerd? Misschien had hij dan een appartement gevonden aan Gower Street, of boven het afhaalrestaurant Tan Tan aan Colonial Street. Ergens waar katten voor de deur zaten en bloembakken voor de ramen hingen. Ook als die bloembakken niets anders bevatten dan lobelia's en madeliefjes die uit braakliggende terreinen waren overgewaaid. Madeliefjes waren in elk geval iets. Elke dag stond hij op van de grond, schonk een glas melk in en at een paar van de volkorenkoekjes met chocola die hij bij Caines had gekocht. Meneer Caines wist misschien hoe een winkelier op de hoek het hoofd boven water moest houden, maar hij was niet in staat iemand te attenderen op een appartement dat ook maar een béétje als thuis aanvoelde.

Hij wilde zijn moeder niet bellen, want dan zou hij haar bezorgd maken, maar hij moest met iemand praten en uiteindelijk belde hij Gracie. Hij belde haar 's avonds, omdat hij wist dat ze dan met haar neus in de studieboeken zat en haar vader en moeder de keuken uit waren.

'Gracie?'

'Wayne? Hoe gaat het met je?'

'Ik denk erover een pick-up te kopen.'

‘Heb je al werk?’

‘Als je een pick-up hebt, kun je voor jezelf werken.’

‘Dus je hebt nog geen baan gevonden?’

‘Mensen die geen pick-up hebben beseffen niet hoeveel mogelijkheden zo’n ding je biedt. Is het oké als we over de telefoon een paar minuten met elkaar praten?’

‘Wayne, ik moet studeren.’

‘Waar ben je vanavond mee bezig?’

‘Met het feit dat sommige bacteriën er hun eigen ideeën op na houden.’

‘Eigen ideeën?’

‘Ze kunnen zelfstandig denken. Ze kunnen zelf nieuwe ideeën ontwikkelen. Ze hebben hersens.’

‘Dat is me nogal wat.’

‘Wayne?’

‘Ja?’

‘Ik moet echt hard studeren. Ik heb geen tijd om zomaar een praatje te maken over de telefoon.’

‘Oké.’

‘En ik moet mezelf beschermen. Ik moet doen alsof ik iemand ben die voor Gracie Watts kan zorgen en dingen doen die de zekerheid geven dat alles goed met haar gaat. Begrijp je?’

‘Dat denk ik wel.’

‘Is alles oké met je?’

‘Ja.’

‘Je klinkt niet oké. Heb je vrienden gemaakt? Heb je nog geld?’

‘Ik hoop met die pick-up geld te verdienen, zoals ik al zei.’

‘Wayne, ik kan het niet over pick-ups hebben. Niet nu. Heb je je moeder gebeld?’

‘Nog niet.’

‘Dat zou je dan wel moeten doen. Ze heeft mijn moeder om één uur ’s nachts gebeld om jouw adres te vragen. Volgens mijn moeder besefte ze niet hoe laat het was.’

‘Ik heb haar mijn adres gestuurd.’

‘Dat moet ze dan zijn kwijtgeraakt. Mijn moeder zei dat ze niet alleen zou moeten zijn, Wayne. Ze zei dat ze zaterdag in haar zomerjurk met een zak aardappelen de winkel uit liep. Het was ijskoud en ze had geen jas aan.'

'Mijn moeder heeft geen aardappelen nodig. Ze heeft een kelder vol blauwe aardappelen die ze kan koken en Yukon Golds voor frieten.'

'Zaterdag heeft ze een zak van tien kilo gekocht en die in haar blote armen naar huis gedragen. Misschien zou je er echt verstandig aan doen haar te bellen.'

Wayne belde het nummer van zijn moeder, maar er werd niet opgenomen. Hij at een Mars en keek door het raam naar de pick-up. Daar dacht hij tijdens een van zijn wandelingen naar de rand van de stad nog eens over na. Als je tijdens zo'n wandeling een kilometer of zeven had gelopen, vergat je waar je was en hoe je daar was gekomen. Als je de juiste laarzen en kleren aanhad, kon je als het regende nog altijd doorlopen en denken en proberen te bepalen welke kant je leven op moest gaan nu je dingen die je in verwarring brachten achter je had gelaten, dingen die je als man definieerden terwijl je geen man was. Niet de zoon die je vader wilde hebben. Geen zoon die familietradities in stand hield. Geen pelsjager uit Labrador, een man met veel pit, eenzelvig maar in staat een groep te leiden. In plaats daarvan was je tweeslachtig, vrouwelijk, besluiteloos. Er was zelfs een baby geweest die in je was gaan groeien en je bleef je maar afvragen hoe groot dat kind was geweest voordat het doodging, en je bleef aan die ogen denken. Wayne was blij dat Gracie niet lang aan de telefoon had willen blijven. Blij dat zij sterker was dan hij, hoewel hij vermoedde dat ze zichzelf had moeten dwingen om te zeggen dat ze niet met hem wilde praten.

Als je kilometers door de stad liep, langs de wijken in het centrum, de Rennies Mill River voorbij, Kensington Road op naar de neonborden, de autobedrijven, de geluidsmuren en de tot een keten behorende restaurants die ribstukken en koolsla bij de vleet verkochten, kon je besluiten hoe je in je levensonderhoud kon voorzien in een nieuwe stad waar niemand je kende. Dit was een van de manieren waarop hij net als zijn vader dacht. Treadway had hem op jonge leeftijd al geleerd dat je jezelf moest kunnen redden. Wayne passeerde lijnen met blauwe en zilverkleurige vlaggen die wapperden in de wind. Chevrolet, GM, Ford. Tweedehands of nieuw. Wanneer je een pick-up had, was je onafhankelijk. Vanuit zo'n voertuig kon je iets verkopen.

Wayne kwam op plaatsen waar wandelaars maar beter niet konden komen. Zoals het afwateringskanaal tussen de fabriek van Wonder Bread aan O'Leary Avenue en het winkelcentrum Avalon. Dat was meer dan een sloot, het was een heel systeem van braakliggend terrein, hekken en hout, onherkenbare dozen, barakken van golfplaat, elektriciteitsdraad, isolatiedraad, afval, asfalt en griezelig uitziende rotzooi. Wayne liep er dwars doorheen naar het industrieterrein Donovan. Daar vond hij Frank King, die op zoek was naar een chauffeur die met hammen, gehakt, geroosterd varkensvlees, lamsbouten en een incidentele kabeljauwfilet de grote huizen in het centrum langs kon gaan. De deur van Franks pakhuis stond open. Frank schreeuwde erdoorheen naar mannen die pallets met kersenbonbons versjouwden. Op de deur hing een reclameposter voor Tunnock's Teacakes. Overal op het parkeerterrein stonden plassen waarin een lucht met voortjagende wolken weerspiegeld werd. Er stonden een paar tractoren met stationair draaiende motor en het stonk er naar diesel.

'Wayne Blake. Heb je een eigen voertuig?' Het kantoor van Frank King had de mosterdkleur die je zo vaak in stadions aantreft.

'Ja.'

'Waar?' Frank keek naar Waynes hoofd, zijn shirt, zijn broek en zijn laarzen. Hij keek oplettend naar Waynes gezicht alsof dat iets bijzonders was en Wayne vroeg zich af wat Frank King zag. Frank King leek geen bijzonder opmerkzame man, maar soms stond je er toch van te kijken hoeveel inzicht zo iemand had.

'Ik sta op het punt er een te kopen.'

'Ziet hij er netjes uit?'

'Ik laat hem deze week spuiten.'

'Vanbinnen en vanbuiten? Je hebt een brandschone wagen

nodig, Wayne.' Frank King was eivormig. Zijn huid glom en hij had veel ringen aan zijn vingers. Hij had een snor waarvan hij de punten keurig bijhield. Hij droeg een gouden ketting en als hij ergens de nadruk op wilde leggen, priemde hij met zijn wijsvinger. 'Ik ben niet van plan mijn koelcellen te plaatsen in iets wat niet brandschoon is. Ik word niet voor niets de licentiekoning genoemd. Ik beschouw iedere chauffeur van me als een licentiehouder. We moeten ons allemaal aan bepaalde normen houden. Pas met normen wordt een licentie een licentie, Wayne.'

Wayne ging met bus zeven naar huis. Zes Ethiopische mannen stapten uit bij het gebouw van *The Evening Telegram*. Een vrouw die op de voorste bank zat hield een roze kam vast waaraan de helft van de tanden ontbrak. Ze kamde de eerste paar centimeters van haar haren. De rest zag eruit alsof het sinds haar kinderjaren niet meer was gekamd. Toen de bus bij Empire Avenue was, trok ze een muts over het gekamde deel van haar haren en bedekte dat zo volledig.

De pick-up van het bedrijf dat ongedierte bestreed was veertien jaar oud en had drie lekke banden. Op het bord met TE KOOP stond ook: INLICHTINGEN BIJ TONY'S GARAGE ACHTER DROGISTERIJ ELIZABETH.

Tony kwam onder een Buick vandaan rollen. 'Die Vandura is van mijn zwager,' zei hij tegen Wayne. 'Ik kan hem de garage in slepen. Je hebt op zijn minst een nieuwe vloer nodig, een V-snaar, remschijven en waarschijnlijk een paar kogellagers om de wagen goedgekeurd te krijgen. Rijklaar maken zal waarschijnlijk vijf- tot zevenhonderd dollar kosten.'

'De tekst die erop staat moet worden overspoten. Ik denk erover hem voor het vervoer van vlees te gebruiken.'

'Moet de hele carrosserie worden overgespoten?' Tony keek alsof hij het overspuiten van de tekst onzinnig vond.

'Zullen we afspreken dat je hiervoor doet wat je kunt?' Wayne viste zes biljetten van honderd dollar uit de zak van zijn spijkerbroek en gaf die aan Tony.

Tony ging rechtop zitten en bekeek het geld. 'Waar komt dat vandaan?'

'De Bank of Montreal in Goose Bay.'

Tony hield een van de biljetten tegen de kooilamp die de versnellingsbak van de Buick verlichtte. Toen keek hij Wayne recht aan. Het was een blik die geen enkele vrouw normaal gesproken te zien krijgt. 'Je lijkt me een fatsoenlijke kerel, maar ik moest het vragen.' Hij stopte de bankbiljetten in de zak van zijn spijkerbroek. 'Ik ken lui die vuilniszakken vol briefjes van honderd hebben die elk niet meer dan twintig dollarcent waard zijn.'

Wayne nam er de tijd voor om zoveel mogelijk te weten te komen over het vlees dat hij vanuit zijn pick-up verkocht. Ribstukken waren het meest populair, daarna geroosterd varkensvlees en lamskarbonades. Oude vrouwen die in hun eentje woonden in de grootste huizen aan Circulair Road wilden longen, hart, lever en tong hebben en Wayne haalde Frank King over hem die te laten verkopen in plaats van ze naar de fabriek van Morrison in Southside te sturen, waar ze met visafval werden vermengd tot diervoeder.

Het werd kouder en Wayne moest met ribstukken, karbonades en hart sjouwen over paden die door huiseigenaars sneeuwvrij waren gemaakt. Hij droeg ze in zijn armen alsof ze kinderen waren, maar het waren geen kinderen. Het waren stukken vlees en bloed: rood, met vet dooraderd. Hij vroeg zich af of er nog iemand was die het vlees zag zoals hij dat zag, rauw en sterk, met de kracht om levende lichamen in wind en ijs warm te houden. Hij droeg het vlees langs zwarte relingen, langs een krans op een deur, langs lichtjes in een erker. Vrouwen pakten het vlees uit zijn armen. Zij omarmden het en namen het door een gang mee naar het verlichte hart van hun huis. Hij vroeg zich af hoe het was om zo'n vrouw te zijn. Ze roosterden het vlees, aten het en gaven het aan hun echtgenoot en hun kinderen. Vonden zij het vlees ook krachtig en belangrijk? Te zien aan hun gezichtsuitdrukking was dat niet het geval, meende Wayne, en hij voelde zich eenzamer dan ooit. Dus ging hij naar Water Street.

Hij liep naar Bowrings en kocht een zeef van roestvrij staal, net zo'n zeef als Jacinta had gebruikt om appelmoes te maken.

Toen ging hij naar Woolworths, liep langs de man met de trieste ogen die een *Telegram*-tas over zijn schouder had geslagen, langs de kauwgumautomaten waar kinderen hun moeder om een muntje smeekten om de zwarte gombal te kunnen winnen, langs de kraampjes waar sinaasappels werden verkocht, langs formica tafels waar je vis, friet en koolsla kon eten, of het Woolworth-broodje met biefstuk, dat volgens zeggen zo lekker was. Hij eindigde op de afdeling waar je behalve borden en Tupperware-dozen ook kaasschaven en eierklutsers kon kopen en schafte zich een glazen zoutvaatje aan dat in Frankrijk was gemaakt.

24

Suikertaartfee

De wind in St. John's was anders dan die in Labrador. Hier was hij vochtig. Hij kroop onder Waynes jack en werkte op zijn zenuwen tot hij bij Shelley's een kop hete koffie had gedronken. Forest Road was geen thuis en in de loop van de winter kreeg hij er spijt van dat hij dat appartement had gehuurd. Iedere dag als hij zijn bestellingen had afgeleverd ging hij naar Shelley's All-Day Breakfast, tussen George Street en William's Lane, waar hij zich thuis voelde. Dat gold ook voor de Ship Inn, waar hij op de woensdagavonden oude liederen hoorde, die zonder begeleiding werden uitgevoerd. Of Afterwords Books, tegenover het gerechtsgebouw, waar de geur van Nag Champawierook zich vermengde met het aroma van gratis koffie en oude edities van *How Green Was My Valley* en *By Grand Central Station I Sat Down and Wept*. En het gold voor de steegjes waardoor Wayne terugliep naar Forest Road terwijl hij door de verlichte ramen naar binnen keek bij andere mensen die kinderen hadden, zonnebloemen in vazen op de grond, haarden waarin vroeger kolen hadden gebrand maar waarop nu tinnen platen waren geschroefd, en elektrische kacheltjes.

Als je de van opzichtige versieringen voorziene huizen eenmaal was gepasseerd, viel er in de lentemaanden maart of april niets zachts te zien op Forest Road. Snoeppapiertjes in de goot. Zwarte bergen sneeuw met borrelende gaten erin. Elke hondendrol die in de winter op straat terechtkwam, had zijn weg gevonden naar de rand van de stoep en ook die drollen borrelden. Alles wat smolt, borrelde. Je wilde die borrelende korst het liefst vermijden, maar de stad maakte de stoepen niet schoon. Wayne moest wel door de krakende troep heen lopen als hij van Forest Road naar de haven ging. Bij de haven zag je in elk geval boten, kranen, vrouwen met hooggehakte schoenen, mannen met aktetassen en zwervers die in de portieken van koffieshops zaten te bedelen. Hun honden hadden een cowboysjaaltje om de nek.

Hij zag zijn eigen eenzaamheid weerspiegeld op straat, waar trouwe bezoekers zich vermengden met de mensen die in de winkels, banken en advocatenkantoren werkten. Hij zag wie bedelaars en straatmuzikanten geld gaf en wie dat niet deed. Hij zag de politie straathoeken schoonvegen waar mannen op gedeukte harmonica's speelden. Hij leerde namen kennen. Caroline Yetman stond aan de voet van de trap van het gerechtsgebouw op een goedkope gitaar te spelen. Paul Twomey zat op zijn parka voor de Gypsy Tearoom en maakte portretten met behulp van gebroken pastelkrijtjes. Betty Flanagan, op een paar zilverkleurige schoenen met plateauzolen, duwde haar winkelwagentje van het postkantoor in het oostelijke deel van de stad naar het oude gebouw van Woolworths.

'Ben je wel eens in Corner Brook geweest?' vroeg Betty aan Wayne. 'Daar heb ik lesgegeven. Ik heb zeventien jaar lesgegeven op de Broadway School.'

Hobo Bill zat in George Street Dostojevski te lezen. Nadat hij Wayne om een kwart dollar had gevraagd zei hij: 'Ik heb nog nooit een vrouw om geld gevraagd en dat zal ik ook nooit doen.'

Joanne Dohaney, de oudste serveerster in Shelley's, gaf Hobo Bill elke dag drie koppen koffie, een broodje met spek, sla en tomaat en een kom soep.

'Die Bill is in al die jaren dat ik hem in en rond Water Street heb zien rondzwerven nooit in bad geweest,' zei Joanne tegen Wayne. 'Ik begrijp echt niet hoe je het kunt verdragen een praatje met hem te maken.'

'Er zijn niet zoveel mensen met wie ik kan praten.'

'Heb je geen vrienden? Zo'n knappe knul als jij – je zou alleen je haren eens moeten kammen en je overhemd in je broek stoppen. Je ziet eruit alsof je over alles kunt meepraten. Je bent intelligenter dan de meeste mensen daar op straat. Waarom maak je niet meer van jezelf? Je zou op de universiteit een leuk en slim vriendinnetje kunnen krijgen.'

'Er is altijd maar één meisje geweest met wie ik graag praatte.'

'Daaraan doe je me denken. Iemand die aan de universiteit studeert. Maar dat doe je niet, hè? Welk meisje?' Joanne Dohaney had er geen moeite mee een klant het hemd van het lijf te vragen. Als deze klant nog een kop koffie op had, ging hij er weer vandoor. Ze hoefde niet de hele dag naar hem te luisteren.

'Toen we nog kinderen waren. Ze heette Wally Michelin en ze wilde operazangeres worden.'

'Ach ja. Ik wilde de suikertaartfee uit de *Notenkraker* worden.' Joanne liep met een dienblad vol theepotten van roestvrij staal de klapdeuren door. Ze was ergens in de vijftig, maar de manier waarop ze haar pols draaide, had iets expressiefs. Wayne kon zich niet herinneren dat hij ooit mensen had horen praten over de schoonheid van polsen. Het viel hem opnieuw op toen ze terugkwam.

'Wilde je echt balletdanseres worden?'

Joanne rolde met haar ogen, pakte de lege fles Heinz, maakte die open, deed er nieuwe ketchup in uit de grote fles uit de keuken en veegde de dop met een vaatdoekje af. 'Ik dans in de keuken wanneer er niemand bij is. Als je naar binnen kon kijken in alle huizen in St. John's en trouwens overal in Newfoundland – overal ter wereld, denk ik eigenlijk – zou je vrouwen in hun eentje zien dansen. Mannen weten dat niet. Nu ben jij waarschijnlijk een van de dertig of veertig mannen op deze wereld die het wel weten. Omdat ik het je heb verteld. Maar jij bent nog een jongen en je vergeet het wel weer.' Wayne rook bleekwater, zweet en zeep door het uniform van Joanne heen.

'Ik wilde echt de suikkertaartfee worden, maar jij dacht dat ik een grapje maakte, nietwaar?'

Hij vertelde haar niet dat hij in zijn kamer altijd in zijn eentje had gedanst op muziek uit de radio en dat hij dat nu in zijn appartement aan Forest Road nog steeds deed. Dat hij danste, keek naar de schaduwen van zijn lichaam op de muur en probeerde de schoonheid van de muziek met die schaduwen in verband te brengen. Het licht van de straatlantaarns aan Forest Road kwam door zijn raam naar binnen. Dat licht werd door zijn shirt opgezogen en in het donker kon je niet zien dat het een mannenoverhemd was. Je zag alleen dat het van katoen was, dat de stof zich kon plooien.

Wat was schoonheid? Met breekbaarheid of klein van stuk zijn had het niets te maken. Wayne keek naar zijn armen en probeerde zich voor te stellen dat hij Joanne vasthield en zij haar expressieve polsen om hem heen had geslagen. Zo waren de ledematen van geliefden. Het jaren slikken van hormonen had hem hoekig gemaakt en het drong ineens tot hem door dat hij daar eigenlijk mee wilde stoppen. Hij wilde ze niet meer elke dag slikken, hij wilde niet meer dat zijn lichaam veranderd werd van wat het wilde zijn in wat de wereld ervan verlangde. Hij wilde die pillen door de wc spoelen hier in Shelley's All-Day Breakfast, waar niemand hem kende. Ook Joanne wist eigenlijk niets van hem af. Hij wilde de pillen weggooien en afwachten wat er dan met zijn lichaam zou gebeuren. Hoeveel van het imago van zijn lichaam was echt en hoeveel was eenvoudigweg een constructie waarin hij was gaan geloven? Hij probeerde zijn lichaam objectief te bekijken.

Als hij zijn ogen tot spleetjes samenkneep, leek het zachter. Zou hij weer borsten krijgen als hij ophield met het slikken van die pillen, net zoals dat in zijn puberteit was gebeurd? Hij was bang voor het hebben van borsten. Maar waren borsten mooi? Kon iemand hem dat vertellen? Wanneer hij 's avonds in zijn eentje danste, wilde zijn lichaam water zijn, maar het was geen water. Het was een mannenlichaam en een mannenlichaam was bevroren. Wayne was bevroren en het meisje dat in hem gevangen zat was koud. Hij wist niet wat hij kon doen om de bevroren man te ontdooien.

Maar dat soort dingen vertelde hij niet aan Joanne in Shelley's All-Day Breakfast. Hij had niemand aan wie hij iets kon vertellen. Er woonde een rare oude vrouw aan Circular Road, die hem bij het afleveren van een bestelling vaak vroeg binnen te komen en dingen voor haar te doen die niets te maken hadden met het bezorgen van vlees. Ze liet hem een kapotte spijl van haar trapleuning repareren en ze vroeg hem het water te verversen in een fonteintje onder haar trap. Hij moest dat fonteintje schoonmaken met een speciaal daarvoor gereserveerde lap en er nieuw wijwater in doen dat de priester haar in een fles van Harvey's Bristol Cream had gegeven. Hij had een paar van dergelijke klanten die het afleveren van vlees veranderden in iets wat meer leek op een afspraak bij de dokter of een soort bezoekje van de sociale dienst. Het kostte hem tijd en daardoor verdiende hij minder per uur dan had gemoeten, maar hij liet zich door die klanten ophouden omdat zij voor hem het dichtst in de buurt van vrienden kwamen. Ze praatten met hem en zij waren iets waarop hij zich kon verheugen in een week vol eenzame ritten. Mensen hadden familie, nietwaar? Mensen hadden iemand die zich hen van de ene op de andere week herinnerde.

Om van Shelley's All-Day Breakfast thuis te komen moest Wayne langs de anglicaanse begraafplaats lopen, waar grote beuken knoesten hadden met de afmetingen van gezichten, en die knoesten werden boosaardig. Hij wist dat zijn geest hem voor de gek hield, maar het gebeurde wel. Ze werden levend en veranderden in boosaardige geesten en als hij erlangs liep, keek hij de andere kant op uit angst dat ze hem zijn geest zouden afpakken. Dat was een gevaarlijke manier van denken, dat wist Wayne best en hij probeerde in plaats daarvan te denken aan de manier waarop de pols van Joanne met de klapdeur was omgesprongen. Toen hij langs de bomen op de begraafplaats liep, zag hij de boom die hij het meest boosaardig vond: boze takken met een door goudkleurige bast omgeven oog en een pupil van gebarsten hout. De eenzaamheid die ieder van ons wordt toebedeeld, hoe onopvallend of zwak ook, liet haar ware gedaante zien. Ze was in staat de achterkant van Waynes oogballen te pakken en ze naar binnen te trekken.

Hij hoorde een Metrobus stoppen op Chalker's Hill, de kreet van een driejarige jongen die over de graven rende en het geschreeuw van zijn moeder: 'Ashton! Ashton! Kom hierheen, die begraafplaats af!' Hij hoorde het geklapwiek en gekrijs van spreeuwen. Er stonden nu minder huizen langs de weg en langs het meer was kaal gras vol snoepwikkels en flessendoppen. Daarna kwam het parkeerterrein van Waynes appartementsgebouw: doodgewone stenen, een plat dak en roestvlekken bij de dakgoten. Er zat een brief in zijn brievenbus. Zijn voeten klikten op de plastic randen van de traptreden. Om zijn deur open te maken moest Wayne die met kracht over de vloerbedekking duwen. Op zijn kleine formica tafel stond een kom met een stremmend ei. Hij was van plan geweest een omelet te maken. Hij legde de brief op de tafel. Zijn laken en kussen lagen op de grond onder het raam in de huiskamer.

Wayne verwarmde zijn glazen zoutvaatje op de kachel, ging ermee op de grond liggen en deed alsof het een onderdeel was van het lichaam van zijn geliefde. Maar wie was zijn geliefde? Hij deed zijn ogen dicht en drukte het warme glas tegen de diep verborgen vagina die van Annabel was. Dat zorgde voor een orgasme, diep vanbinnen, veel dieper dan alles wat hij met Gracie Watts had ervaren. Hij trilde en riep naar de geliefde die dit met hem had gedaan, die Annabels lichaam in hem had gevonden, maar hij was alleen. Het lichtje van zijn telefoon flikkerde. Het was de telefoon van de vorige huurder en het lichtje flikkerde al sinds hij hier zijn intrek had genomen. Door het keukenraam keek hij naar de vinyl buitenmuurbekleding van een aangrenzende bungalow. Het stukje lucht boven het dak van de bungalow leek eindeloos. Hij had het gevoel dat hij zich had opgedrongen aan een stad die met of zonder hem even goed voor zichzelf had kunnen zorgen. Hij pakte de hoorn van de haak, drukte een paar toetsen in en luisterde. Een man wilde dat Lucinda voor hem bij Lawtons kauwgom en een leesbril ging halen. De man was in de auto op zijn oude leesbril gaan zitten en toen was die kapotgegaan. Wayne wiste de boodschap en dacht toen pas weer aan de brief.

25

Bezuiniging

ALS EEN BUURVROUW ZICHZELF niet is, zal dat wel opvallen, maar het zal een hele tijd duren voordat de buren ingrijpen. De tijd is zo verraderlijk dat als je op een gegeven moment denkt dat je iemand al een paar dagen niet hebt gezien en misschien eens moet bellen, je daar pas opnieuw op komt als het inmiddels lente is geworden. Tijdens de winter die Jacinta in haar eentje doorbracht, hadden Joan Martin en Eliza Goudie vaak aan haar gedacht. Eliza had een artikel uit de *Chatelaine* van januari geknipt waarin precies stond beschreven hoe een vrouw een geheel nieuwe romantische blik op haar echtgenoot van middelbare leeftijd kon krijgen en dat had ze onder de koperen dolfijn op haar haltafeltje gelegd om het aan Jacinta te geven. Maar toen het lente werd, lag het er nog steeds. Joan had Jacinta een paar keer gebeld om te zeggen dat in de zadencatalogus van Vesey het oude, traditionele soort duizendschoon te koop werd aangeboden, omdat Jacinta had gezegd dat ze alleen die bloemen per post zou willen bestellen, maar Jacinta had niet opgenomen. Joan had een extra pakje zaden voor Jacinta besteld. Maar in april was die bestelling nog niet gearriveerd.

Treadway Blake schreef niet vaak een brief. Het adres, met balpen in een beetje bibberig handschrift geschreven, was intiem maar de brief was kort en zakelijk. In de envelop zaten nog twee brieven: een van het bureau rijvaardigheidsbewijzen en een van de MCP, het provinciale ziekenfonds. De tweede was keurig netjes met een mes geopend. Zo maakte Treadway brieven open.

'Lieve Wayne,' had Treadway geschreven. 'Hier is het aanvraagformulier voor de verlenging van je rijbewijs. Dat moet je in orde maken. Ik heb ook een brief van de overheid gekregen over de verzekering van je medicijnen. Ik weet niet precies wat ik daarmee moet doen en van sommige onderdelen snap ik niets, dus stuur ik de brief naar jou. Misschien kun jij er daar iemand naar laten kijken. Er moet in het confederatiegebouw iemand zijn die begrijpt waarover dit gaat. Met je moeder en mij gaat het goed, maar toen ik van de vallen thuiskwam, was ze een beetje in de war. Ik ga proberen iemand te vinden die haar een beetje in de gaten kan houden als ik over een week of zo weer vertrek. Liefs, papa.'

Wayne keek naar de brief van de overheid. Er zaten allerlei formulieren in. Treadway werd verzocht die in te vullen, waarna de overheid zou besluiten hoeveel Treadway voor de medicijnen van Wayne moest betalen tussen nu en zijn eenentwintigste verjaardag. Er was een ander formulier voor de tijd daarna. Ze leken te willen weten of Wayne naar een universiteit zou gaan en er waren zoveel genummerde lijsten dat hij er net als zijn vader niet uit kon komen. Maar hij zag wel dat zijn hormonenmedicatie heel wat meer kostte dan hij had gedacht. Er werd een bedrag genoemd dat het afgelopen jaar door de verzekering was betaald en het bedrag dat zijn ouders hadden bijgedragen.

Wayne wist dat hij zijn vader alleen om vijf uur 's morgens aan de telefoon kon krijgen. Dan ontbeet Treadway en alleen dan kon je er zeker van zijn dat hij in huis was. Wayne lag de helft van de nacht wakker om te bedenken wat hij tegen zijn vader zou zeggen.

'Papa?'

Treadway hield niet van praten over de telefoon. De telefoon bestond om informatie over te brengen die op geen enkele andere manier kon worden doorgegeven. De telefoon was de nieuwe vorm van een telegram.

'Kon jij er een beetje wijs uit worden, jongen? Weet jij wat de verzekering nou precies bedoelt?'

'Ik bel om te zeggen dat je net zo goed wat geld kunt uitsparen.'

'Hoezo?'

'Ik denk al een tijd na over het slikken van al die medicijnen en het staat me niet aan.'

Wayne had mensen gadegeslagen. Hij had gekeken naar de mannen en vrouwen die langs liepen om rond lunchtijd erwtensoep bij Shelley's te halen of croissants bij de nieuwe bakkerij tegenover de Bank of Montreal. Op straat rook het naar sigaretten, parfum en koffie en Wayne zag dat gezichten, lichamen, de typische mannelijke en vrouwelijke kenmerken van hen die langs hem liepen verdeeld en afgezwakt waren. Van de man en de vrouw in hen was de één verflauwd en de ander overdreven. Ze waren het een of het ander, op een extreme manier. De vrouwen hadden handschoenen bij zich en liepen op belachelijk hoge hakken, terwijl de mannen met hun pluizige bakkebaardjes en bruine aktetassen leken op kleine jachthondjes die het op hetzelfde konijn hadden gemunt. Geef een boom een naam en je ziet niet meer wat het is, het wordt alleen maar een naam. Zo gaat het ook met een vrouw en een man. Overal waar Wayne keek, waren ze óf man óf vrouw, de een door de ander in de steek gelaten. De eenzaamheid ervan brak de straat in tweeën. Zouden de twee helften van de straat het kunnen verdragen als Wayne de kloof overstak of zouden ze hem dan een beest gaan noemen?

Zijn vader wist niet dat Thomasina Baikie hem over de foetus had verteld, maar daar wilde Wayne het nu niet over hebben. Hij wilde zijn vader niets over zichzelf uitleggen. Hij wilde niet praten over het beest, de kloof, of over alles wat hij voelde. Zijn vader had dingen geweten en hem daarvan onkundig gehouden. Treadway had geheimen bewaard die hij niet had mogen bewaren, geheimen die niet van hem waren.

'Wat zeg je, jongen?'

'Ik zeg dat ik erover denk het gebruik van die medicijnen geleidelijk af te bouwen. Daar liep ik al over te denken voordat ze jou die formulieren toestuurden.'

'Je wilt ze niet meer innemen?'

'Dat klopt. En nu ik heb gezien hoe duur ze zijn...'

'Jongen, je wilt niet ophouden met het slikken ervan, hoe duur ze ook zijn.' Treadway klonk heel gedecideerd, alsof hij in dit opzicht een gezag had dat Wayne niet had.

'Papa, ik heb je niet gebeld om daarover in discussie te gaan. Ik vertel het je alleen omdat ik al een beslissing heb genomen.' Dat had hij nog niet echt gedaan. Hij was bang voor die beslissing. Maar tegenover Treadway moest hij geen twijfel laten blijken. Hij wilde zijn gecompliceerde gevoelens niet uitleggen, hij wilde niet dat zijn vader zoveel geld betaalde en hij wilde niet dat zijn vader nog langer degene was die hierover besliste.

Er volgde een stilte en daardoor voelde Wayne zich beroerder dan het geval zou zijn geweest als zijn vader wel had tegengesputterd.

'Papa, ik zou niets tegen je hebben gezegd als jij niet degene was die ervoor betaalde.'

'Wayne, ik ben blij dat je het over kosten hebt. Zuinig zijn is belangrijk. Ik ben blij dat je daaraan hebt gedacht. Als je dat wilt, kan ik je het geld sturen dat ik bespaar als je die medicijnen niet langer slikt.' Zijn vader zei dat zo nadrukkelijk dat Wayne aanvoelde dat hij het niet meende. Hij begreep instinctief dat zijn vader hem in werkelijkheid op de een of andere manier bang probeerde te maken.

'Nee, papa. Ik wil niet dat je dat doet.'

'In deze wereld zie je veel beroerde gevolgen van bezuinigingen. Daar moet je in St. John's ook iets van hebben gezien.'

Wayne wist niet precies wat zijn vader bedoelde. 'Heb je het over verschillen tussen wijken en mensen?' Wayne was zich sterk bewust van het verschil tussen Circular Road en een straat als Livingstone Street, waar hij een vrouw had gezien met een blauw oog en een baby op elke arm. Bedoelde zijn vader dat, of had Treadway Blake iets anders in gedachten?

'Ik bedoel dat je moet hebben nagedacht over alle economische implicaties van je beslissing. Je moet mensen hebben gezien die niet aan de verwachtingen van de maatschappij voldoen, en je moet je hebben afgevraagd hoe jij daarmee zult omgaan.'

Hoe flikte zijn vader het? Treadway had niets over specifieke moeilijkheden gezegd en toch had hij in Waynes geest het beeld opgeroepen van het beest dat hij vreesde te worden.

Het beest was boosaardig en wilde van geen wijken weten. Als het vol in de borst werd geraakt door de bruutheid op straat, ging het toch door. Zijn pijndrempel was hoog. Het was niet mooi. Het lag op de loer, onbeschaafd. Het liep de hele nacht rond.

Het sprak geen taal. Het keek hoe het alle anderen verging. Hoe tam ze waren, levend in dezelfde wind, dezelfde nacht en dezelfde wildernis waarin het op jacht ging en waarin er jacht op hem werd gemaakt.

'Papa?'

'Ja, jongen.'

'Hoe ik met geld omga, zal niet veranderen wat ik ben.'

'Dat klopt, maar je leven zal er wel heel moeilijk door worden. Je moet mensen hebben gezien die een moeilijk leven hebben. Dat bedoel ik. In St. John's. Ik heb het over ellende. Ik heb het over gekweld zijn terwijl je nog jong bent. Niet in staat je een maaltijd te veroorloven, je tanden en kiezen te verliezen en aan de criminele kant van het leven komen te staan. Dat alles wacht mensen die niet aan zuinigheid hebben gedacht. Je moet een opleiding volgen als je in de stad wilt leven. Je moet aan de financiën denken en je moet vooruitdenken. Je moet je acties zorgvuldig plannen.' Zijn verhaal deed Wayne om de een of andere reden aan thuis denken: de geur van brandend hout boven Croydon Harbour, het prikken van de zilte zeelucht.

'Vind je dat ik naar huis moet komen?'

'Niet als je al die pillen laat voor wat ze zijn. Als je die niet meer slikt, zoek je de problemen zelf op, Wayne, en dan zal het voor jou in een kleine plaats als Croydon Harbour niet gemakkelijk zijn.'

Opnieuw vroeg Wayne zich af of zijn vader wel meende wat

hij zei. Hij vroeg zich af of Treadway Blake het eenvoudigweg niet aankon een zoon thuis te hebben die openlijk veranderde in iets wat hij noch voor zichzelf noch voor iemand in de leefgemeenschap kon verklaren.

'In St. John's zal het ook niet gemakkelijk zijn. Je betaalt voor een appartement en voor je levensonderhoud. Je hebt die baan die je hebt nodig en als je niet voorzichtig bent, zul je die kwijtraken.'

'Wat vind jij dan dat ik moet doen?'

'Dat weet ik niet, Wayne.'

'Papa, misschien is het niet zo beroerd die medicijnen niet meer te slikken. Ik weet alleen niet precies hoe ik er dan in de ogen van andere mensen ga uitzien.'

'Dat is een van de dingen waarover ik me zorgen maak, jongen.'

'Als ik er te vreemd ga uitzien, kan ik werken als de zon is ondergegaan. Ik kan in de schemering naar de voordeur van mensen toe lopen, mijn capuchon opzetten en een groot jack aantrekken. Dan hoeft het niemand op te vallen.'

Er volgde opnieuw een stilte en Wayne voelde verdriet door de telefoon komen. Het verdriet van zijn vader. Daar zat hij niet op te wachten. Hij wilde geluk zien. Hij was helemaal niet van plan geweest zijn vader uit te leggen hoe hij zich voelde, maar dat was toch gebeurd en nu wenste hij dat hij dat niet had gedaan. Toen het telefoongesprek ten einde was, liep hij naar het medicijnkastje in de badkamer, pakte de groene pillen die hij nog had en spoelde ze door de wc. Dat deed hij omdat het de grootste waren. Hij werd geacht elke dag zo'n groene pil te slikken en als hij ze niet doormidden sneed, bleven ze in zijn keel steken. Hij haatte de groene pillen. De andere pillen, de gele en de witte capsules, waren kleiner. De gele pillen waren echt heel klein. Hij zou elke dag één in plaats van twee van die pillen en capsules innemen, tot de voorraad op was. Hij had er nog genoeg om dat een maand of zes weken te blijven doen en als dat niet geleidelijk genoeg was, zou hij de gevolgen domweg moeten aanvaarden.

26

De Battery

De stad begon hem te benauwen. Dat lag niet aan de formele kleding in de Model Shop met de bruidsmeisjesjurken en smokings die hem deden denken aan de travestie van zijn eindexamenfeest. Het lag aan de daklozen. Hij voelde dat ze hem onderzoekend aankeken, alsof ze iets in hem herkenden. Hij had verwacht meer tijd te hebben dan hij kreeg om aan de veranderingen in zijn lichaam te wennen. Maar zijn lichaam greep de kans om minder man en meer vrouw te worden enthousiast aan. Toen hij een week minder pillen had geslikt werden zijn borsten gevoelig en hij merkte dat ze groter werden, alsof ze afgeklemd hadden gezeten en nu de kans kregen te groeien. Gedurende een normale dag had hij weinig reden om met iemand te spreken, afgezien van een snel 'hallo' tegen een klant of een eenvoudig 'ja' of 'nee' op een vraag van Frank King over de verkoop van een doos worstjes. Maar hij werd zich bewust van een verandering in zijn stem. Die brak zoals toen hij veertien was en soms kwam er geen geluid over zijn lippen als hij iets probeerde te zeggen. In dat geval moest hij een keer diep ademhalen en een naar zijn idee onnatuurlijke kracht gebruiken om iets uit te brengen.

Wayne keek in het glanzende marmer van de Bank of Montreal en zag een zachte schaduw met haar dat als meisjeshaar rond zijn gezicht wapperde. In zo'n spiegel van glanzend steen kon hij een meisje zijn. Maar wat was hij als hij in een echte spiegel keek?

Een deel van hem verlangde naar de veiligheid van Croydon Harbour. Was het daar echter wel veilig? Zijn vader had erop gezinspeeld dat dat niet zo was. Maar St. John's leek alleen uit hoeken te bestaan: hoeken, kruispunten, ruiten. En elke keer als hij door een van die duidelijk afgebakende ruimtes liep, had hij het gevoel er niet in te passen. Zijn lichaam, of het beeld dat hij had van zijn lichaam, was vormeloos en heel groot geworden.

In St. John's was één plek die zo wild was dat het Wayne goed deed: de Battery. Daar ging hij naartoe omdat hij zich herinnerde dat Steve Keating, de jongen uit de supermarkt van Caines, had gezegd dat hij het daar naar zijn zin zou hebben. Je kon tussen de schots en scheef staande huizen door wandelen en dan door de buitenste rand van de Battery lopen om het pad naar Signal Hill te volgen. Of je kon midden in de Battery blijven en naar de huizen kijken die als boten waren gebouwd. Je kon naar het water kijken en de schepen zien die door loodsboten de haven in werden geleid. De Battery was net als hij half het één en half het ander. De Battery was helemaal stad en liep met een sukkelgangetje van het centrum naar het hart: de haven. De huizen daar vormden de bekleding van het binnenste van de havenstad. Maar het leek ook op een kleine leefgemeenschap aan de kust. Het was onsamenhangend, een groot deel had geen riolering en, zoals meneer Caines had gezegd, het wemelde er van de jonge katten en jonge mensen die het merendeel van de tijd aan hun lot werden overgelaten. Een tuin, of waarschijnlijker een lapje grond vol bonte wikke en stenen, kon net zo goed worden opgesierd met lakens en lange onderbroeken aan een waslijn als met lampionnen of bierflesjes die op een rij in de zon stonden. De Battery was het domein van duiven en meeuwen. De huizen en visschuren het dichtst bij de haven stonden op half verrotte palen vol onkruid. 's Avonds had niemand in de imposante zakenwijk van St. John's het betoverend uitzicht dat de jongeren hadden die zuipend bij de kade rondhingen: lichtjes van schepen uit Portugal, Polen, Spanje en Rusland dreven als een schitterende droom over het water. Als een schip een roestende romp had, of als er een half verhongerde verstekeling aan boord was, deed dat er 's avonds niet toe. De avond in de Battery was een ketting van zwevende lichtjes, een wereld van dromen, deels stad en deels oceaan, een kruising, zoals Wayne, tussen de gewone wereld en een plek in de marge waar alles wat mysterieus en ondefinieerbaar is ademt en leeft.

Wayne liep daar 's avonds rond, gewoon om naar de lichtjes te kijken en hij sprak niet met de jongeren die op de kade zaten te drinken. Op de hoek van Duckworth Street en de Lower Battery was een winkel die Jack's Corner Shop heette, waar oude mannen rondhingen en aan hun sigaretten lurkten. Toen Wayne in die winkel voor negenentachtig dollarcent twee hotdogs uit de automaat haalde – met zilverkleurige vakjes waarin de worstjes er lekkerder uitzagen dan ze waren – zag hij Steve Keating, die een blik melk voor zijn moeder haalde.

'Hallo. Heb ik jou niet bij Caines gezien?' Steve Keating keek onder de capuchon van het sweatshirt van Wayne.

Op het werk had Frank King al zijn twijfel uitgesproken over het veranderende uiterlijk van Wayne. Hij had zelfs tegen hem gezegd dat hij zich de volgende week beter moest verzorgen omdat hij hem anders apart zou moeten nemen. 'Je bent met je gedachten voortdurend ergens anders,' had Frank geschreeuwd. 'Je ben niet energiek. Een mens kan je nauwelijks horen.' En Frank had een stap achteruit gezet, om hem beter te kunnen bekijken. In Waynes ogen lag een blik die Frank het idee gaf dat hij de grens van goed of fout was gepasseerd en er aan de andere kant weer uit was gekomen. 'Je straalt geen zelfvertrouwen uit. Ik weet werkelijk niet hoe je nog vlees hebt kunnen verkopen.' Het was waar dat sommige klanten niet langer vlees bij hem bestelden. Hij was bestellingen later op de dag gaan afleveren, als het donker werd: een mogelijkheid die hij al tegenover zijn vader had aangestipt.

'Je ziet er anders uit,' zei Steve Keating nu. 'Maar je hebt dezelfde laarzen en hetzelfde jack aan en je loopt ook nog op dezelfde manier. Ga je mee naar het huis van Katie Twomey? Dan kan ik je de waterval laten zien die ze binnen heeft.'

Ze liepen de Lower Battery door. Steve ging bij zijn eigen huis naar binnen om zijn moeder het blik melk te geven terwijl Wayne buiten wachtte. Steves huis was een crèmekleurige bungalow met twee kleine ramen en eronder was een rotsachtig pad naar de kade waar de jongeren rondhingen. Wayne zag hen naar hem kijken. Hun gezichten leken oranje in het licht van de natriumlampen. Ze waren ouder dan Steve. Toen Steve weer naar buiten kwam, riep een van hen: 'Hé, Keating! Wie heb je daar bij je?'

'Let maar niet op hem,' zei Steve. 'Dat is Derek Warford maar. Kom mee.' Hij liep de heuvel op. 'Ik zal je de privéwaterval van Katie Twomey laten zien.'

'Hé!' brulde Derek Warford. 'Keating! Geef antwoord als ik je iets vraag, stomme lul.'

'Wacht even,' zei Steve tegen Wayne en hij liep naar beneden, de naar boven lopende Derek Warford tegemoet. Wayne wachtte. Hij wilde zelf niet naar beneden lopen en Derek Warford zo de kans geven hem eens goed te bekijken. Hij zag Steve met Derek Warford praten en hem toen geld geven. Derek Warford liep terug naar de kade, pakte drie biertjes uit een krat en gaf die aan Steve.

'Alsjeblieft.' Steve gaf Wayne een flesje.

'Wat heb je tegen hem gezegd?'

'Dat je op zoek was naar het huis van Archibald White.'

'Wie is Archibald White?'

'Een Engelse professor die dat blauwe landhuis bij het Battery Hotel heeft gebouwd. Ik heb tegen Warford gezegd dat je de weg was kwijtgeraakt en ik je ging wijzen hoe je er moest komen.'

'Waarom heb je dat tegen hem gezegd?'

'Om te voorkomen dat hij ons lastigvalt. Kom maar mee.'

Ze gingen een trap op, liepen achter een paar tuinen langs en kwamen toen bij een huis waarin geen licht brandde. Steve ging op de kale veranda zitten, maakte zijn biertje open en dronk. Hij deed geen poging door het raam te kijken of Wayne te laten zien wat er binnen was. Het was een van de eerste avonden dat de wind niet zo koud was dat hij dwars door je heen sneed. Wayne ging zitten en het hout was niet warm, maar de kou trok ook niet op door zijn spijkerbroek. Onder hen lag de haven in de avondlucht. De natriumlampen verlichtten de buiken van meeuwen die rondcirkelden boven een Belgische boot voor wetenschappelijk onderzoek en een roestend Russisch schip. Als je een verrekijker had, zou je door de patrijspoorten kunnen kijken en zelfs zonder verrekijker vond Wayne dat de ronde, verlichte patrijspoorten er altijd opwindend uitzagen, hoe beroerd een schip in het daglicht ook oogde.

Steve maakte het tweede flesje bier open en zei dat het hem speet dat hij net geld genoeg had gehad voor drie flesjes. Derek Warford had hem er drie dollar per flesje voor gerekend en in de winkel had hij ze beslist niet kunnen kopen. Steve bleef telkens even naar Wayne kijken en vroeg: 'Waarom is je gezicht zo opgezet?'

Als Steve Keating dat op een agressieve manier had gevraagd, of op een chagrijnig of licht beledigend toontje zou Wayne hem geen antwoord hebben gegeven. Maar Steve was alleen nieuwsgierig en had een opgewektheid die Wayne aanstond. Hij kende niemand in St. John's aan wie hij iets kon vertellen. Hij kon met niemand van zijn klanten praten, niet eens met degenen die hem vroegen een spijl van de trap te repareren of kit met een beitel te verwijderen zodat ze na de winter de ramen van hun pantry weer open konden doen en hij kon al helemaal niet met zijn werkgever Frank King praten.

Overal op de braakliggende terreinen in St. John's had de lente klein hoefblad uit de grond geperst. Tussen Church Hill en Cathedral Street was een klein bordes met een reling waarachter hyacinten net in bloei stonden en die had hij geroken. Hij wist dat de hele wereld op het punt stond zich vanwege de zomer bloot te geven, maar dat mocht hij niet doen. Hij moest geheimen bewaren en hij moest zijn lichaam bedekt houden, omdat mensen als Frank King, zijn klanten en Derek Warford en diens makkers op de kade er anders iets van zouden denken. Hij kende Steve Keating niet en Steve Keating was zijn vriend niet, maar Wayne had het gevoel dat hij hem van alles wilde vertellen. Het was namelijk niet alleen Waynes gezicht dat opgezwollen was. Hetzelfde gold weer voor zijn buik, net als in zijn puberteit. Hij droeg wijdvallende overhemden om dat te camoufleren en hij maakte de knopen van zijn spijkerbroek niet vast, maar hij begon wel bang te worden. Hij vreesde een herhaling van wat er vroeger met zijn lichaam was gebeurd.

'Ik denk dat ik eigenlijk naar een dokter toe moet,' zei Wayne.

'Ben je ziek?'

Wayne had het gevoel dat je Steve Keating met elk probleem kon confronteren zonder dat hij meteen klaarstond met een moreel of maatschappelijk waardeoordeel.

'Steve, weet je wat een hermafrodiet is?'

'Ja. Zwarte zeebaarzen zijn hermafrodieten. Mijn vader en ik vangen die elke herfst. In andere seizoenen komen ze niet zo ver naar het noorden. Maar zwarte zeebaarzen zijn half mannetje en half vrouwtje.'

'Heb je ooit gehoord van een mens die zo is?'

'Nee.' Steve nam een grote slok bier, trok zijn wenkbrauwen op en keek met grote ogen naar de hemel alsof hij tegen de wolken wilde zeggen: da's een goeie. Maar hij oordeelde niet en hij maakte Wayne ook niet belachelijk. Hij keek Wayne vol belangstelling aan en wilde kennelijk heel graag weten wat hij verder nog zou zeggen.

'Ik ben ook zo. Zo ben ik geboren. Het duurde heel lang voordat ik het zelf wist, omdat niemand het me vertelde. Ze hebben me geopereerd en daarna moest ik veel pillen slikken. Maar nu slik ik die niet meer. En het enige waarover ik me zorgen maak, is iets wat je niet zult willen geloven.'

'Als het waar is, moet ik het wel geloven, hè?'

'Mijn lichaam heeft van binnen kennelijk alles wat het nodig heeft om zichzelf zwanger te maken. Daar maak ik me zorgen over. Ik durf te wedden dat je een man zoiets nog nooit hebt horen zeggen.'

Steve keek hem vol respect aan. Van beneden kwamen geluiden. Kraandrijvers haalden containers uit een schip dat vanuit Quebec over de St. Lawrence hierheen was gevaren. Er waren twee hijskranen. Wayne genoot ervan hun bomen tegen het donker te zien afsteken en hij vond het prachtig hoe langzaam en zeker ze zich bewogen. Het latwerk leek op de bruggen die hij als kind zo mooi had gevonden en die hij had getekend. Iets aan de kranen bracht hem de schoonheid van bruggen in herinnering, en de langzame muziek die Wally Michelin had willen zingen. Nu hij hier met Steve Keating op de veranda zat, moest hij ook denken aan de zomer die Wally en hij hadden doorgebracht op de brug die hij met zijn vader had gemaakt. Het was intiem, in de buurt waren lichtjes en de wereld werd een beetje op een afstand gehouden, waardoor die zich niet opdrong aan de twee mensen die daar samen zaten, weg van gewone dingen zoals Jack's Corner Shop, de pick-up, Frank King en alles wat te maken had met eenzaamheid en vlees verkopen.

'We hebben een babypop voor de lessen in menskunde,' zei Steve. 'Zal ik eens kijken of ik die kan lenen? Die pop is bedoeld om ons duidelijk te maken hoe erg het is 's nachts te moeten opstaan om voor een kind te zorgen. Dat zou ons doodsbang moeten maken.'

'Steve, ik ben zonder een nepbaby al bang.'

'Moira Carew was vijf maanden zwanger zonder dat ze het wist. Moet ik een zwangerschapstest voor je kopen? Meneer Caines heeft die stiekem in zijn winkel, onder de varkenskoteletten in de vrieskist achter in de zaak. Toen Moira haar baby had gekregen heeft juffrouw Tavernor – die geeft menskunde en gymnastiek – haar die pop mee naar huis laten nemen, ook al had ze al een echte baby.'

'Wat wreed.'

'Toch moest ze hem meenemen. En Moira heeft hem gedood. De pop geeft aan dat hij dood is als je hem niet goed behandelt. Dat gebeurt elektronisch. Zou jij de jouwe houden?'

'Mijn wat?'

'Je baby, als je er een kreeg. Zou je die houden?'

'Jezus.' Wayne begon spijt te krijgen dat hij Steve Keating alles had verteld. Steve was te jong en als hij eenmaal opgewonden raakte, leek hij niet meer te kunnen ophouden met praten.

'Zou je hem aanmelden voor adoptie? Word je ook ongesteld?'

'Het bloed kan mijn lichaam niet uit. Ik ben geopereerd en ik denk dat ik die operatie ongedaan moet laten maken. Eerlijk gezegd ben ik doodsbang.'

'Dus ze zit daar helemaal klem.' Steve raakte de buik van Wayne aan. Het was de eerste keer dat iemand zijn lichaam aanraakte sinds zijn aankomst in St. John's.

'Ja.'

'En je zou ook zwanger kunnen zijn.'

'Ik hoop van niet, maar ik ben er wel bang voor.'

'Ik kan je meenemen naar het ziekenhuis. Ik gebruik de auto van mijn moeder altijd als zij verderop langs de kust bij haar zus is. Weet je wat je moet doen? Je zet krijtstrepen op de oprit, vlak achter de achterbanden. En dan moet je de auto later weer op precies dezelfde plaats terugzetten.'

'Steve, ik heb zelf een pick-up.'

'Echt waar? Dan kunnen we er meteen naartoe. Geef mij de sleuteltjes maar.'

'Wat zeg je?'

'De sleuteltjes.'

'Ik dacht het niet.'

'Kom nou.'

'Ik wou dat je iets ouder was.'

'Waarom?'

'Omdat ik dan verstandig met je zou kunnen praten.'

'Weet je wat je zou moeten doen?'

'Nou?'

'Die capuchon afzetten. Zet hem af, maak je gezicht goed schoon en koop wat nieuwe kleren die je passen. Het is heel raar, want de eerste keer dat ik je zag, had je hetzelfde jack aan en nu zie je er dikker uit maar is dat jack je veel te groot. Het lijkt alsof je tegelijkertijd groter en kleiner bent geworden.'

'Dat is spiermassa, Steve. De hormonen hebben me de spiermassa van een man gegeven. Nu verdwijnt die en wordt alles zachter.'

'Zet die capuchon af. Dan kan ik naar je gezicht kijken.'

Wayne wilde de capuchon niet afzetten, dus deed Steve dat. Wayne was blij dat het donker was, ook al wist hij dat Steve zijn gezicht kon zien omdat hij ook Steves gezicht kon zien in het licht van de schepen en de lantaarns op de kade. Steve fronste zijn wenkbrauwen terwijl hij zijn best deed om het gezicht van Wayne objectief te bekijken.

Wayne had eerder op de dag een eend afgeleverd op Old Topsail Road en een klein meisje had in de deuropening naar hem staan kijken toen haar moeder geld was gaan halen. Het meisje had hem aangestaard en toen door de gang geroepen: 'Mammie, is dat een mevrouw of een meneer?'

Nu voelde hij het bloed in zijn buik dat hem zoveel pijn bezorgde en hij moest weer denken aan de foetus die eerder in hem was gevormd. Hij stelde zich de ogen voor en hij kon zich moeiteloos voorstellen dat die hem nu aankeken. Het was al eens eerder gebeurd en wat zou kunnen voorkomen dat het nog eens gebeurde? Wat zou kunnen voorkomen dat hij door het ene paar ogen na het andere werd achtervolgd, net als bij het eerste paar het geval was geweest?

'Op dit moment maak ik me niet de meeste zorgen over hoe mijn gezicht eruitziet,' zei hij tegen Steve.

27

Lotus

TOEN WAYNE NAAR HET Grace General Hospital ging, verwachtte hij niet dat de artsen hem zouden behandelen als een model om hun studenten te trainen. Hij kon dat achteraf bezien wel begrijpen, maar dat maakte het niet gemakkelijker.

Het ziekenhuis stond in de buurt van het stadscentrum, aan een deel van Military Road dat omlaag liep naar de haven. Het had zwarte relingen, net als de kerken, en het was voorzien van indrukwekkende schoorstenen die witte rookwolken uitbraakten en wel duizend smalle donkere raampjes, zoals de raampjes van een kasteel dat door een kind was getekend. Maar het was geen mooi kasteel. Aan de overkant van de straat waren een Subway-restaurant, een taxistandplaats, een buurtwinkel en een laag gebouw dat er naast het grote crème- en roestkleurige pand uitzag als een hutje. Waar zou al die witte rook vandaan komen, vroeg Wayne zich af. Wat werd er in het ziekenhuis verbrand? Gracie Watts had hem een keer verteld dat ziekenhuizen zich voortdurend moesten ontdoen van gevaarlijke afvalstoffen en hij vroeg zich af of die nu in rook opgingen boven de verkeerslichten en de hamburgertent met de gespleten houten planken. Hij vroeg zich af welke gevaren die rook in zich hield.

Hij moest heel wat uitleggen toen hij de receptioniste en de verpleegkundigen probeerde te vertellen waarom hij naar het ziekenhuis was gekomen. Hij moest zeven keer naar het ziekenhuis toe voordat ze begrepen, of meenden te begrijpen, wat er met hem aan de hand was. Hij nam de formulieren mee die zijn vader naar hem had doorgestuurd en waarop de medicijnen stonden die hij werd geacht in te nemen, plus de kosten daarvan. Hij noemde ook de namen van de artsen die hem in Goose Bay hadden behandeld, of in elk geval de namen die hij zich herinnerde. Tijdens dat proces verloor hij een paar keer de moed en dacht: deze mensen zullen me nooit kunnen helpen. Hij keek naar andere patiënten in de gangen, die maakten dat hij het liefst was weggerend. Er was een man wiens mond voortdurend openhing en die in een bed lag naast een emmer met grijs water waar een mop in stond. Vanuit een cafetaria ergens in de buik van het gebouw dreven de geuren van soep en pasteitjes naar boven. Toen er eindelijk artsen naar Wayne luisterden, in een spreekkamer en met het klembord in de hand, drong het tot hem door dat dit geen artsen waren maar mensen die je verhaal aanhoorden voordat je een arts te zien kreeg. Ze praatten lang met hem en lieten hem toen lange tijd in zijn eentje wachten.

Hij zette toch door omdat zijn opgezwollen en pijnlijke buik hem bang maakte. Toen zijn dossier na een paar bezoeken aan het ziekenhuis eindelijk vanuit Goose Bay was opgestuurd, kreeg hij een arts te spreken die Haldor Carr heette. Die man kwam naar hem toe in het gezelschap van twee andere artsen en zeven coassistenten die allemaal aandachtig toekeken, in de hoop van Haldor Carr veel te leren over een geval dat de meeste artsen in opleiding nooit te zien kregen.

De artsen zeiden direct tegen hem dat hij niet had moeten doen wat hij had gedaan. Ze waren niet blij met het feit dat hij was opgehouden de groene pillen, de witte capsules en de kleine gele pillen te slikken. Hij had hen op zijn minst eerst moeten raadplegen, zeiden ze, om dat op een verantwoorde manier te laten plaatsvinden. Hij had het niet op eigen houtje mogen doen. Nu konden ze niets garanderen. Ze konden niet garanderen dat een medisch ingrijpen vanaf heden veilig zou zijn en als Wayne eerst had nagedacht voordat hij zo overhaast te werk was gegaan, zouden ze nu niet allemaal een risico lopen. Het ging in dit geval niet alleen om de gezondheid van de patiënt, zei Haldor Carr.

Wayne besefte dat de arts niet meer tegen hem sprak, maar tegen de artsen in opleiding. Haldor Carr doceerde. Wayne was een belangrijk studieobject. Hij was het liefst de kamer uit gelopen, maar als hij dat deed zou hij op geen enkele manier te weten kunnen komen of zijn lichaam weer zwanger was geworden. Daar was hij doodsbang voor, dus bleef hij in die kamer bij al die mensen van wie niemand hem recht aankeek, met uitzondering van een kleine Aziatische coasisstente met een ernstig gezicht.

Wayne wist niet wat dokter Haldon Carr uit naam van onderwijs en geneeskunde van plan was te doen. Hij kon de penis van Wayne verwijderen, of zijn baarmoeder. Wayne hoorde hem die mogelijkheden overwegen. Haldor Carr kon ook alleen zijn vagina weer openmaken en iedere coassistent toestemming geven hem met een gehandschoeide hand te toucheren en zo de afstand tussen de vagina en de baarmoedermond te bepalen.

Wayne hoorde het allemaal aan en voelde zich hulpeloos en boos. Hij besefte dat de arts niet wist wat de juiste aanpak was en dat de man andere beweegredenen had voor het nemen van een beslissing dan hij. Haldor Carr had macht en Wayne voelde zich machteloos. Hij lag, maar hij dwong zichzelf te gaan zitten en zijn mond open te doen, de enige manier waarop hij zelf een stem in het kapittel had. Maar die stem weigerde dienst, hoewel hij wist dat hij hem moest gebruiken omdat Haldor Carr anders voor een van de twee operaties zou kiezen en die ook ten uitvoer zou brengen.

'Als u deze keer mijn lichaam openmaakt om het bloed te laten afvloeien, wil ik niet dat mijn vagina weer wordt dichtgemaakt,' zei Wayne. 'Ik wil dat die openblijft. En ik wil niet dat u iets weghaalt.'

Op die manier, dacht Wayne, zou hij worden wie hij was geweest toen hij werd geboren. In elk geval zou hij dát dan hebben: zijn ware ik, de persoon die hij in werkelijkheid was.

Daar wilde de dokter niets van weten.

'Als u daar niet mee instemt,' zei Wayne, 'verlaat ik dit ziekenhuis.' Hij wilde helemaal niet weg uit het ziekenhuis, maar hij zei het alsof hij volkomen zeker van zijn zaak was.

Nu Wayne zijn zegje had gedaan wist hij dat hij met zijn volledige persoon had gesproken: met de stem van zowel Annabel als Wayne. Als Haldor Carr zijn studenten iets wilde leren, zou hij aan het verzoek van Wayne moeten voldoen.

Terwijl Haldor Carr het opgehoopte, naar ijzer en gisting stinkende bloed liet weglopen, kon Wayne zich alleen maar afvragen of er weer een foetus in hem gevangen had gezeten. Maar Haldor Carr zei niets tegen hem. Toen de coassistenten het bloed hadden opgeruimd begon de arts weer te doceren.

Hij raakte Wayne aan met een ijskoude metalen staaf. 'Hier hebben latente en manifeste weefsels dezelfde karakteristieken. Deze penis maakt een tweeslachtige indruk. Aangezien de patiënt de medicijnen niet meer slikt die hij had moeten innemen, vertoont dit geslachtsdeel weer gelijkenis met iets dat we een verlengde clitoris zouden kunnen noemen. Maar we kunnen het ook nog als een, zij het een ingekorte, penis zien. Dit gebeurt wanneer een patiënt weigert zich te schikken.'

Wayne probeerde hem te onderbreken. 'Hoe zit het met de eileider?'

Haldor Carr stond aantekeningen te maken alsof Wayne niets had gezegd en zijn coassistenten gingen dichter bij hem staan om zijn mening te horen. Ze stonden met hun rug naar Wayne toe. Alleen het kleine, ernstige meisje luisterde naar Wayne.

'Wat zei je?'

'De laatste keer dat dit is gebeurd zat er een foetus in de eileider.'

Ze legde haar hand op de buik van Wayne en drukte, maar niet hard. Ze deed het voorzichtig. De andere studenten luisterden naar Haldor Carr, die stond te praten over zijn kennis van hermafroditisme. Over meetlatten en niet ingedaalde testikels. Over testosteron-, oestrogeen- en progesteronniveaus. Hij zei dat de patiënt nu ernstig in de problemen was gekomen omdat de ene eileider en de baarmoeder van Wayne twintig jaar geleden niet chirurgisch waren verwijderd. Ze liepen naar de andere kant van de kamer. De vriendelijke coassistente voerde met een handschoen om haar hand voorzichtig een inwendig onderzoek uit. Ze was een goede studente en ze ging gewetensvol te werk.

'Je hebt een baarmoeder. Je hebt een baarmoederhals. Je hebt één eileider. Alles is schoon. Er is geen foetus. Alles is in orde.'

De dokter en de andere coassistenten bleven met hun rug naar Wayne toe staan en keken naar een kaart.

Terwijl de zachtaardige studente haar handschoenen weer uittrok en haar handen waste, raakte Wayne de opening achter zijn penis aan en voelde uit de pijn honger opspringen. Die honger riep een oude herinnering op. Niet een herinnering van hemzelf maar de herinnering van een vrouw bij wie een latente hartstocht elk moment kon oplaaien.

De vriendelijke coassistente was weer teruggekomen en zei: 'Tot alles is genezen kun je daar beter niets aanraken.'

Maar hij had de kern van zijn lichaam in brand gezet – iets wat niemand ooit eerder had gedaan, Gracie Watts niet, en hijzelf niet. Hij dacht aan Wally Michelin, die deze kern van hem op de een of andere manier wel had geraakt, maar dat had alles met zijn geest, zijn hart en zijn verbeelding te maken gehad. In ieder mens school een lotus en een andere persoon kon de sfeer en de geur ervan delen, ook als ze elkaar niet aanraakten. Wayne begreep niet waarom hij op dit moment aan Wally Michelin moest denken. Hij wist wel dat het heerlijk was met deze kern van het bestaan te leven, een gevoel dat ontstond als je een diepe band met iemand anders had.

'Vraag je je af hoe je leven was geweest als je als meisje was opgegroeid?' vroeg de vriendelijke coassistente.

'Dan zou ik Annabel hebben geheten.'

'Annabel. Dat is een heel mooie naam.'

'En moet je me nou zien.'

'Ik zie je. Ik zie dat er een baby is geboren die Annabel heet. Maar niemand kent haar.'

Annabel had in Wayne op die woorden gewacht. Ze hoorde ze vanuit haar schuilplaats.

'Je kunt haar naam gebruiken,' zei de jonge vrouw. 'Heb je geen vriendin aan we je het kunt vertellen?'

'Vroeger had ik die wel.' Wayne verlangde naar Wally Michelin. 'Maar ik ben haar kwijtgeraakt.' De incisie die Haldor Carr had gemaakt ging pijn doen. Veel pijn. Nu wilde Wayne alleen nog maar slapen.

'Dus je hebt niemand?'

Steve Keating had gesmeekt Wayne naar het ziekenhuis te mogen rijden. Daar was hij tot het allerlaatste moment op blijven aandringen. Steve had heel veel belangstelling gehad voor het verhaal van het deel van Wayne dat in werkelijkheid een meisje was.

'Ik geloof wel dat ik een vriend heb,' zei Wayne.

Maar die naam, Annabel, was zo betoverend dat Steve Keating veranderde.

Steve had de wetenschappelijke informatie over Wayne geheim gehouden – het was allemaal zo fascinerend dat hij het niet nodig vond er met iemand over te praten. Maar toen Wayne terug was uit het ziekenhuis en Steve Keating zijn nieuwe naam vertelde, kon Steve dat niet verwerken zoals hij dat met de andere feiten had gedaan. Het was niet zo dat Wayne hem vroeg hem bij zijn nieuwe naam aan te spreken. Wayne vertelde het hem gewoon en de klank van Annabel bleef als een waterlelie in Steves gedachten drijven. Op de avond dat hij op de kade naar Derek Warford en zijn vrienden liep, werd hij ineens weer overvallen door de herinnering eraan.

'Waar is die vriend van je vanavond, Keating?' vroeg Warford. 'Je nieuwe makker. Jullie kunnen het erg goed met elkaar vinden, hè?'

'Krijg het heen-en-weer.'

'Hoe heet hij eigenlijk?'

Steve gaf Warford geld voor een flesje bier en kocht er nog een paar. Toen hij ze op had, zei hij: 'Hij heet Wayne Blake, en zal ik je eens wat vertellen?'

'Wat heb je te zeiken?'

'Hij heeft net een seksoperatie gehad.' Steve wist niet hoe hij het anders moest noemen.

'Val dood.'

'Hij heeft zijn naam veranderd in Annabel.'

'Je bent gek.'

'Als je er de kans voor krijgt, moet je hem de volgende keer maar eens goed bekijken.'

'Keating, je kletst uit je nek. Je hebt een trap tegen je ballen nodig. Dat zou pas een goeie seksoperatie zijn voor jou zijn, hè jongens?'

In Jack's Corner Shop was een plank met ingemaakte tomaten, ravioli en gecondenseerde melk. En een plank met papieren handdoeken, wc-papier, tampons en vuilniszakken. Er was ook een rek met chips en andere knabbels. Plus een plank met papieren borden, plastic messen, vorken en lepels en verjaardagskaarsen in de vorm van getallen. Naast de hotdogautomaat stonden repen gedroogd vlees, appelflappen van Janes's Bakery, een pot met ingemaakte uien en lottokaartjes. Achter de toonbank stond een snijmachine waarmee Jacks vrouw Josephine en zijn dochter Margaret Skaines per week voor driehonderd dollar kalkoenrollade en worst in plakken sneden. De jongens uit de Battery kochten er sigaretten en plakken mortadella en dat deed Derek Warford ook op de avond dat hij Wayne zag. Wayne had na zijn werk een halfuurtje doorgebracht op de plek die Steve hem had laten zien – de veranda van Katie Twomey – en daar naar de lichtjes op het water gekeken. Hij had zijn pick-up tegenover Jack's Corner Shop geparkeerd en was toen de heuvel op gelopen. De afgelopen avonden had hij Steve niet gezien. Hij vond het echter niet erg in zijn eentje naar de lichtjes te kijken. Steve hield geen moment zijn mond dicht.

Derek leunde tegen de toonbank terwijl Margaret Skaines zijn plakken worst in waspapier wikkelde en hij bekeek Wayne uitgebreid.

'Hoe gaat het?'

'Niet slecht.'

‘Fijn dat te horen.’

Margaret Skaines gaf Derek zijn worst en hij betaalde er een dollar negenenveertig voor. Hij kocht ook een paar Sweet Marie-repen die Jack aanbood voor negenenzestig dollarcent. Hij pakte een plak worst, trok de rand van plastic met rode en blauwe letters eraf, smeet die op de grond, beet in het roze vlees en liep toen dichter naar Wayne toe. Wayne zag de afdrukken van de tanden van Derek in de worst en de bruine randen in de huid boven diens adamsappel, en hij werd een beetje bang. Derek Warford keek naar de borstkas van Wayne, bekeek die in een nieuw licht.

‘Triest dat je problemen hebt, Wayne.’

‘Wat zeg je?’

‘Ik heb gehoord dat je je moest laten opereren. Hoop dat het niet al te ernstig was. Dat het geen prostaatkanker was of zoiets.’

Het was Wayne duidelijk dat Steve Derek iets had verteld.

‘Niemand gaat graag onder het mes.’ Derek keek naar beide kanten van zijn plak worst. Hij haatte vliegen en stofjes. ‘Mij zullen ze nooit in de buurt van een mes aantreffen. Wat hebben ze met jou gedaan? Je bent toch niet iets kwijtgeraakt of zo?’

Derek boog zich zo dicht naar Wayne toe dat hij onhoorbaar was voor Margaret Skaines, die de snijmachine schoonmaakte met een papieren doek en citroenspray. Wayne rook de citroen en de worst toen Derek fluisterde: ‘Ik hoop niet dat je je ballen bent kwijtgeraakt.’

Wayne liep meteen de winkel uit, naar zijn pick-up. Hij had er nu geen zin in om naar de veranda van Katie Twomey te gaan, maar hij wilde ook niet naar huis. Hij wilde naar de lichtjes op het water kijken omdat die hem kalmeerden en hij reed met zijn pick-up naar het parkeerterrein onder Cabot Tower, waar geliefden en toeristen parkeerden. Aan de kant van de oceaan kon je niets zien omdat het daar te mistig was. Je kon niet eens zien dat er een oceaan wás. Maar aan de kant van de haven hingen slechts flarden mist en de groene, rode en oranje scheepslichten en de lichten van de kranen, de weg, de kerken en de hele stad waren wel te zien. Daar keek Wayne naar. Hij wist niet dat Derek Warford hem Signal Hill Road op had zien rijden en toen zes mensen de portieren van zijn pick-up openmaakten en instapten, duurde het even voordat hij besefte dat het Derek Warford en zijn makkers waren.

'Hallo, meisje,' zei Warford. Hij had een bierflesje in zijn hand en zwaaide dat voor het gezicht van Wayne heen en weer. Wayne zag dat de bodem van het flesje eruit was geslagen.

'Kom, meisje. Neem ons mee naar Deadman's Pond.'

'Waarheen?'

'Jongens, die meid weet niet waar Deadman's Pond is.'

De fles was vlak bij het gezicht van Wayne en hij dacht aan schoonheid, bedacht zich dat hij die nooit had gehad en besefte dat hij had gehoopt dat die zou komen. Hij verlangde niet naar veel schoonheid, wel naar een beetje. Hij wilde één keer in de spiegel een mooi gezicht zien, ook als de schoonheid onderdrukt was. Ook als hij de enige was die het kon zien. Het hoefde niet eens een echt mooi gezicht te zijn. Aantrekkelijk was genoeg. Zonder grote poriën. Met een roomblanke huid. Zonder het restant van een adamsappel. Gewoon aantrekkelijk, net als Margaret Skaines in Jack's Corner Shop, of de vrouw aan Old Topsail Road met het dochtertje dat had gevraagd of Wayne een meneer of een mevrouw was. Nee, die vrouw was echt heel aantrekkelijk om te zien geweest. Zoveel schoonheid had Wayne niet nodig. Dat zou hebzuchtig zijn.

'Heeft nog nooit niemand je meegenomen naar Deadman's Pond, meid?'

Derek Warford hield het kapotte flesje nog altijd vlak bij het gezicht van Wayne. 'Je bent erlangs gereden toen je Signal Hill op ging. De meeste meisjes hier weten al waar Deadman's Pond is als ze pas half zo oud zijn als jij. Nu starten, omdraaien en weer omhoog rijden. Doorrijden en als je bij... Nee, nu linksaf. Je moet hier wel goeie banden hebben, hoor. Toe maar, doorrijden, naar dat leuke donkere plekje. Nog iets verder, ja, stop maar. Zet de radio aan. Wat voor station heb je verdomme opstaan? Wat een kutstation.'

De kapotte bierfles had schoonheid. Er stond een mannetjeshert op, met een gewei, en de rand van het etiket was goudkleurig. Warford hield het flesje zo dicht bij het gezicht van Wayne dat hij de kleine goudkleurige woorden onder het hert kon lezen: VERITAS VINCIT. Veritas zou wel waarheid betekenen, dacht hij. Wat betekende vincit? Had het iets te maken met onoverwinnelijk? Met kracht?

'Zet 'm verdomme maar op een countrystation,' zei Warford. 'Met Conway Twitty. We hebben een grietje dat hier nog nooit is geweest, jongens. Ik heb gehoord dat ze leuke tietjes heeft. En ook een echt interessant kutje. En als iemand hier met een grietje komt, gaat die eerst een beetje met haar haren spelen om haar op te geilen. Dat vinden meisjes fijn. Broderick, jij moet even met haar haren spelen. Om de kleine meid op te geilen.'

'Barst, man. Ik raak die haren niet aan.'

'Barst zelf maar, Broderick.' Derek Warford trok Waynes capuchon af. 'Zie je dat haar? Hij pakte een handvol beet en draaide het. 'Mooi haar, tenminste als de kleine meid het af en toe eens kamde.' Derek viste een flacon uit zijn spijkerjasje en liet die rondgaan. 'Hou je van wodka, meid? Dat kun je aan je adem niet ruiken. Dat kan je vriendje Steve niet ruiken als je thuiskomt. Je wilt vast niet dat hij weet dat je bij ons bent geweest. Waar is hij vanavond? Zal ik je eens wat zeggen? Vlak nadat jij wegging, zag ik hem bij het huis van Katie Twomey zitten. Ik denk dat hij daar op de veranda zit te wachten tot jij weer een avond met hem doorbrengt. Lief, hè? Is dat niet lief, jongens? Neuk jij met Steve, kleine meid? Doen jullie het op die oude planken van Twomey? Het is maar goed dat zij naar het westen is gegaan om Brian op te zoeken en dus niet kan zien wat jij en Stevie op haar terrein uitspoken. Trek nu je beha voor ons uit, klein meisje. Nieuwe haakjes kunnen knap lastig zijn als ze niet van jou zijn. Wat zeg je? Heb je geen beha aan? Oké, jongens. We hebben een vrijwilliger nodig. Fifield, wat is er met je aan de hand? Trek het shirt van het kleine meisje uit. Jezus! Wat krijgen we nou? Zitten er haartjes op die verdomde tieten? Godverdomme! Fifield, maak die broekriem los en vertel me wat je ziet.'

De schoonheid is verdwenen, dacht Wayne. De schoonheid is

verdwenen, komt nooit meer terug en is hier zelfs nooit geweest. Net zoiets als Wally Michelin die de 'Cantique de Jean Racine' wilde zingen toen ze nog weinig meer waren dan kinderen. Iets kon al weg zijn voordat het binnen handbereik was. Zoals de 'Cantique' en schoonheid.

'Verdomme, Warford. Koplampen!'

Het licht ging over de struiken en glinsterde op het kapotte flesje dat Warford bij de gesloten ogen van Wayne hield. Als hij zijn ogen opendeed, zou hij moeten ophouden met denken aan schoonheid en aan zijn gezichtsvermogen moeten denken. Of hij dat wilde verliezen of niet. Warford zou hem met een enkele beweging blind kunnen maken. Daarna zou het er niets meer toe doen als de schoonheid voor altijd was verloren. Tussen de kapotte fles en zijn oogballen was niets anders dan Waynes eigen oogleden en een laagje lucht met de dikte van nog een paar oogleden.

'Kloterige koplampen.'

'Man, wat is er met jou aan de hand? Dat is Graham Morrisey maar, en die let nergens op. Hij heeft zijn kop zo ver in de kut van Tina Payne gestoken dat hij zich niet druk zal maken over die kleine meid die wij hier hebben. Niet over een monster van een meid met behaarde tieten en... Fifield, wat zie je daar beneden? Een kut? Jammer dat we geen camera bij ons hebben. Ik wil wel eens weten wie van ons het lef heeft dit kleine meisje te naaien.'

'Je hoeft mij niet aan te kijken.'

'Jij, Broderick? Kom op. Maak je vingers er klaar voor. Eerst met je vingers en dan met je snikkel. Kom op.'

'Barst maar.'

'Of met een van deze repen? Hoe denk je daarover? Kom nou, Fifield. Wat is er mis met je? Jammer dat we niet een van die zwarte maïskolven op de deur van Mary Fifield hebben meegenomen. Als we die gebruiken zou het net de grote snikkel van een nikker lijken. Ga hem halen, Fifield. Hij zit op de deur van jouw tante. Een verdomd grote nikkersnikkel.'

'Hou op, Warford.'

'Dat wil ze graag.'

'Kap ermee.'

'Ik bedoel maar... als ze niet genaaid wil worden waarom zou iemand dan vrijwillig een meisje willen zijn?'

'Ik ben er wel klaar mee.'

'Kijk, daar gaat het nou juist om, jongens. Hier heb je een kans die je maar één keer in je leven krijgt.'

28

De garderobe

HET LICHT DAT WEERKAATSTE van het plafond van de garderobe viel op donkergroen, bijna zwart fluweel en er was ook mousseline en kant, soms handgemaakt. Wally Michelin kende nu de verschillende stoffen in de winkel van haar tante en ze vond het prettig te weten hoe ze heetten en van welke kwaliteit ze waren. Voordat ze in Boston was gaan werken had ze zich nooit afgevraagd of haar eigen kleren of die van haar moeder, haar buren en haar klasgenoten goed gemaakt waren of slordig in elkaar waren gezet. Ze zag nu ook dat zelfs de jurk van rode satijn die ze bij het eindexamenfeest had gedragen anders was dan de satijnen jurken hier. Deze waren zwaarder en voelden koeler aan tegen haar huid. Die jurk van het eindexamenfeest had ze nog steeds. Hij hing in haar kleerkast in Croydon Harbour, onder een hoes van de stomerij. Ze had de witte roos ook nog, gedroogd en vastgezet op het blad van een varen. Hij lag in de bovenste la van haar bureau, naast de rode sjerp die Wayne Blake haar die avond had gegeven. Ze wist waarom hij die aan haar had gegeven. Ze begreep instinctief dat hij op die manier had willen zeggen dat het hem speet dat zijn vader de Ponte Vecchio had verwoest, dat hij het vreselijk vond dat Donna Palliser haar stem en haar dromen had verwoest en dat hij niet wist hoe hij daar iets van kon terughalen, hoewel hij wel wilde, ook al kon hij zijn verlangen niet onder woorden brengen. Maar nu lag de sjerp in een la vol dingen uit het verleden en hier, in de garderobe, hing het heden.

Het vertrek was niet groot, maar je kon er alle jurken en toebehoren vinden voor toneelvoorstellingen en concerten die werden gegeven door het Berklee College of Music. In feite was er te weinig ruimte en terwijl ze langs de kleren liep die aan aan het plafond bevestigde rekken hingen voelde ze fluweel en kant langs haar wangen, schouders en handen strijken. Ze leek iemand uit een verhaal uit *Duizend-en-een-Nacht* die een tent in liep, magisch en door sterren verlicht. Ze was hier in april gaan werken, twee uur per week op de zaterdag, om de kostuums te inventariseren voordat de school in de herfst weer begon. Ze moest op zoek gaan naar doorgesleten ellebogen en zomen, gescheurde naden en alles wat er verder versteld moest worden. En de kledingstukken die echt onbruikbaar waren geworden moesten van de rekken worden gehaald om weggegooid te worden. Haar tante had deze baan voor haar gevonden omdat ze de costumière van de school kende, die regelmatig naar haar winkel kwam om fournituren te kopen. Wally was in de winkel van haar tante een snelle leerling geweest en de costumière vond haar aardig. Wally werd niet voor dit werk betaald maar ze kreeg wel waardebonnen, zodat ze desgewenst voor een fractie van de normale kosten een cursus aan Berklee kon volgen.

'Dat hoef je niet te doen,' had haar tante gezegd. 'Al je een cursus wilt volgen zonder dat werk te doen, kan dat. Als we je naar Wimpole Street in Londen kunnen krijgen, kunnen we je ook naar Boylston Street krijgen.'

'Ik wil dat werk graag doen,' had Wally gezegd. Ze wist dat zangeressen die kostuums op het podium hadden gedragen. Er moesten noten in de stof zijn gezonken en de lichamen van de musici hadden de jurken aangeraakt en hun vormen achtergelaten in de schouders en lijfjes. Wanneer ze het fluweel en het kant aanraakte, voelde ze de nabijheid van iets wat ze zelf had willen worden en ze kon de kans niet laten lopen om kleren aan te raken die waren gedragen door studenten die konden zingen, ook al was ze daar zelf niet meer toe in staat.

Afgelopen september was Thomasina Baikie in de eerste week van de maand naar de Harley Street Voice Clinic gegaan, zoals Wally en haar tante hadden gevraagd. Ze hadden Thomasina niet gevonden in het pension aan Cale Street, noch in het Cadogan Hotel, maar wel in een ander hotel in de buurt van Poet's Corner in Westminster Abbey – een hotel dat Thomasina niet had genoemd. Wally's tante had telefonisch inlichtingen ingewonnen en de namen van een stuk of tien hotels in de buurt van Poet's Corner achterhaald. Zeven daarvan had ze gebeld. De conciërge van het George Hotel had beloofd hun boodschap aan Thomasina door te geven wanneer ze de negenentwintigste augustus arriveerde en dat had hij gedaan.

Thomasina ging naar de Harley Street Voice Clinic toe en ze meldde Wally en haar tante dat het een onberispelijke privékliniek was. Aan een muur in de grote hal hing een origineel schilderij van J.M.W. Turner, en onder een dakraam stond een beeldhouwwerk van Henry Moore. De arts aan wie Thomasina namens Wally haar informatie had overhandigd, had niet beloofd dat hij de stem van Wally kon repareren. Er was niet voldoende informatie over de exacte schade die haar stembanden was toegebracht, zei hij, en het was al lang geleden gebeurd. Hij zou een MRI-scan nodig hebben, en hij moest Wally zelf onderzoeken.

Wally en haar tante maakten een afspraak voor februari. Wally had haar loon gespaard vanaf de week dat ze in de winkel van haar tante was gaan werken en in februari had ze genoeg geld voor de reis naar Engeland en een consult, maar niet voor een behandeling.

'Laat dat maar aan ons over,' had haar tante gezegd. Wally had zich herinnerd dat haar moeder altijd had gezegd dat tante Doreen en haar man meer geld hadden dan ze konden uitgeven. Ze hadden bankrekeningen, ze hadden geld geïnvesteerd en Doreen hoefde niet eens die winkel aan te houden als ze dat niet wilde, had Ann Michelin gezegd. Ze zou morgen kunnen ophouden met werken en de rest van haar leven toch leven met een mond vol kaviaar. Wally had haar tante geen kaviaar zien eten en ze had haar oom helemaal niet gezien. Maar er was een dienstmeisje dat op de woensdagen kwam. Wally had haar vanuit de deuropening van de slaapkamer van haar tante het bed zien verschonen: een nieuw blauwwit laken, opbollend door het briesje dat via het geopende raam naar binnen kwam.

Op de kleren uit de garderobe die werden afgedankt zaten lintjes, knopen en andere versierselen die moesten worden bewaard en de costumière had Wally daarvoor een etuitje gegeven met een tornmesje met een paarlemoeren handvat, een paar scheermesjes en een Finse schaar. Ze had een doos met vakjes voor knopen, zilveren en koperen sluitingen, nesteltjes, haakjes en ogen, franje en koordjes, geborduurde zakjes, manchetten en ceintuurs. Die dingen konden nog eens worden gebruikt, net als delen van de kledingstukken die niet tot op de draad waren versleten. Wally zat op een rechte stoel onder een lamp, knipte die stukken stof af en legde ze op kleur en type stof, zodat ze konden worden gebruikt voor de nieuwe kledingstukken waar beneden voortdurend aan werd gewerkt. Het was bevredigend werk en ze vond alle spullen mooi. Af en toe bedacht ze dat ze best eens in de gids van het Berklee College zou kunnen kijken om te zien welke cursussen er behalve zingen nog meer werden gegeven. Op dat soort momenten meende ze dat het goed zou zijn de bonnen die ze hier verdiende te gebruiken om voor cursussen te betalen. Maar op andere momenten herinnerde ze zich haar oude besluit: als ze geen zang kon gaan studeren, wilde ze helemaal niet studeren.

De arts in de Harley Street Voice Clinic had tegen haar gezegd dat er niet veel kans was dat hij haar stem weer kon maken zoals die was geweest voordat Donna Palliser met de scherven van die glazen bol was gaan gooien. Daarvoor was er te veel tijd verstreken, zei hij, en zelfs als er geen jaren tussen hadden gezeten, zelfs als Wally direct naar hem toe was gekomen, had hij waarschijnlijk niet veel meer kunnen doen dan hij nu aanbood te doen. Hij zou haar spreekstem misschien kunnen herstellen, zei hij. Hij zou die krachtiger kunnen maken en ze zou zelfs weer kunnen zingen. In een koor, misschien. Garanties kon hij echter niet geven. Ze zou beslist voor haar eigen genoegen kunnen zingen en als ze een goed oor voor muziek had zou ze daar waarschijnlijk haar voordeel mee kunnen doen. Maar hij achtte het onwaarschijnlijk dat haar zangstem weer krachtig genoeg zou worden om ook maar aan een solocarrière te denken.

'Doe dan maar niets,' had Wally tegen hem gezegd. Ze wilde niet dat haar tante en oom duizenden Amerikaanse dollars uitgaven om haar in staat te stellen voor haar eigen plezier te zingen. Dat vertelde ze haar tante door de telefoon.

'Maar soms,' had haar tante gereageerd, 'is je eigen plezier het enige plezier dat het leven voor je in petto heeft. Je bent er nu toch. Je zit in Engeland. Haal er dan ook uit wat erin zit.'

De dokter deed wat hij kon en zei tegen Wally dat ze haar stem zes weken rust moest geven. Als ze daarna voor haar eigen plezier wilde gaan zingen kon ze voorzichtig beginnen met de stemoefeningen die hij haar meegaf. Hij zei opnieuw dat ze desgewenst mogelijk in een koor kon gaan zingen.

'Om in een koor te zingen hoef je niet de stem van een soliste te hebben,' zei hij. 'Een koor kan wat minder perfecte stemmen samenvoegen en gebruiken om iets nieuws te scheppen: zoals een mengsel van verschillende soorten theeblaadjes. Het kan heel mooi zijn.'

Hij was een vriendelijke man geweest en Wally had die vriendelijkheid aangevoeld, ook al had hij niet gedaan wat ze van hem had verlangd en had hij niet gezegd waar ze met heel haar hart naar had gehunkerd.

29

Pootaardappelen

Sommige mensen hadden de indruk dat Jacinta Blake de kracht niet meer had die ze had gehad toen haar zoon nog thuis woonde en haar echtgenoot meer tijd met haar doorbracht. Ze liep minder vaak naar de Hudson's Bay Store en ze was gedurende de winter niet naar de kerk geweest – niet eens voor de begrafenis van Kate Davis, die in het ziekenhuis in Goose Bay hoofdverpleegkundige was geweest, een begrafenis waarvoor iedereen was komen opdraven, zelfs de luitenant-gouverneur van Newfoundland, die was overgevlogen vanaf het Government House in St. John's. Het was waar dat Jacinta niet genoeg had gegeten en in de herfst, winter en lente toen haar zoon weg was de tel van de dagen was kwijtgeraakt, maar naar haar idee was zij niet degene die zich figuurlijk uit het land der levenden had teruggetrokken.

Ze herinnerde zich een tijd, of ze meende zich een tijd te herinneren, dat haar man langer dan een paar weken achtereen thuisbleef en dat hij als ze spraken naar háár had gekeken in plaats van naar de kachel, de lucht, de meeuwen, de zee-eenden en andere rondvliegende vogels. Ze probeerde zich die intimiteit te herinneren. Was dat een illusie geweest? Ze wist zeker dat

dat niet zo was. En het was geen illusie dat ze nu door een bestaan zweefde waarin ze onaangeraakt bleef. Niemand raakte haar lichaam aan en nu Wayne weg was, raakte ook niemand haar ziel. Ze was onwerkelijk geworden, dacht ze, voor iedereen behalve voor zichzelf. Als gevolg daarvan verloor ze het besef van het effect dat ze op de wereld had. Ze had een effect op de ketel als ze die op de kachel zette. Het water ging koken. Ze zette thee. Als ze de gordijnen dichtdeed, bleven die dicht. Effect op de gordijnen hebben was voor haar geen probleem. Haar pantoffels lagen op de plek waar ze ze had achtergelaten, net als haar bril en haar kop-en-schotel. Maar het effect dat ze op de buitenwereld had gehad, dat ze als moeder had gehad en als een vrouw die in wezen alleen woonde voor haar gevoel nu niet meer had, dat effect had zijn kracht verloren.

Toen Treadway in de lente naar huis kwam, merkte hij dat ze niet zeker wist of het woensdag of zaterdag was, en daarom had hij aan Wayne geschreven dat hij dacht dat ze een beetje in de war was. Maar naar haar eigen idee was ze niet in de war. Ze zag Treadway het huis schoonmaken, de gordijnen opentrekken en deuren en ramen openzetten. Hij lapte zelfs de ramen, wat haar verbaasde. Dat deed hij op de systematische manier waarop hij elke klus aanpakte, met behulp van drie lappen. Als ze naar bed gingen, gaf hij haar een kusje op haar wang, alsof hij een neef of een nichtje op een treinstation vaarwel zei, draaide haar zijn rug toe en begon vrijwel meteen zacht te snurken. Zijn snurken had haar nooit gestoord omdat het voor haar een soort muziek was, maar ze wist zeker dat ze zich een tijd in hun huwelijk herinnerde waarin ze verschil voelde tussen het samenzijn met Treadway die wakker was en een Treadway die sliep.

Nu deed hij andere dingen die bij de maand mei hoorden. Via een ladder klauterde hij het dak op en maakte de schoorsteen schoon, hij ging naar de voorraadkelder en haalde de oude, zachte aardappelen van het afgelopen jaar naar boven om ze dit jaar als pootaardappelen in de grond te zetten. Hij wist niet dat zij in de winkel aardappels had gekocht toen hij bij zijn vallen was. Dat had ze gedaan omdat het fijner was om in het daglicht buiten te lopen en schone aardappelen te kopen dan de keldertrap af te gaan om aardappelen te halen die moesten worden geboend, met lange witte uitlopers en een gerimpelde schil. Dus waren er nog meer dan genoeg pootaardappelen en Treadway deponeerde ze op een hoop op het pad aan de voorkant van het huis. Hij sneed ze in stukken om ze te kunnen planten voordat hij weer vertrok. In het verleden was het normaal geweest dat hij in de zomermaanden thuisbleef. Over zijn nieuwe patroon, zijn wens om voortdurend in de wildernis te zijn, werd niet gesproken.

Hij ging op het hakblok zitten: een stuk berkenhout dat hij uit de houtstapel had gehaald. De zon scheen door de losse bast heen en maakte die rood-goud. En toen hij de aardappelen met zijn kleine mes in stukken sneed, zag dat klusje er voor Jacinta uitnodigend uit. Dat Treadway de pootaardappelen uit het donker naar boven had gehaald, dat hij er een keurige berg van had gemaakt en dat hij een zitplaats had gevonden om ze te snijden wekte in Jacinta het verlangen om ze zelf in stukken te snijden. De berg pootaardappelen had van Treadway menselijke aandacht en zorg gekregen en nu scheen de zon en verwarmde ze nog meer. Treadway vulde een emmer met de gesneden aardappelen en liep naar zijn schuur om nog een emmer te halen. Ze ging op het berkenblok zitten en begon de aardappelen in partjes te snijden. Toen hij terugkwam met de tweede emmer zette hij die bij haar voeten en bleef een minuutje naar haar staan kijken. Dat voelde aan als het langste gesprek dat ze in tijden hadden gehad, hoewel ze geen van beiden iets hardop zeiden. Daarna ging hij de houtstapel die in de winter was geslonken weer netjes opstapelen, om een solide basis te hebben voor de nieuwe houtblokken.

Toen zij klaar was met het snijden van de pootaardappelen liet ze ze in de zon staan om ze te laten drogen, zodat schimmel er geen vat op kon krijgen voordat ze gingen groeien. Vervolgens liep ze naar de spoelbak om het zand van haar handen, polsen en nagels te wassen. Ze schrobde tot haar huid ervan tintelde en vervolgens besloot ze een bad te nemen en andere kleren aan te trekken. Treadway moest met de pick-up naar Goose Bay om een paar onderdelen voor zijn drilboor te halen om zijn Ski-Doo te kunnen repareren, en ze vroeg of ze mee kon. Ze stond in de Mealy Mountains Outfitters Co-op terwijl hij met de eigenaar sprak. Ze rook uitgeplozen touw, canvas en metaalboorsel van het apparaat om sleutels te maken en ze vroeg of hij zin had om mee te gaan naar Mom's Home Cooking voor friet, een paar hotdogs en een kop koffie. Treadway vond uien bij zijn hotdogs lekker en Mom's Home Cooking was de enige plek in Goose Bay waar een kom gehakte uien op de toonbank stond, naast de ketchup, de mosterd en het zuur, omdat de Amerikanen die op de basis werkten dat lekker vonden en Georgina Hounsell daarop had ingespeeld.

'Daar ben ik al een hele tijd niet meer geweest,' zei Treadway. Hij zag dat ze naar een paar mooie tuinhandschoenen keek die aan een rek met uitverkoopjes hingen: een restant van moederdag. Hij had de onderdelen voor zijn drilboor in zijn hand, evenals een doos katoenen werkhandschoenen en een pakje schuurpapier. 'Wil je dat ik een paar van die handschoenen voor je koop?'

'Nee.'

'Er staan mooie bloemen op.'

'Ik hou niet van bloemen op tuinhandschoenen. Als ik in de tuin werk, heb ik liever eenvoudige werkhandschoenen, zoals de handschoenen die jij daar hebt.' Zijn werkhandschoenen waren van wit katoen en een doos met twintig paar kostte evenveel als één paar van die tuinhandschoenen voor dames. Hij had geweten dat Jacinta er zo over dacht, dat ze graag zijn eenvoudige witte handschoenen gebruikte, en dat had hij altijd fijn gevonden. Het was echter een van de dingen die hij was vergeten.

'Ik heb deze niet allemaal nodig,' zei hij. 'Je kunt er best de helft van nemen.' Toen hij dat zei, herinnerde hij zich dat ze vaak een doos handschoenen hadden gedeeld, alleen de laatste jaren niet meer. In een restaurant eten tijdens een uitstapje naar Goose Bay hadden ze vroeger ook vaak gedaan en dan hadden ze na de maaltijd aan de serveerster gevraagd hun koffie in papieren bekertjes te schenken. Die namen ze dan mee in de pick-up en dronken hem op bij de uitkijkpost op de hoofdweg terug naar Croydon Harbour, kijkend naar de Mealy Mountains. Vandaag deden ze dat na de hotdogs bij Mom's Home Cooking opnieuw en dat vonden ze allebei heel fijn. Dus zei Treadway toen ze thuis waren: 'Ik hoef nog niet terug naar de bush. De dakspanen op het oude deel van het huis zijn verdwenen en als ik toch op het dak ben, kan ik net zo goed meteen even kijken naar het voeglood.'

Jacinta trok de werkhandschoenen aan, haalde haar kleine schoffel uit de schuur en schoffelde de aarde in de tuin om die klaar te maken voor de pootaardappelen. Ze borstelde haar haren, trok een rode jurk, een groene wollen jas en haar schoenen in plaats van haar winterlaarzen aan, en liep naar de Hudson's Bay Store om zaden van wortels, pastinaak en peultjes te kopen. En omdat ze er toch was ook van pronkerwten, die ze niet kweekte voor de boontjes maar voor de bloemen. Ze konden wel een meter tachtig hoog worden als je wist waar je ze moest planten. Die zaden konden de eerste twee weken nog niet in de grond worden gezaaid, maar het was leuk veertien dagen lang zaden op de vensterbank van de keuken te hebben liggen en je voor te stellen dat ze opkwamen.

Roland Shiwack had de vorige zomer de kruiwagen van Treadway geleend en die niet teruggebracht. Toen Treadway hem ging halen zei Roland dat hij Jacinta in de tuin had zien schoffelen.

'Dat zal mijn eigen vrouw nooit doen,' zei Roland. 'Ik bewonder je omdat je een echtgenote hebt die zo hard kan werken en er toch nog aantrekkelijk uitziet.' Roland had Jacinta in haar groene jas en met schoenen aan haar voeten gezien. Hij wist niet waar de kruiwagen was en daar snapte Treadway niets van. Hij kon al niet begrijpen waarom een volwassen man de kruiwagen van een andere man zou willen lenen in plaats van er zelf een te kopen, maar hij kon nog minder begrijpen dat iemand kon vergeten waar een kruiwagen was. En de manier waarop Roland Shiwack had gezegd dat zijn vrouw er aantrekkelijk uitzag stond Treadway ook helemaal niet aan.

Het leek alsof Shiwack iets onder woorden had gebracht wat Treadway uit verlegenheid zelf niet over zijn lippen kon krijgen, terwijl Jacinta zíjn vrouw was. Als Treadway met haar was getrouwd en dat niet over zijn lippen kon krijgen, waar haalde Roland Shiwack dan het lef vandaan commentaar te leveren op Jacinta's uiterlijk? En wat was er mis met het uiterlijk van de echtgenote van Roland? Melba Shiwack zag eruit als een normale vrouw. Ze was naar het idee van Treadway onopvallend, en hij begreep niet waarom Roland nu had besloten een opmerking te maken over Jacinta.

Treadway zou die vluchtige gedachten geen jaloezie hebben genoemd, maar op de terugweg naar huis meende hij wel dat hij er verstandig aan had gedaan te besluiten nog niet meteen terug te gaan naar de bush.

Jacinta draaide een was met zoveel dunne nachtjaponnen als ze in de wasmachine kon stoppen: de nachtjaponnen die Treadway onbewust hadden doen denken aan mistige sterren toen hij in zijn jachthut het boek Job las. Ze hing ze aan de waslijn, waar het briesje laat in de maand mei ze liet dansen boven de mengeling van de net geschoffelde aarde en de restanten van de sneeuw.

30

De make-upkunstenaar

Steve Keating was een toonbeeld van spijt zoals hij daar voor de deur van Waynes appartement aan Forest Road stond. Wayne vond dat hij meer op een knulletje van twaalf dan op een jongen van vijftien leek toen hij Wayne een lunch overhandigde uit de supermarkt van Caines.

'Het is een koude schotel,' zei Steve.

Wayne haalde een papieren, in plastic gewikkeld bord uit de zak, met daarop het soort eten dat de vaste klanten van meneer Caines voor hun echtgenoten kochten voordat ze op zaterdag naar de bingo gingen. Twee plakken gekookte ham, twee plakken kalkoenvlees, een salade met koolsla en macaroni, een broodje, en een bolletje aardappelsalade die purper was door het zure bietensap.

'Ik had je gewaarschuwd,' zei Steve.

'Waarvoor?'

'Dat je me niet aardig zou vinden als je me echt leerde kennen.'

'Dat heb je nooit tegen me gezegd.'

'Wel waar.'

'Volgens mij niet, Steve.'

'Dan heb ik het in elk geval gedacht. Had ik mijn mond maar

gehouden. Het was echt niet de bedoeling om tegenover Warford over jou uit de school te klappen. Volgens mijn moeder kan ik nooit mijn mond houden en ze zei ook dat het haar niets zou verbazen wanneer je mijn kop van mijn romp scheurde na wat ik heb gedaan.'

Wayne was in de dagen nadat hij was aangevallen niet naar zijn werk gegaan. Hij had een snee bij zijn oog en hij had verwondingen die Derek Warford en zijn bende hadden veroorzaakt toen ze met zijn lichaam experimenteerden, maar hij was niet naar een dokter gegaan en hij had niemand verteld wat er was gebeurd. Bij de drogist had hij zalf gekocht die volgens het etiket verkoelend en genezend werkte en geschikt was voor de huid van een baby en die had hij aangebracht op alle zere plekken waar hij bij kon komen. Toen Steve met de lunch voor de deur stond, had Wayne honger. Zijn koelkast bevatte alleen een half blikje bonen en wat brood. Toen hij zich telefonisch ziek had gemeld, had Frank King gezegd dat hij zou worden vervangen wanneer hij te lang wegbleef en nu was hij bang weer naar zijn werk te gaan omdat hij er niet goed uitzag. Hij wist ook dat Frank King binnenkort een opmerking zou maken over zijn uiterlijk. Op Signal Hill was Derek Warford spottende opmerkingen over zijn borsten blijven maken en toen Wayne zichzelf eens goed in de spiegel bekeek, besefte hij dat die Frank King spoedig zouden opvallen, als dat niet allang was gebeurd.

'Ik zou het je niet kwalijk nemen als je me nu haat,' zei Steve.

'Ik haat je niet, Steve.'

'Dat mag anders best, hoor.'

'Als ik iemand aardig vind, blijf ik die persoon aardig vinden, wat hij ook doet.'

'Dat zei juf Cramm vroeger ook altijd. Ze was mijn juf voordat ze wegging. Ze liet me hoge hoeden maken voor het toneelstuk op school, maar ik hoefde niet mee te spelen. Des te beter, want ik kan geen tekst uit mijn hoofd leren. Maar nu heb ik juf Fiander en zij vindt me helemaal niet aardig. Moet je vandaag werken?'

Wayne had een manier bedacht om naar zijn werk te gaan en de spullen in te laden zonder dat Frank King de snee in zijn gezicht zag. Hij wist dat Frank elke dag op dezelfde tijd bij Wendy's ging lunchen. Hij wilde de bestellingen na het invallen van de duisternis afleveren, maar het was bijna juni en elke avond bleef het langer licht.

'Ik heb een probleem met die kwestie waarover ik je heb verteld,' zei hij tegen Steve. 'Ik wil het vlees liever afleveren als het donker is. Maar gisteravond was het rond negen uur nog licht en niemand wil een bestelling pas na die tijd afgeleverd krijgen.'

'Dan doe ik dat wel!' Steve was blij dat hij het kon goedmaken. 'Mijn moeder heeft om halfzes, als ik terug ben van Caines, mijn eten klaarstaan en ik kan om zes uur hier zijn. Dan kunnen we de bestellingen doen. Ik breng ze naar de deur en jij blijft gewoon in de pick-up zitten. Zo beroerd zou je er overigens niet uitzien als je wat kleren kocht die beter zaten.'

Wayne liet Steve de bestellingen afleveren. Steve liep met het vlees de opritten op en kwam terug met het geld. En overdag ging hij tussen tien over halfeen en halftwee naar het pakhuis van Frank King om alle spullen in te laden, want hij wist dat Frank dan bij Wendy's aan Thorburn Road een dubbele cheeseburger en een gestoomde aardappel at met geraspte kaas en kaassaus, en hem dus niet zou zien.

Maar op een dag kwam Frank vroeg terug omdat de kaassaus bij Wendy's op was, en toen zag hij Wayne.

'Je moet eens wat meer aandacht besteden aan je uiterlijk,' zei Frank. Hij keek naar Waynes spijkerbroek, zijn shirt en zijn laarzen. 'Schoon, schoon, schoon.' Frank liep om Wayne heen en Wayne wist dat het niet zijn kleren waren die Frank van streek maakten, maar zijn lichaam.

'Je uiterlijk heeft iets wat niet helemaal... Ik weet niet wat er precies mis mee is. Ga naar Tony, de kleermaker, en laat hem dat shirt passend maken. Daar rekent hij maar zeven dollar voor. Klanten willen dat een bezorger er netter uitziet dan bij jou het geval is. Eén blik op jou is al voldoende om de deur direct weer dicht te doen.'

Wanneer 's avonds alles was afgeleverd zette Wayne Steve af en reed door naar de haven, om naar de kranen te kijken. Soms deed hij dat vanuit zijn pick-up, maar de politie lette altijd op mensen die op de kade rondhingen en hij wilde niet hoeven te vertellen wat hij daar rond middernacht deed. Dus ging hij op de juni-avonden op de grond onder de Southside-brug zitten en keek vandaar naar de kranen met de geel en oranje verlichte bomen, luisterde naar het geluid van het zeewater dat tegen de kade klotste en naar het gekrijs van dronken mensen in George Street, de toeterende taxi's en het gezoem van auto's die heen en weer reden tussen de hotels, de restaurants en de bars die tot laat openbleven.

Hij zat daar en hij zag mannen die achter het pand van Murray aan de overkant van de weg zaten te drinken. Hij zag ook andere dingen, dingen die hem deden denken aan wat zijn vader over de telefoon had gezegd over mensen die niet zorgvuldig van tevoren plannen maakten, die zonder een fatsoenlijke opleiding in de stad woonden, die niet aan zuinigheid hadden gedacht en niet vooruit hadden gekeken, waardoor ze ineens onderdeel vormden van de criminele wereld die hen opwachtte. Hij keek op naar de brug boven zijn hoofd, de Southside-brug, dacht aan alle bruggen die hij eens had getekend en bestudeerd en was van mening dat deze brug op geen daarvan leek. Hij was nuttig en miste de schoonheid van een Italiaanse brug. Hij miste zelfs de lelijkheid van London Bridge, maar bezat een eigen lelijkheid die berustte op het feit dat niemand erom maalde hoe hij eruitzag, mits hij er maar voor zorgde dat auto's van de westelijke kant van Water Street naar Southside Road konden rijden. Er lagen bierflesjes onder, condooms en colablikjes, en de brug zelf had een gegalvaniseerde reling met roestende bouten. Hij had geen overspanningen en van een doordacht ontwerp was geen sprake.

De wereld was duidelijk een plaats, dacht Wayne nu, die weinig belangstelling had voor schoonheid. Derek Warford en zijn bende hadden hem behandeld als afval dat ze wilden gebruiken en dan weggooien. Ze hadden zijn gezicht met een kapotte fles verwond. Ze hadden het erover gehad hem te doden en zijn lichaam vanaf de top van Signal Hill te laten verdwijnen. Maar hij was ontsnapt. Nu was de enige schoonheid die hij kende de symmetrie van deze kranen, hun bomen en hun trage bewegingen en de manier waarop de takels en zware blokken de containers langzaam en recht naar beneden lieten zakken. Ze getuigden van vakkennis bij de constructie ervan en ze getuigden van schoonheid, en hij kon er uren naar kijken. 's Middags, voordat hij zijn bestellingen afleverde, wandelde hij veel en merkte dat hij genoot van verborgen en hellende straten zoals Nunnery Hill en straten waarvan de namen paradoxaal waren, zoals Long Street – de kortste straat in St. John's – of Road de Luxe, waar luxe ver te zoeken was.

Road de Luxe was een grappig steil straatje dat je van Waterford Bridge Road naar de Village Mall, het winkelcentrum aan Topsail Road, bracht. Het was een heuveltje met een naam die maakte dat je hooggespannen verwachtingen koesterde. Er was echter alleen een winkel die Valu Best Convenience heette en eruitzag alsof hij er al had gestaan voordat de straat zijn naam kreeg. Enveloppen stonden naast lucifers, kaarsen en lange dameshandschoenen. Hij zag een doos met losse kammen en dacht aan de lengte van zijn haren. Hij had zijn haren de laatste tijd niet laten knippen omdat hij geen kapperszaak in wilde lopen waar de kapper aandachtig naar zijn kapsel zou kijken en hem vervolgens zou vragen hoe hij het van achteren en van opzij wilde hebben. Nu zijn lichaam zachter was geworden, hij borsten had gekregen en de nieuwe vorm van Annabel had, zou een mannenkapsel vreemder staan dan haren die zomaar langer werden. Hij had zich nooit hoeven te scheren zoals zijn vader dat moest doen, trouw elke morgen, hij had nooit baardgroei gehad. Zijn gezicht was altijd glad geweest, en omdat hij zich nooit had geschoren zouden er wel donshaartjes zijn: goudblond en zacht. Hij kocht een scheermes en een kam. Als hij even zacht wilde worden als Annabel, wilde hij geen mannenkapsel en geen mannengezicht hebben. Hij wist niet wat hij wilde, maar hij wist wel dat hij niet wilde blijven doen alsof hij een man was. Bovenaan Road de Luxe besloot hij Topsail Road over te steken naar het winkelcentrum. Hij liep met zijn nieuwe kam en het scheermes naar de wc voor mannen en schoor het bijna onzichtbare dons onder zijn oren weg – niet meer dan de donshaartjes die veel meisjes op hun gezicht hebben. De zeep uit de zeephouder rook chemisch. Toen hij zijn nieuwe kam gebruikte, moest hij denken aan de zachte varens die in deze tijd van het jaar hun gevederde koppen zouden opsteken langs de kreek achter het huis van zijn ouders. Was zijn gezicht ooit een mannengezicht geweest?

Hij controleerde zijn adamsappel door te slikken. Was die zo groot als de adamsappel van een man? Hij kon zich voorstellen dat het antwoord op die vraag ja en nee kon luiden. Hij wou dat hij wist of het ja of nee was, maar zijn eigen gezicht was te bekend. Een man liep de wc in om een van de pisbakken te gebruiken en hij keek achterdochtig naar Wayne. De man had zijn portemonnee in zijn achterzak zitten en eromheen zat een verkleurd vierkantje denim. De man ritste zijn gulp dicht en keek Wayne aan met een blik waarin zowel walging als angst te lezen stond. Kennelijk had Frank King de plank niet al te ver misgeslagen.

Het winkelcentrum gaf Wayne altijd het gevoel dat het hem probeerde te overtuigen van een illusie waarvan hij de clou niet echt snapte. Dat de wereld een plek was vol glinsterende lichten. Dat je kon laten zien dat je van iemand hield door haar een nieuwe beker met een klein ijsbeertje erin te geven. Hij was er een keer naartoe gegaan om sokken te kopen en had toen beseft dat er in alle 166 winkels geen enkel paar sokken te vinden was dat zijn vader aan zou willen trekken. Nu keek hij in de etalageruiten van die winkels en probeerde zichzelf te zien alsof hij een vreemde was. In zijn transparante spiegelbeeld dat over rekken vol blazers en haltertopjes en quasi Italiaans serviesgoed liep, probeerde hij te zien wat andere mensen zagen als ze naar hem keken. Waren zijn schouders gebogen? Hij probeerde ze naar achteren te trekken, maar dan kwam zijn borstkas op een voor hem verontrustende manier naar voren. In de etalage van Fairweather hing een trui die oogde alsof hij dezelfde kleur had als toen de wol nog op het schaap zat. Het was een damestrui, maar waardoor werd het een damestrui? Hij liep de winkel in om de trui aan te raken. Hij trok aan de halslijn om de maat te zien. Maat acht. Een verkoopster vroeg of ze hem kon helpen. Hij geneerde zich. Hij wilde weten hoe die trui hem stond.

'Hebt u deze trui ook in een grotere maat?'

'Welke maat?'

'Hoe werken maten?'

'Een acht is ongeveer mijn maat.'

'Ik wil hem hebben voor iemand die groter is.'

'Iemand die zware botten heeft, of iemand die lang is?'

'Lang.' Wayne raadde nu. Hij vermoedde dat het meisje het woord 'dik' niet wilde gebruiken. Hij was niet dik.

'U kunt hem terugbrengen als hij niet past. Binnen veertien dagen, niet gedragen en met alle kaartjes er nog aan vast. Wilt u een twaalf of een veertien proberen?'

'Een veertien.'

Wayne vroeg zich af hoe de verkoopster kon weten of een kledingstuk was gedragen. Hij vroeg zich af hoelang je iets moest aanhebben tot dat te zien was. Hij betaalde de trui en ging naar een schoenenwinkel. Vrouwenschoenen waren klein. Maar ze waren niet alleen klein. Ze hadden ook heel dunne zolen. Hij pakte een zwarte pump. Hij kon zich niet voorstellen dat hij daarop kon staan zonder dat het hele ding kapotging. Hij was een meter vijfenzeventig lang, zijn gewicht was rond de vijfenzeventig kilo en hij wist dat er ook zogenaamd normale vrouwen met die lengte en dat gewicht waren. Maar deze schoenen leken naar zijn idee niet in staat zijn gewicht te dragen. Wogen mannelijke kilo's zwaarder dan vrouwelijke?

Een verkoopster zag hem met de schoen in zijn hand staan. Op een onderste plank zag hij een dameswandelschoen met veters. Die zag er veelbelovender uit, maar de neus was spits.

'Hebt u deze schoen in maat tien?' vroeg hij. Wayne herinnerde zich dat de voeten van Wally Michelin toen ze nog kinderen waren even groot waren geweest als de zijne, maar dat hun schoenen wel verschillende maten hadden gehad.

'We hebben ze tot de Europese maat eenenveertig. Dat is ongeveer een tien. Afhankelijk van het merk.'

'Mag ik die eens zien?'

Ze kwam terug met de gevraagde schoen en met een groene schoen die Wayne mooi vond. Hij had de kleur van berkenbladeren en hij kocht het paar. In de winkel van Suzie Shier hingen eenvoudige rokken met een split aan de achterkant die tot net onder de knie reikten, maar hij kon zich er niet toe zetten een rok te kopen. Achter de rokken hingen broeken van dezelfde stof: damesbroeken. Waardoor werden het damesbroeken? Hij hield een broek omhoog en bekeek de naden. Die waren platter dan bij een mannenbroek. Damesbroeken werden niet zo stevig in elkaar gezet. Hij betaalde er negenentwintig dollar voor en hoopte dat hij niet direct uit elkaar zou vallen. Op een bord stond een aanbieding van dameskniekousen, compleet met de mededeling dat iedere vrouw die in haar garderobe moest hebben en hij kocht een paar.

Hij wilde zich omkleden op de wc, maar hij wist dat hij daarvoor niet naar een herentoilet kon gaan. Er was een wc met een blauwe rolstoel op de deur en toen hij die deur openmaakte zag hij dat dit een enkele wc was, met een toilet, een wasbak en een spiegel. Hij liep naar binnen. Hij trok de trui, de broek en de groene schoenen aan. Hij stopte zijn oude shirt, de spijkerbroek en de werklaarzen in de tas van Fairweather en in de tas van de schoenenwinkel. Hij bleef lange tijd in die wc en vergewiste zich ervan dat de deur op slot zat. Hij bekeek zichzelf in de spiegel. Hij had zich geschoren en hij had de broek en de schoenen aan, maar toch kon hij nog onmogelijk bepalen of hij er een beetje als een vrouw uitzag. Hij vermoedde van niet. Hoe de schoenen hem stonden kon hij alleen zien door zijn knie hoog op te trekken en zijn voet op het schapje voor de spiegel te zetten. De schoen had een lage hak van ruim een centimeter, en zijn voet leek glooiend het groene leer in te gaan, zoals de voeten van vrouwen glooiden. Hij bleef met één oog naar de deurkruk kijken en toen die in beweging kwam probeerde hij zijn voet weer op de grond te zetten, verloor zijn evenwicht en verrekte zijn been. Hij trok de broek uit en zijn spijkerbroek weer aan, met de nieuwe kniekousen er nog onder. Toen veranderde hij opnieuw van gedachten. Hij deed de damesbroek weer aan, en de schoenen. De schoenen zaten krap. Hij wenste dat ze een maat groter waren. Hij wenste dat hij zichzelf van achteren kon bekijken. Als hij dat kon, kreeg hij misschien een nieuw perspectief. Dan zou hij misschien weten of zijn lichaam iets vrouwelijks uitstraalde. In het winkelcentrum liepen honderden mensen rond, misschien wel duizenden, en niemand kende hem. Hij kon er een keer doorheen lopen om na te gaan hoe dat voelde. Hij besloot naar de drogisterij te gaan en een handspiegel te kopen om in een andere spiegel zijn achterkant te kunnen bekijken. Hij kon zich niet herinneren wanneer hij die voor het laatst had gezien. Hád hij die ooit gezien?

Het was moeilijk zoiets kleins als een handspiegel te vinden te midden van de vele producten die de drogisterij verkocht. Tijdens het zoeken zag hij een rek met dameskousen en hij besloot een paar ragfijne kousen te kopen voor iemand die een meter vijfenzeventig lang was en tussen de 70 en de 80 kilo woog. Misschien zouden de schoenen comfortabeler zitten met die kousen in plaats van de dikkere kniekousen. Terwijl hij met de kousen langs een eiland vol potjes make-up liep, zei een man iets. De man was groter dan Wayne en zijn haren reikten tot zijn schouders. Hij had een vriendelijk gezicht en hij hield een borsteltje met een goudkleurige steel vast.

'Hebt u interesse in een advies?'

'Wat zegt u?'

'Ik werk hier voor Lancôme. Als u dat wenst, kan ik u laten zien welke kleuren het beste bij uw gezicht passen. U ben niet verplicht iets te kopen. Maar als u er geen tijd voor hebt, begrijp ik dat natuurlijk volkomen.'

De man had een vriendelijk gezicht en leek een beetje op Robin Williams. Hij zag eruit als een man die in een film op een motor door de heuvels kon rijden, samen met een klein jochie: zijn zoon. Die film zou vertellen hoe hij probeerde onder hartverscheurende omstandigheden voor zijn zoontje te zorgen. Hij keek nu naar Wayne en bood hem zonder een spoortje ironie een gratis make-upadvies aan. Zijn gezichtsuitdrukking had niets vragends. Of hij geloofde dat Wayne een vrouw was, of hij had besloten hem waardig tegemoet te treden. Welk van de twee kon Wayne niet bepalen. Onder een lamp stond een krukje en daar ging Wayne op zitten.

'De schoonheid van een vrouw gaat verder dan het uiterlijk,' zei de man die op Robin Williams leek. 'Het is een emotie op het oppervlak van uw huid.'

'Ik heb nooit make-up gebruikt.'

'Wij geloven dat iedere vrouw mooi is. Ik zal niet iets met uw gezicht doen waardoor u er hard of onnatuurlijk gaat uitzien.'

'Ik zou niet eens weten waar ik moet beginnen.'

'We beginnen met een foundation.' De make-upkunstenaar smeerde die op het gezicht van Wayne. Het kostte Wayne moeite niet te lachen om het idee van foundation op zijn gezicht. De procedure deed hem denken aan het schilderen van muren. Maar de make-upkunstenaar had zo'n vriendelijk voorkomen en deed het zo voorzichtig dat Wayne hem niet wilde kwetsen.

'Nu ga ik de foundation op de helft van uw gezicht bijwerken en dat dan aan u laten zien.' Wayne deed zijn ogen dicht en liet de make-upkunstenaar de crème op zijn wang en zijn ooglid, zijn voorhoofd en zijn kin aanbrengen. Hij vroeg zich af hoe de man heette. Hij was bang dat hij hem per ongeluk Robin zou noemen. Het was een heerlijk ontspannen gevoel om onder het witte licht op deze kruk te zitten en Wayne vroeg zich af of de make-upkunstenaar enig idee had hoe het was om door hem onder handen te worden genomen.

'Als u naar buiten gaat en het regent,' zei de kunstenaar, 'is er niets aan de hand. Zelfs niet als u gaat zwemmen. Van uitlopen is geen sprake. Ook niet als u huilt. Het leven is uiteindelijk zoals het is en misschien zult u een keer huilen.'

Hij zei het vriendelijk en Wayne had het gevoel dat iedereen op deze wereld dezelfde zorgen had als hij, terwijl de wereld voordat hij hier bij Robin Williams was gaan zitten een plaats was geweest waar de meeste mensen zich veel beter redden dan hij. Wayne stelde zich iedereen in de regen voor, met zijn verdriet: een stil, persoonlijk verdriet in allerlei vormen. En Robin Williams had al die vormen bestudeerd. Voelde iedere vrouw zich zo als ze het aanbod van een make-upadvies had aangenomen, of was deze kunstenaar uniek? Wayne had geen idee.

Hij dacht aan de naam Robin, aan hoe blauw het ei van een roodborstje in de lente was, aan de hoop die je voelde bij het zien van een roodborstje.

De kunstenaar zei tegen Wayne dat je op je gezicht kleuren moest aanbrengen die het tegenovergestelde waren van de kleur van je ogen. Hij liet hem zien hoe je een levenslange voorraad lippenstift kon aanleggen door een pot gezichtspoeder als pigment te gebruiken en die te vermengen met een willekeurige heldere lipgloss.

'Als u deze gezichtspoeder gebruikt die bedoeld is voor vrouwen met een donkere huid, kunt u die met een borsteltje op uw wimperaanzet aanbrengen en met een enkele pot jaren doen.'

'Dank u,' zei Wayne toen Robin Williams hem in de spiegel zijn nieuwe gezicht liet zien. Hij vroeg zich af of de kleur rond zijn ogen hem er gekweld liet uitzien. Daar was hij niet zeker van. Hij besloot voorlopig vertrouwen te hebben in Robin Williams en kocht de potjes. Hij had niet het gevoel dat Robin Williams geen geweten had of alleen spullen wilde verkopen.

'Ik heb alles opgebracht met een borsteltje van Lancôme, maar u kunt er elk borsteltje voor gebruiken. U hoeft die van Lancôme, die vierentwintig dollar per stuk kosten, niet te kopen.'

De make-upkunstenaar was hier om potjes make-up te verkopen, maar Wayne voelde aan dat de man gaf om wat hij deed. Robin Williams dacht dat je in het leven misschien moest huilen en hij gaf iedere vrouw waardigheid door haar mond, haar ogen en haar huid met zachte handen te behandelen.

Toen Wayne het winkelcentrum weer in liep, was hij blij dat er heel veel mensen waren. Misschien zou hij het leuk vinden hier in de toekomst nog eens naartoe te gaan, dacht hij, gewoon om rond te lopen of in de buurt van de restaurants te gaan zitten en te weten dat niemand belangstelling voor hem had. Hier was geen Frank King, en ook geen Derek Warford. Het winkelcentrum stond hem niet echt aan en hij kon er ook niets moois in ontdekken. Eigenlijk was het lelijk, karakterloos en anoniem, zoals elk winkelcentrum in Noord-Amerika, maar dit winkelcentrum gaf hem het gevoel dat hij zich – ook al was het maar even – kon verstoppen voor het daglicht en voor onderzoekende blikken. Het daglicht in St. John's was hard en werd nog harder gemaakt door de leisteen van Signal Hill en de Southside-heuvels. In het centrum of in de Battery kon je er niet aan ontsnappen. Hier in het winkelcentrum was je echter anoniem en kon je uitrusten.

Maar toen hij op het plein bij de restaurants zat, met warme chocolademelk in een papieren bekertje, en zich afvroeg of hij chinees of japans zou gaan halen, zag hij iemand die hij kende. In eerste instantie hoopte hij dat het niet de persoon was aan wie hij dacht. Hij wilde niet dat die hem zou zien in de kleren die hij bij Fairweather had gekocht. Hij had al een eerder gedacht dat hij mensen zag die hij uit Labrador kende. Zoiets overkwam je als je naar een nieuwe plek ging. Dan leken mensen uit je oude omgeving te verschijnen, maar het was een illusie en als je dicht bij hen kwam besefte je dat zij het helemaal niet waren. Dat was Wayne een paar keer overkomen. Een keer had hij zelfs gedacht zijn vader te zien, maar natuurlijk was dat niet het geval geweest. Maar toen de vrouw steeds dichterbij kwam, ging ze meer en meer lijken op Victoria Huskins, het hoofd van zijn oude school: de vrouw die een kind van de kleuterschool streng de les had gelezen omdat het op de wc een ongelukje had gehad. De vrouw die ervoor had gezorgd dat Thomasina Baikie werd geschorst omdat ze Wayne in de zevende klas had meegenomen naar het ziekenhuis. Ze was de drogisterij uit gekomen waar hij zijn gezicht net had laten opmaken door Robin Williams en keek nu om zich heen naar de diverse stalletjes, net zoals hij had gedaan, aarzelend over wat ze zou eten. Wayne wachtte nog altijd op het moment waarop hij zichzelf kon inprenten dat het echt Victoria Huskins niet was maar een onbekende. Toen herkende zij hem.

31

Mijn lieve vriend

HOE ZOU HET KOMEN dat iemand als Victoria Huskins er na haar pensioen jonger uit was gaan zien, vroeg Wayne zich af. Zonder iets over zijn uiterlijk te zeggen begroette ze hem met iets wat als echte warmte aanvoelde en vroeg of hij tijd had om een praatje met haar te maken terwijl ze lunchte. Ze liet haar tassen bij zijn tafeltje achter om bij Dairy Queen een cheeseburger en een karamelijsje te halen. Toen ze terug was bij het tafeltje begon ze met het ijsje.

'Ik neem eerst mijn toetje.' Haar haar was nu steil en zat anders dan in de tijd dat ze nog schoolhoofd was. Het zat niet meer als een helm om haar hoofd en ze had het zo laten groeien dat het haar gezicht op een aantrekkelijke manier omlijstte. 'Hoe is het met jou, Wayne?'

Hij voelde zich kwetsbaar en moest zichzelf inprenten dat het nu anders was dan vroeger, toen zij het hoofd van zijn school was geweest. Hij had de zevende klas al lang geleden achter zich gelaten. Ze was uit zijn leven verdwenen en in de hogere klassen van de middelbare school was er een ander schoolhoofd geweest. Maar hij voelde gewoon dat als hij zijn gevoelens niet onder controle hield hij binnen de kortste keren weer de dertienjarige Wayne Blake zou worden en dan zou zij gezag over hem hebben.

Hij hield zichzelf in stilte voor dat hij inmiddels volwassen was en niet meer op school zat. Hij had Croydon Harbour achter zich gelaten en hoefde zich niet te schamen nu hij meer als een jonge vrouw dan als een jonge man bij Victoria Huskins zat. Maar zag hij er wel zo vrouwelijk uit? Het licht op het pleintje was niet fel. En als het wel fel was geweest... zag hij er nu uit als Annabel of als Wayne? Alleen de man die hij eerder in de wc had gezien en die hem vreemd had aangekeken had hem daar een idee van gegeven. Of had hij zich die blik slechts verbeeld? Die man, en de make-upkunstenaar die op Robin Williams had geleken. Die was zo vriendelijk en niet oordelend geweest dat Wayne nog altijd niet wist welke indruk hij nu op iemand als Victoria Huskins zou maken. En zelfs als hij er meer uitzag als Annabel dan als Wayne hoefde hij zich daar bij Victoria Huskins toch niet voor te schamen? Op dat moment wenste hij dat zijn hele leven niet één groot geheim was geweest, dat er meer mensen waren zoals hij en dat hij niet alleen was in een wereld waarin iedereen zeker van haar of zijn plek was, als vrouw of als man. Zijn alleen-zijn maakte hem beschaamd en hij wist niet waarom dat zo moest zijn. Nu keek hij naar Victoria terwijl ze het laatste beetje karamelsaus op haar plastic lepeltje schepte en wist hij dat ze anders was dan hij had gedacht. Niets in haar gezicht klopte met het idee dat hij van haar had gehad toen hij jonger was. Ze leek veel menselijker.

'Met mij gaat het goed,' zei Wayne. 'En met u?'

'Met pensioen zijn is geweldig. Het merendeel van juni heb ik doorgebracht in de groentetuin en ik ben hier om mijn zusjes en mijn oude vriendinnen van de universiteit op te zoeken. We kletsen heel wat af. We hebben het over levenstestamenten en plannen voor wanneer we oud en zwak zijn. Verder ben ik gaan schilderen – iets wat ik altijd al heb willen doen – en daardoor heb ik nauwelijks tijd over voor buikdansen of trainen op mijn fiets. Ik denk dat ik die fiets moet verkopen en me gewoon op het dansen moet concentreren.'

Wayne herinnerde zich dat Joanne, de serveerster in Shelley's All-Day Breakfast, hem had verteld dat vrouwen overal ter wereld dansten. Ze dansten in hun eentje, op manieren waarvan niemand op de hoogte was. Hij had graag aan Victoria Huskins willen vragen: Hoe zat dat dan met dat buikdansen toen je hoofd was van de school in Croydon Harbour? Maar dat deed hij niet. Aan haar gezicht kon hij zien dat zij een vrijheid had gevonden die hij niet had. Op de een of andere manier was deze onbuigzame vrouw flexibel geworden en ze was mooi op een manier die hem niet gegeven was, ook al was ze oud. Hij vroeg zich af of ze nog steeds zo hard was als ze in zijn kinderjaren had geleken, en of hij nu bevroren of doodsbang was, waardoor zelfs Victoria Huskins zachter en menselijker was dan hij. Hij wist niet wie hij was geworden en nu vroeg Victoria Huskins hem wat hij in St. John's deed.

'Studeer je aan de universiteit, Wayne? Vertel eens voor welke studie je hebt gekozen. Je was altijd zo goed in de exacte vakken en ook in tekenen. Ik kan me herinneren dat we een keer diagrammen van het leven in de oceaan in de klas hadden opgehangen en dat jij de beste tekening van de hele school had gemaakt. En soort anemoon, als ik het me goed herinner.'

'Een Tealia-anemoon.' Het verbaasde Wayne dat Victoria Huskins zich zijn tekening herinnerde. Hij was lang bezig geweest met het uitwerken van de symmetrie.

'Ik was altijd dol op de projecten van de zesde klas. Studeer je nu een exact vak?'

'Nee.'

'Hmmm. Ik was er zeker van dat je die kant op zou gaan, maar tekenen kon je ook goed. Heb je voor zo'n studierichting gekozen?'

'Ik studeer niet aan de Memorial Universiteit.'

'Studeer je dan aan een van de technische universiteiten?'

'Ik studeer helemaal niet. Ik werk.'

Victoria Huskins had haar cheeseburger imiddels uitgepakt, keek ernaar, pakte hem weer in en stopte hem in haar tas. 'Niemand weet dat, maar je kunt een burger weer opwarmen en dan smaakt hij nog altijd even lekker. Wat voor werk doe je, Wayne?'

'Ik werk voor een van de groothandels aan Thorburn Road.'
'Wat voor groothandel?'
'Etenswaren. Ik heb mijn eigen gekoelde pick-up. Ik lever bestellingen af in heel St. John's en een deel van Mount Pearl.'
'Wat voor etenswaren?'
'Vlees. Vis. Verschillende soorten worst.'
Victoria Huskins keek hem recht aan. Haar blik bleef niet even rusten op zijn haren, zijn kleding of zijn make-up. 'Dus je verkoopt vlees vanuit een pick-up.'
Ze had hem niet naar zijn uiterlijk gevraagd. Ze waren ruim vijftienhonderd kilometer van Croydon Harbour. Ze wachtte tot hij haar meer zou vertellen, maar leek niet nieuwsgierig te zijn naar zijn mannelijkheid of zijn vrouwelijkheid.
'Ik heb er nooit over gedacht aan Memorial te gaan studeren,' zei hij. 'Ik ben druk bezig een heleboel andere dingen uit te vogelen.'
Nu veranderde haar gezicht. 'Wat voor dingen?'
Wayne voelde zijn eigen verhaal samenklonteren tot een wolk. Hij kon er niet nuchter over praten. Hij wilde met iemand praten maar hij wist niet hoe hij dat moest doen, omdat de feiten met hun keurige etiketten en medische termen zijn hele wezen op de een of andere manier reduceerden tot iets waar hij geen behoefte aan had. Hoe kon hij hier zitten en Victoria Huskins vertellen welk etiket de artsen hem hadden opgeplakt zonder zichzelf te reduceren tot de status van een diagram, zoals zijn in de zesde klas gemaakte diagram van de Tealia-anemoon waar Victoria Huskins het net over had? Hij wist niet eens waar hij moest beginnen, dus hield hij zijn mond. Hij wist niet of hij haar kon vertrouwen en zelfs als hij haar had kunnen vertrouwen schoten woorden tekort om zijn hele wezen bloot te geven. De wolk rees in hem omhoog en stokte in zijn keel als een blokkade die loodzwaar en triest aanvoelde. Het leek een brok dat dreigde hem het zwijgen op te leggen.
'Je ziet eruit als een hoopje ellende,' zei Victoria Huskins. 'Ik weet wat er in het ziekenhuis is gebeurd toen je bij mij op school zat, Wayne. Wist je dat?'
Wayne had nooit het idee gehad dat hij bij Victoria Huskins

op school zat. Het was nooit bij hem opgekomen dat zij iets wist. Zijn vader had hem altijd duidelijk te verstaan gegeven dat hij met niemand in Croydon Harbour over zijn toestand mocht praten.

'Ik weet precies wat er die dag en nacht is gebeurd, omdat ik ervoor zorgde dergelijke dingen te weten. Mijn baan eiste dat ik overal van op de hoogte was. Uiteraard was het vertrouwelijke informatie, maar ik weet wat er toen is gebeurd en ik weet dat je daardoor op dit punt bent beland.'

'Hoe bent u dat te weten gekomen?'

'Ik heb het aan een vriendin gevraagd, die heel lang in het ziekenhuis heeft gewerkt. Kate Davis. Zij is daar haar hele leven hoofd verpleegkunde geweest en tot ze afgelopen winter overleed was ze een heel goede vriendin van me. Ik heb haar om een kopie van jouw dossier gevraagd, omdat ik moest weten wat er gaande was. Ik had dat dossier nodig om te weten hoe ik met jou als leerling moest omgaan, en ook hoe ik me tegenover Thomasina Baikie moest opstellen.'

'Maar u hebt Thomasina ontslagen.'

'Nee, dat heb ik niet gedaan, Wayne. De schoolinspectie wilde haar ontslaan, omdat iemand haar met jou onder schooltijd in het ziekenhuis had gezien, ze jouw ouders daarvan niet in kennis had gesteld en geen van de voorgeschreven procedures had gevolgd.'

De lipgloss die de man die op Robin Williams leek had aangebracht begon Wayne te hinderen.

'Ik heb de inspectie kunnen overhalen haar tijdelijk te schorsen. Ze had zich niet aan de regels gehouden, heb ik gezegd, maar dat had ze gedaan omdat er sprake was van een noodsituatie. Dat had ik niet kunnen zeggen als ik het zelf niet had geloofd.'

De gloss op zijn lippen voelde kleverig aan. Hij pakte een servet en veegde het spul weg, en hij dacht aan de andere make-up die de kunstenaar op zijn gezicht en zijn ogen had aangebracht. Die kon hij op zijn huid voelen.

'Om die reden moest ik je dossier inzien. Maar dat is nu niet belangrijk, Wayne. Wat nu belangrijk is, is waarom je niet aan de universiteit of elders studeert en niets doet met je verstand en je talenten.'

Op het gezicht van Wayne waren twee lagen make-up aangebracht: de foundation en het poeder. Hij begon het gevoel te krijgen dat de huid van zijn gezicht stikte.

'Je dankt alles aan je jeugd. Dat zeg ik over alle kinderen die bij mij op school hebben gezeten.'

Wayne herinnerde zich dat hij niet zeker wist wat hij van de oogmake-up moest denken toen de kunstenaar hem die in de spiegel had laten zien. Hij had zich afgevraagd of hij er daardoor gekweld uitzag, of het hem een soort valse kwetsbaarheid gaf die mensen uitnodigde op een andere manier naar zijn gezicht te kijken dan het geval was geweest toen hij zich nog als man voordeed. Die gedachten schoten door zijn hoofd terwijl Victoria Huskins hem aan de tand voelde over zijn verstand en zijn talenten, en hij wist niet wat hij tegen haar of tegen zichzelf moest zeggen. Hij wist alleen dat hij bij een wasbak moest komen om die make-up van zijn gezicht te wassen. Waarom werd het make-up genoemd? Wat moest dat spul dan verdoezelen of goed maken... een intens falen in iemands binnenste? En zo ja... hoe kon het dan iets anders zijn dan een façade en een leugen? De make-up overdreef iets. Wat precies wist Wayne niet. Het dikte iets aan, maar verdrong het tegelijkertijd en inmiddels begonnen de groene schoenen behoorlijk te knellen. Hij had het gevoel dat zijn voeten met de seconde groter werden en dat zijn lichaam tegen de naden van de nieuwe broek drukte. Hij wist dat zijn lichaam niet echt groter werd, maar hij wist ook dat het niet opgesloten wilde zitten in het nieuwe omhulsel dat hij er in dit winkelcentrum voor had gevonden, en dat het ook niet meer wilde luisteren naar Victoria Huskins. Haar stem begon aan te voelen als een klamme vreemde derde laag, boven op de make-up en de kleding. Hij wist dat ze het niet kwaad bedoelde, net zomin als dat de bedoeling was geweest van de make-upkunstenaar en de verkoopster in Fairweather. Maar hij herinnerde zich een katoenen shirt en zijn favoriete spijkerbroek thuis – als je dat thuis kon noemen – op Forest Road en hij wilde er het liefst meteen naartoe om het masker van zijn gezicht te wassen en zijn huid in ademend katoen te hullen.

'Je had als kind veel mogelijkheden en je bent nog jong,' zei Victoria Huskins. 'Maar op een dag word je ineens wakker, Wayne, en zijn die mogelijkheden verleden tijd.'

Dat wilde hij niet horen, want dat wist hij allang. Sterker nog: als die mogelijkheden al aanwezig waren geweest in de andere leerlingen van Victoria Huskins, dan hadden ze wellicht bij hem geen bestaanskans gehad. Zou dat kunnen? Zijn vader had nooit in hem geloofd. Zijn moeder had gehoopt maar was gedurende zijn jeugd gebukt gegaan onder verdriet. De enige persoon die wist of hij ooit mogelijkheden in welke vorm dan ook had gehad, de enige die hem ooit de waarheid had verteld, was Thomasina Baikie. Hij wilde niet hier met Victoria Huskins zitten praten. Hij wilde naar Thomasina toe.

32

Het goud van Treadway

'PAPA?'

'Wayne, ik zal je beschrijven waar ik ben en hopelijk weet jij dan waar dat is.'

'Papa?'

'Ik ben niet echt verdwaald, maar ik zit vast en ik weet niet welke kant ik op moet.'

Wayne hoorde achter zijn vader auto's toeteren. Hij hoorde de motor van een truck, hij hoorde een sirene en hij hoorde iemand roepen: 'Gary! Ik zie je straks bij de Fountain Spray!'

Treadway Blake had zijn hele leven in de bossen van Labrador doorgebracht en hij was nooit verdwaald. Hij kon naar een plek in de bossen gaan waar hij nooit eerder was geweest en het nieuwe mysterie tot grote diepte verkennen, waarbij hij beekjes tegenkwam die elkaar kruisten en in tegengestelde richting verder stroomden. Hij kon op zijn schreden terugkeren en die stroompjes volgen en dan maakte het niet uit hoe vaak hij in een kringetje liep en hoever hij verwijderd was van bekend terrein. Hij kwam altijd weer thuis. Hij hoefde alleen maar naar de boomtoppen te kijken om te zien hoe die door de overheersende windrichting waren gevormd, of naar de richting waarin een beekje stroomde, of naar de hemel boven de bomen en het pad van de zon aan die hemel, of de wegen die de maan en de sterren volgden. De wildernis van Labrador was zijn thuis en hij kon er duizenden kilometers van verkennen zonder bang te zijn dat hij verdwaalde. Maar het kleine centrum van St. John's was een ander verhaal.

Hij wist dat het centrum klein was omdat hij het merendeel ervan had gezien vanaf het terras aan Military Road, onder de basiliek. Veel torentjes en kleurrijke huizen, omlaag lopend naar de scheepsmasten en de haven. Maar het feit dat het klein was, hielp Treadway niet om de weg te vinden in iets wat voor hem als een doolhof aanvoelde. Het enige deel dat hem geen claustrofobisch gevoel gaf, was de zandlopervormige toegang tot de haven. Hij keek naar het kleine stukje horizon dat daar te zien was om te bepalen waar hij was en dat gaf hem meteen het gevoel weer te kunnen ademhalen. Daar waren waadvogels, sommige verwant aan de waadvogels die hij thuis kende. Er was ook een buizerd. Die had hij vanaf Military Road om de top van Signal Hill zien cirkelen. Was het een roodstaartbuizerd of een ruigpootbuizerd? Hij had naar de vlucht van de vogel gekeken, maar vanaf die afstand had hij het niet met zekerheid kunnen vaststellen. Toen had hij zijn blik weer op de straat gericht en de weg die hij wilde volgen in de hoop dat die zou leiden naar het adres aan Forest Road waar zijn zoon zoals hij wist een appartement huurde.

Treadway Blake had twee bezoekers gehad: Waynes oude schoolhoofd Victoria Huskins en Thomasina Baikie. Hij wist niet wat hij van het eerste bezoek moest maken. Hij kon zich niet voorstellen dat zijn zoon eruitzag zoals Victoria Huskins hem had beschreven, en hij wist niet of hij de mening van Victoria Huskins, op welk gebied ook, wel kon vertrouwen. Thomasina Baikie was een ander verhaal. Zij was na een telefoontje van Wayne naar hem toe gekomen.

Wayne had haar gevraagd naar hem toe te komen. Hij had een baan en hij had aangeboden haar reisgeld te betalen. Er was een plek op de kliffen, had hij gezegd, die Ladies' Lookout heette. Daar stond een grote steen op een stuk gras. Hij vertelde Thomasina dat hij elke avond na zijn werk naar de kranen bij de haven ging kijken, dan naar Ladies' Lookout liep en daar in zijn eentje ging zitten. Hij had haar verteld wat er op Signal Hill met Derek Warford in de pick-up was gebeurd en hij had gezegd dat hij zich soms afvroeg wat er zou gebeuren als hij niet op de steen bij Ladies' Lookout ging zitten om naar de oceaan te kijken, maar bleef staan, zich aan het donker overgaf en zijn lichaam over de rand liet vallen. Hij dacht niet dat het erger zou zijn dan wat hem eerder was overkomen.

Thomasina had hem precies gevraagd wat Derek Warford had gedaan en hij had haar zonder omhaal geantwoord. Hij zei dat hij haar die dingen niet vertelde om haar van streek te maken, maar omdat ze ernaar vroeg en omdat hij het gevoel had dat zij de enige persoon was die misschien zou weten wat hij moest doen. Het speet hem dat hij haar alles moest vertellen, en hij had zich daarvoor verontschuldigd.

'En het spijt mij dat ik het nu weer aan jou moet vertellen,' zei Thomasina tegen Treadway. 'Maar ik wist niet wat ik anders moest doen.'

Ze had niet elk detail willen vertellen, maar Treadway had haar niet toegestaan iets weg te laten. Daarna zweeg hij en ze had geen idee wat er in hem omging.

'Ik zou naar hem toe kunnen gaan,' zei ze. 'Ik heb tegen hem gezegd dat ik er in drie dagen kon zijn. Maar toen ik een wandeling door de bush ging maken om erover na te denken drong het tot me door dat jij dit moest weten. Misschien wil jij naar hem toe gaan. Ik wil geen herhaling van wat er eerder is gebeurd.'

Ze had het over de keer dat zij Wayne had meegenomen naar het ziekenhuis. Ze wist niet of ze destijds te bemoeizuchtig was geweest en ze wilde het risico niet nemen dat nog eens te doen. Zij zou gaan als Treadway dat niet deed. Maar als Treadway zijn zoon wilde helpen, vond ze dat hij daar meer recht op had dan zij.

In bed kon Treadway niet slapen. Hij kon Jacinta niet vertellen wat er was gebeurd, hij was alleen met de beelden in zijn hoofd. De beelden doken telkens weer op en hij kon ze niet laten verdwijnen of veranderen, hij kon ze niet minder afschuwelijk maken. Hij bleef zien hoe het portier van de pick-up werd geopend, waarna zes jonge mannen instapten, een kapotte fles bij het gezicht van zijn zoon hielden en hem vernederden. In gedachten zag Treadway hen telkens weer de knoopjes van Waynes overhemd losrukken en zijn broek openmaken om Waynes lichaam daaronder te zien: het lichaam van Treadways eigen dochter of zoon, dat deed er niet toe. Wat ertoe deed, was dat er niemand was geweest om Wayne te helpen. Treadway was er niet geweest en hij was er nu ook niet.

Hij deed zijn ogen dicht, maar hij zag alles telkens opnieuw gebeuren en hij kon het geen halt toeroepen. Iedereen was naamloos en Treadway kon hun gezichten niet zien. Als hij een naam of een gezicht had gehad, had hij zich daaraan kunnen vastklampen. Dat zou een brokje informatie zijn geweest waarmee hij er een eind aan had kunnen maken. Dan had hij kunnen zeggen dat ze even moesten wachten. Dan had hij alles stop kunnen zetten en de afloop misschien kunnen veranderen. Treadway lag in bed en wist dat hij wat er was gebeurd nooit zou kunnen veranderen. Hij wist dat het was gebeurd en dat het enige wat hij nu kon doen naar St. John's gaan was om de tijd naar zijn hand te zetten, de tijd die nog niet zo onherroepelijk voorbij was als het voorval dat hij nu voortdurend bleef zien.

Er lag een tijd voor hem en alleen daar kon Treadway iets mee beginnen. Meer kon hij niet doen en wat dat inhield, wist hij niet precies, maar hij had wel een idee over wat een vader kon doen met zo'n losgeslagen figuur die zijn kind dit had aangedaan en misschien in de toekomst dat ook nog het kind van iemand anders zou aandoen. Als Treadway het voor het zeggen had, zou er voor die persoon geen toekomst zijn weggelegd. Dat was de enige gedachte die kon voorkomen dat alles zich voortdurend weer voor zijn ogen afspeelde, de enige gedachte die het patroon kon doorbreken van de beelden die door zijn hoofd bleven malen. Het patroon verdween niet helemaal, maar het verbrokkelde. En daardoor kreeg het verdriet van een vader respijt.

Wat Treadway onbegrijpelijk vond aan de straten in het centrum van St. John's was dat er zoveel doodlopend waren. Je ging een straat in die als een doodgewone straat begon, dan kwam je trappen tegen en die trappen leidden naar iets wat eruitzag als een laantje tussen achtertuinen en voordat je het wist, stond je ineens op een pleintje dat door hoge hekken werd omgeven en kon je niets anders doen dan omdraaien en via dezelfde weg teruggaan. Verder was er ook nog de vreemde manier waarop al die verschillende huizen – knalrood, blauw, paars met een geel randje of bruin met voor het raam een bloembak met geraniums – na een tijdje op elkaar gingen lijken zodat je niet wist of je een nieuwe bloembak met geraniums zag of in een kringetje had rondgelopen en dezelfde weer tegenkwam. De huizen stonden zoveel dichter op elkaar dan de huizen in Labrador dat hij het gevoel had dat ze hem insloten. Het leek alsof ze schouders en ogen hadden en steeds dichter op hem af kwamen, waardoor hij het gevoel kreeg dat St. John's hem had opgeslokt en hij in de ingewanden ervan verdwaald was. Die ingewanden waren de straten die om elkaar heen leken te draaien, net als de ingewanden van de elanden en kariboes waarop hij jacht had gemaakt en die hij had schoongemaakt. Maar hier in het centrum van St. John's was Treadway geen groot jager. Hij kon zijn eigen zoon niet eens vinden, hoewel het adres op de binnenkant stond van het omslag van het bankboekje dat in zijn zak zat. Hij had dat boekje steeds weer gepakt om opnieuw naar het adres te kijken, maar dat had hem niet geholpen om Forest Road te vinden. Waarom hadden ze die straat Forest Road genoemd als er geen bos te zien was, vroeg hij zich af. Wanneer er ook maar iets was geweest dat op een bos had geleken, had Treadway misschien geweten wat hij moest doen. Maar er waren alleen die opzichtig gekleurde huizen langs de met elkaar verweven straten.

Hij keek herhaaldelijk naar het bankboekje en stopte het dan weer in zijn zak omdat hij bang was dat hij het kwijt zou raken. Er stond een bedrag in dat hem genoegen deed en tegelijkertijd teleurstelde. Het was het totaalbedrag dat de Labrador Credit Union in Goose Bay bereid was geweest hem voor zijn goud te geven. Dat bedrag deed hem genoegen omdat het veel hoger was dan het bedrag dat hij oorspronkelijk voor het goud had betaald, maar het stelde hem teleur omdat hij wist dat nu het goud in contanten was omgezet dat bedrag niet nog hoger zou worden.

Liquide maken heette dat. Treadway had het goud in contanten omgezet en nu zou het totaalbedrag kleiner worden omdat je geld uitgaf en niet spaarde. Dat betreurde hij, maar niet voor zichzelf.

Treadway was van plan het boekje en het geld dat het vertegenwoordigde aan zijn zoon geven. Het speet hem alleen dat het bedrag niet verder zou stijgen en dat de macht ervan onzeker was. Als het op was, zou zijn zoon misschien een goed leven op deze wereld tegemoet gaan en misschien ook niet. Het speet Treadway dat hij niet in de toekomst kon kijken en niet zeker kon weten of het feit dat hij het geld aan Wayne ging geven zijn vruchten zou afwerpen of niet. Vruchtbaarheid was misschien een ouderwets idee, dacht Treadway. Misschien was het iets wat hij in zijn jachthut had gelezen in het boek Genesis en in het evangelie van Matteüs. Het kon iets zijn wat het land en de dieren van Labrador konden begrijpen maar een stad als St. John's niet. Vruchtbaarheid kwam uit zaden, planten en dierlijk leven. In de wildernis was dat iets natuurlijks. Maar hier, in de stad waar zijn zoon nu woonde, was het misschien vergeten. Het goud inruilen voor geld had niets met vruchtbaarheid te maken en dat wist Treadway. Op deze dag, nu hij in de stad verdwaald was, drong ineens tot hem door dat goud op zich net als veel van deze straten doodlopend kon zijn, terwijl zijn zoon snakte naar leven.

'Papa? Ben je in de buurt van de Fountain Spray?' Wayne had op de achtergrond iemand iets horen schreeuwen over de Fountain Spray. Dat was een winkel aan Military Road, in de buurt van Bannerman Park.

'Jongen, ik weet het niet. Ik sta tegenover een grijs met witte kerk.'

'St. Thomas' Church?'

'Dat kan ik hiervandaan niet zien. Ik sta in een telefooncel en er zijn vijf straten die allemaal een andere kant op gaan.'

'Papa, kun je het Newfoundland Hotel zien?'

'Rechts van me staat een behoorlijk groot hotel.'

'Ik denk dat je op de rotonde van King's Bridge Road staat. Kun je naambordjes zien? Kun je Military Road of Ordnance Street zien?'

'Naambordjes kan ik hiervandaan niet zien, maar ik ben net wel over Military Road gekomen.'

'Oké. Blijf maar staan, ik kom naar je toe.'

'Vertel me me nou maar hoe ik bij jou moet komen, jongen.'

'Dat geeft niet, papa. Ik woon niet ver daarvandaan en het is allemaal behoorlijk verwarrend. Toen ik hier net was, ben ik op die rotonde ook even de weg kwijtgeraakt. Iedereen zou erdoor in de war raken.'

Wayne kon het idee niet verdragen dat zijn vader verdwaald in een telefooncel op de rotonde van King's Bridge Road stond. Hij gooide de hoorn op de haak en rende Forest Road en King's Bridge Road af tot hij in de verte de telefooncel zag. Zijn vader die met een opgerolde slaapzak voor de telefooncel stond en omringd werd door auto's en trucks, verkeerslichten en het hotel, zag er verloren uit. Wayne vond dat hij er klein en compact uitzag, als een wilde uil of een waadeend die meer dan duizend kilometer van de kust was geblazen, ver van zijn eigen leefgebied.

Toen Treadway zag hoe kaal het appartement van zijn zoon was, zei hij: 'Het is maar goed dat ik mijn slaapzak heb meegenomen.' Hij ging daar echter niet op door en hij gaf Wayne niet het idee dat het appartement niet goed was. Treadway had wel onder moeilijkere omstandigheden geslapen en hij nam net als zijn zoon genoegen met de vloer. Er was een slaapkamer en Treadway rolde zijn jack op tot een kussen en zei dat de vloer vorstelijk was. Toen Wayne zijn vader dat hoorde zeggen, besefte hij dat Treadway geestig kon zijn. Dat had hij niet geweten. Treadway rolde zijn slaapzak uit en haalde er een andere zak uit, een van de geweven zakken die hij gewoonlijk gebruikte om zaagsel uit Goudies zaagmolen mee te nemen om daar in de winterschuur zijn wortels in te verpakken. Uit die zak haalde hij nu een rol striksnoer, zijn tandenborstel, drie paar sokken en drie setjes ondergoed. Meer bagage had hij niet bij zich, besefte Wayne.

'Laten we naar Ches's gaan voor vis en patat.' Treadway vouwde de zak plat op en stopte die in zijn broeksband. Het verbaasde Wayne dat zijn vader Ches's kende.

'Het is beroemd,' zei Treadway. 'Iedereen heeft erover gelezen.'

In feite, vertelde Wayne hem, was Leo's beter dan Ches's. Leo's was niet beroemd maar ze bakten de vis twee keer, waardoor het beslag als een wolk opbolde, en de vis was ook beter. Treadway zei dat hij uitgehongerd was en dus gingen ze samen terug naar Military Road en liepen verder naar het eind van Long's Hill, waar alle patatzaken waren. Onder het lopen bleef Treadway Wayne verbazen met dingen die hij wist over de straten, de architectuur en de details van de stad.

'De stenen daarvoor hebben ze uit Galway gehaald,' zei Treadway toen ze langs de basiliek liepen. 'In elk geval het kalksteen. Het graniet kwam uit Dublin.' Hij keek overal naar en leek voor alles belangstelling te hebben. Toen ze bij Leo's waren ging Treadway zitten, schoof met zijn voeten over de vloer en zei: 'Terrazzovloeren zie je tegenwoordig niet vaak meer.'

Wayne was vaak in Leo's geweest, maar de vloer was hem nooit opgevallen. Nu keek hij ernaar.

'Hij is oud en gebarsten,' zei Treadway. 'Tegenwoordig is er niemand meer die zo'n vloer kan repareren, maar mooi is hij.'

Er waren een paar dingen die Treadway wilde doen terwijl hij in St. John's was, vertelde hij Wayne. Hij bleef drie dagen en hij wilde naar de tentoonstelling van gereedschappen, huishoudelijke voorwerpen en jachtkleding van de Beothuk en de Inuit in het Newfoundland Museum aan Duckworth Street. Hij wilde met name een bepaald mes zien, en een bontjas voor een kind met een deel van de staart van het dier nog intact.

'Verder wil ik graag dat je me vertelt hoe degene heet die jou heeft aangevallen,' zei Treadway. 'En als hier ergens een levensmiddelenzaak in de buurt is, wil ik daar iets kopen.'

Dat was de eerste keer dat Treadway de werkelijke reden waarom hij hierheen was gekomen aanstipte: de ellende en het verdriet van zijn zoon. Hij had niets over het uiterlijk van Wayne gezegd maar dat wel in zich opgenomen en hij leek er niet geschokt of van streek door te zijn. Wat Treadway betrof, was Wayne altijd gracieuzer geweest dan andere jongens. Zijn gezicht had altijd iets zachts gehad en de vorm van zijn lichaam was niet veel anders geweest dan die nu was, maar hij was wel gespierder geweest. Wayne had een eenvoudig shirt en een spijkerbroek aan – van het soort dat hij altijd had gedragen – en Treadway had de meisjesborstjes bij zijn zoon al eerder gezien. Voor hem waren ze niet nieuw, en ze waren klein. Als je niet aandachtig keek konden ze je ontgaan. Maar Treadway keek aandachtig.

Hij pakte zijn zakmes en gebruikte dat om de vis te snijden. Tegelijkertijd viel alles om hem heen hem op, inclusief het type motor van de stadsbus die langsreed en het Duitse merk van de klok op het gebouw van de brandweer aan de overkant van Harvey Road.

'Papa, ik wist niet dat je zoveel wist van St. John's.'

'Ik weet helemaal niets van St. John's.'

'Dat weet je wel. Je weet uit welke stenen de kerken zijn opgetrokken en waar die vandaan komen, je herkent de vloer hier en de motoren van de bussen, en je weet wat er in het museum tentoon wordt gesteld. Ik wist niet eens dat hier een museum was.'

'Het zou je vroeg of laat zijn opgevallen. En ik weet niet van welke steensoort álle kerken zijn gemaakt. Ik weet het alleen van de basiliek en de anglicaanse kathedraal en een paar kerken en kastelen in Engeland en Schotland omdat ik daarover heb gelezen. Alles wat ik weet, heb ik gewoonlijk gelezen, zelfs veel van wat ik over het uitzetten van vallen weet. Boeken hebben me veel wijzer gemaakt.'

Wayne besefte hoe vaak hij zijn vader had zien lezen. Hij wist dat er boeken in zijn jachthut waren en thuis lagen er altijd boeken naast zijn bed. Hij had niet gedacht dat die boeken zijn vader konden helpen zich in St. John's te oriënteren, of in welke andere onbekende stad dan ook. Die gedachte was nieuw voor Wayne. Zijn vader mocht dan de weg zijn kwijtgeraakt toen hij onderweg was naar Forest Road, maar hij was niet verloren in de wereld van terrazzovloeren en Duitse klokken of de geschiedenis van zijn voorouders, en dat kwam omdat hij las.

'Ik heb heel wat meer tijd gehad om te lezen dan jij. En ik heb in mijn leven heel wat minder moeten verwerken dan jij. Wayne, nu zou ik graag willen weten hoe die vent heet die jou heeft aangevallen.'

'Derek Warford. Waarom wil je dat weten?'

'Omdat ik graag een woordje met hem zou willen wisselen. Ik wil ook de plek zien waar het is gebeurd. Die Deadman's Pond waarover Thomasina me heeft verteld.'

'Papa.'

'Ik wil eigenlijk dat je me die nu laat zien. Maar voordat we Signal Hill op gaan wil ik naar een winkel om een mooie sinaasappel te kopen.'

Wayne nam zijn vader mee naar de Parade Street Dominion. Daarna liepen ze Harvey Road af en de trap op naar Long's Hill. Ze liepen door Gower Street en toen ze het hek van Powers' Salvage aan het oostelijke uiteinde van Duckworth Street passeerden, gaf Treadway Wayne het bankboekje. De enige getuigen waren de meeuwen die rondcirkelden bij de uitgang van het stadsriool. Ze stonden bij de gigantische piramide van zout die de stad voor de komende winter aanlegde, en je kon er zeewier ruiken. Er kwam mist opzetten, maar die was daar nog niet gearriveerd en de geluiden kwamen van meeuwen, kranen en containers die op de kade werden gezet met veel gepiep van katrollen en af en toe het geschreeuw van een man. De mannen in de verte, met hun helmen op, waren klein. Wayne keek door het hek naar hen en wist niet waarom hem een bankboekje was gegeven. Tot zijn vader hem uitlegde dat het om het goud ging.

'Het goud dat jij altijd in je kast hebt bewaard?'

'Ik wil dit geld aan jou geven. Stop het boekje in je zak. Morgen gaan we naar de bank en dan laat ik de rekening op jouw naam overschrijven. Ik wil dat je het geld gebruikt om iets met jezelf te doen. Wat kan me niet schelen, maar ik wil wel dat je erover nadenkt. Ga diverse plaatsen bezoeken als je dat wilt, plaatsen waar ze je iets kunnen leren wat je wilt leren. Het moet iets zijn waar je belangstelling voor hebt.' Hij gaf Wayne een envelop. 'En dit is een toegangsbewijs dat ik van Thomasina Baikie aan jou moest geven.'

Wayne stopte het bankboekje in zijn zak en maakte de envelop open. Het was een entreebewijs voor een uitvoering van Amerikaanse folksongs door het Boston Downtown Community Choir. Het kaartje had vijf dollar gekost en het was voor de twaalfde augustus, dus over zes weken.

'Thomasina wil dat je je oude vriendin weer ziet. De reis zal niet veel kosten en zelfs als hij wel duur was... waar heb je anders geld voor?'

'Papa, ik wil jouw goud niet aannemen.'

'Ik zei al, jongen, jij hebt heel wat meer moeten doorstaan dan ik in mijn hele leven. Ik wil dat je dat geld aanneemt. Je moeder en ik willen dat jij het hebt en we willen dat je er iets mee doet waardoor wij ons geen zorgen meer hoeven te maken over hoe jij in je levensonderhoud kunt voorzien. Het is puur egoïsme van onze kant.'

'Weet mijn moeder het?'

'Wat?'

'Dat ik geen medicijnen meer slik. Wat Derek Warford heeft gedaan. Weet ze dat?'

'Nee. Over Derek Warford heb ik niets gezegd. Dat had je moeder niet kunnen verdragen.'

'Dat weet ik.'

'Maar dat van de medicijnen weet ze wel. Ergens heeft ze altijd gewild dat je degene was die je nu bent. Zij heeft altijd het gevoel gehad dat die medicijnen misschien niet de juiste oplossing waren. Al vanaf dat jij heel klein was. Dus heb ik haar dat verteld en daar was ze blij om.'

Ze waren bij het kruispunt van de weg naar Signal Hill en de weg naar het oosten, langs de Battery.

'Was ze er blij om?'

'Ze heeft gehuild, maar ze zei dat ze blij was. En ik was bijna vergeten je dit te geven. Ik hoop dat het niet is gekreukt, want dan vermoordt ze me.' Treadway haalde een klein vierkantje uit zijn zak. Het waren twee stukjes karton, niet meer dan vijf bij zeven centimeter en door een rubberen elastiekje bij elkaar gehouden. Toen Wayne het elastiekje weghaalde, zag hij dat het een foto was. In de krant had een foto gestaan van het moment waarop Elizaveta Kirilovna, toen Wayne acht was, haar gouden medaille had gewonnen voor synchroonzwemmen. Jacinta had die foto destijds uitgeknipt, ze hadden er samen naar gekeken en ze hadden samen de vreugde van Elizaveta Kirilovna gevoeld.

'Maar dit is geen krantenknipsel,' zei Wayne. 'Dit is een echte foto.' Elizaveta Kirilovna zwaaide en haar gezicht was nat. Je kon een druppel van het water van het zwembad bij haar mond zien. Op zijn achtste had hij tegen Jacinta gezegd dat hij zich bijna kon voorstellen dat Elizaveta Kirilovna naar hem zwaaide.

'Je moeder heeft die krantenfoto meegenomen naar Sooter's in Goose Bay en gevraagd hem af te drukken op fotopapier. Dat doen ze tegenwoordig. Ze kunnen er zelfs een poster van maken als je dat wilt. Maar je moeder wilde een kleine foto hebben. Ze heeft me gevraagd naar S.O. Steele in Water Street te gaan om hem voor jou in een zilveren lijstje te laten zetten, maar daar ben ik niet aan toe gekomen. Zou je dat zelf kunnen doen, jongen? Je moeder hoeft het niet te weten. Ik vertel haar niet alles en soms heb ik het gevoel dat ze details voor mij achterhoudt.'

Ze liepen langs het klooster en langs de kleurrijke huizen die her en der verspreid op de heuvel stonden en verdwenen waren voordat je bij het Battery Hotel was, met zijn witte voorkant die als een cruiseschip oogde, hoewel de achterkant in verval was geraakt. Toen kwam de scherpe bocht op de heuvel en kwam Cabot Tower in zicht.

'Deadman's Pond is daar.' Wayne wees naar de struiken. Er waren bosbessenstruiken met bloemen: roze klokjes, nieuwe groene, witte en lichtpaarse bessen en aan sommige struiken een paar bessen die al blauw waren geworden. Water siepelde door de struiken en ze zagen bosjes die waren platgereden door mensen die dichter bij de vijver hadden willen komen. Wayne wist niet waarom zijn vader hiernaartoe wilde en hij had een onbehaaglijk gevoel. Sinds de aanval was hij hier niet meer geweest en hij wilde de vijver niet zien.

'Ik wil dat je me hier achterlaat.'

'Waarom?' Wayne was bang dat er iemand zou komen die zijn vader zou uitdagen. Hij wist dat het onwaarschijnlijk was dat Derek Warford hier overdag naartoe zou komen, maar toch stelde hij zich dat voor. Hij wist niet wat zijn vader van plan was en hij wilde hem hier niet alleen achterlaten.

'Ik wil deze plek zorgvuldig bekijken en ik wil hier in mijn eentje iets doen. Ik heb de sleutel die jij me hebt gegeven en die zal ik gebruiken om jouw appartement weer in te komen als ik hier klaar ben.'

Hij wist dat Wayne aan het werk moest. Het was laat in de middag. Wayne stond langs de weg en zag zijn vader de struiken in lopen, zich bukken en een paar bessen eten, net zoals hij dat thuis bij bessenstruiken zou hebben gedaan. Hij zag dat de handen van zijn vader groot waren, maar toch kostte het hem geen moeite om de delicate bes tussen duim en wijsvinger te plukken.

'Oké, papa.' Wayne bleef staan.

'Ga nu maar, jongen.'

Toen Wayne was omgedraaid om terug te lopen naar de stad keek hij niet meer om naar zijn vader, hoewel hij dat wel wilde, en zijn rug voelde naakt en gevoelig aan alsof het een scherm was waarop het beeld van zijn vader, helemaal in zijn eentje bij Deadman's Pond, was geprojecteerd.

33

Roodstaartbuizerd

De grond onder de bessenstruiken was droger dan de grond onder soortgelijke struiken in Labrador, zag Treadway, en de bessen roken anders. Maar de vijver leek op een vijver die hij thuis kende en die Bottomless Pond, de bodemloze vijver, werd genoemd. Deze werd Deadman's Pond genoemd, meende hij, omdat iemand die dood was er lange tijd spoorloos in kon verdwijnen. Natuurlijk had Bottomless Pond een bodem, net als deze vijver, maar wel een diepe bodem. Hoe diep kon Treadway bepalen aan de hand van de contouren van de vijver, het bezinksel tussen de wortels van de struiken en het oppervlak, en aan de hand van de kleur.

Wat er volgens Thomasina hier met zijn zoon was gebeurd spookte nog steeds door zijn hoofd. Maar nu hij hier was, veranderden de beelden, zoals altijd wanneer je op de plaats zelf bent. Hij had gedacht dat de platgereden struiken aan de andere kant van de vijver waren en hij had niet verwacht dat het terrein zo steil zou zijn. Hij liep om de vijver heen, op zoek naar de plek waar die het steilst naar de bodem afliep en die vond hij naast een paar grote stenen aan de noordkant. Hij wrikte een kleine steen los van de plek waar die misschien wel honderden jaren had gelegen en rolde hem de vijver in. Hij verdween. Hij ging op een van de grotere stenen zitten en dacht na over wat hij van plan was geweest.

Hij had talloze keren gejaagd op terrein dat niet veel van dit verschilde. Hij keek naar het pad en naar de twijgjes op het pad die droog waren en knapten. Hij keek naar de beschikbare stenen en hun afmetingen en naar de diameter van de struiken en de schuilplaatsen onder de struiken. Hij voelde van welke kant de wind blies en hij was blij dat het een koude wind was, en dat die geluiden maakte die op grote eenzaamheid leken te duiden. Hij zag bewijzen van de aanwezigheid van kleine dieren en hij zag keutels van elanden.

Treadway wilde het gesprek dat Thomasina met hem had gevoerd niet nog eens in gedachten herhalen, maar het was het soort gesprek geweest dat een vader blijft achtervolgen. Hoewel Treadway Wayne nooit iets anders had genoemd dan zijn zoon, wist hij en had hij altijd geweten dat er in zijn zoon een dochter school. Die dochter had hij vandaag hier in St. John's gezien. Hij had Annabel gezien in het gezicht van Wayne en hij had naar Deadman's Pond willen gaan om te kijken of hij hier van gedachten zou veranderen of zou vasthouden aan zijn plan om de kans dat Derek Warford zijn zoon, zijn dochter of wie dan ook dit nog eens zou aandoen definitief te elimineren. Het zou kunnen, zag hij nu, kijkend naar het landschap. In een wildernis als deze was er weinig verschil tussen het vangen van een wild dier of jacht maken op een man. Treadway zou het op diverse manieren kunnen doen. Hij zou een val kunnen gebruiken van het soort dat hij thuis gebruikte, maar dat betekende dat hij zo'n val moest gaan kopen en hij wilde niet naar de zaak van Wilson aan Water Street gaan en een van de Wilsons tegenkomen, met het risico dat die zich hem zou herinneren. De veiligste mogelijkheid leek hem nu iets te doen wat hij 's winters een keer had gedaan toen hij een levende lynx had gevonden die gevangen zat in een val van Roland Shiwack.

De zak waarin hij zijn sokken, ondergoed en tandpasta had meegenomen kon voor vele doeleinden worden gebruikt. Hij was licht en draagbaar, waardoor hij geschikt was voor het vervoeren van zaagsel, maar hij was ook sterk genoeg om er een kilo of vijfentwintig mest in te kunnen doen, en zo nodig zelfs nog meer. Treadway spaarde die zakken zoals hij draad en touw spaarde, en hij had deze meegenomen naar St. John's omdat hij gemakkelijk met zijn kleren erin in de slaapzak had gepast én omdat hij wist wat hij er nog meer mee kon doen.

Het zou niet moeilijk zijn Derek Warford te vinden en in te spelen op zijn ijdelheid en zijn hebzucht.

'In de winkel op de hoek hebben ze me verteld dat jij hier beter de weg kent dan alle andere jongens,' hoorde hij zichzelf in gedachten zeggen. 'Ik wil graag zien wat alle mensen die hier op bezoek komen willen zien: Cabot Tower en het pad over de kliffen. Maar dat kan ik zelf wel vinden. Ik wil van de bekende paden af.'

Deze verkenningstocht had het doel te bekijken of alles wat hij van plan was te doen realiseerbaar was, en dat was het. Treadway trok de zak tevoorschijn die hij achter zijn broekband had gestopt. Bij het steilste deel van de vijver vond hij een grote steen. Hij deed de steen in de zak, die hij vervolgens onder de struiken verstopte en prentte de plek in zijn geheugen. Als oriëntatiepunten gebruikte hij de spitse toren van St. Andrew's, de kerk beneden in de verte, en de punt van een toren met een zendmast in de Southside-heuvels. Hij was er niet aan gewend door mensenhanden vervaardigde oriëntatiepunten te gebruiken als hij op jacht ging en hij bleef denken dat dit alleen zou werken zolang de mensen die de kerktoren en de andere toren hadden gebouwd die niet weer weghaalden – iets wat nooit zou gebeuren met een berg of een bocht in een rivier of andere oriëntatiepunten die hij in Labrador tijdens de jacht gebruikte.

Hij verstopte de zak en de steen en dacht aan de lynx. Roland Shiwack was naar de mening van Treadway niet voorzichtig genoeg met zijn vallen. Treadway had menige lynx gevangen, maar zelden een die in de val in leven bleef. Hij had de juiste vallen op het juiste terrein gebruikt, terwijl Roland Shiwack genoegen nam met minder dan het beste en daardoor was de lynx van Shiwack gek geworden toen Treadway hem vond. Treadway had zijn geweer niet bij zich gehad, maar wel striksnoer en een zak als deze, en hij was in een deel van het land waar grote stenen waren, en een rivier met watervallen en diepe poelen. Elke wilde kat zal direct tot bedaren komen wanneer je een zak over zijn kop doet, ook een gewonde lynx, en dan kun je de zak met striksnoer om de nek van het dier vastzetten. En als je geluk hebt, is er diep water in de buurt waar je de lynx naartoe kunt dragen en als de zak goed dichtzit en de steen in de zak van het juiste formaat is, kun je de lynx verdrinken en zo een eind maken aan een van de kleine martelingen die de geheime hoeken van deze aarde teisteren.

Dat wilde Treadway ook met Derek Warford doen. Maar hij aarzelde wel, net zoals hij had gedaan toen hij de lynx van Roland Shiwack verdronk. Stel dat de zak de lynx niet kalmeerde? Stel dat de lynx door de zak heen klauwde voordat hij door de steen diep genoeg in het water was gezakt? Stel dat de lynx, of Derek Warford, sterker en slimmer was dan Treadway besefte?

Maar Treadway wist instinctief dat Derek Warford niet zo intelligent was als een lynx en hij wist ook dat hij, ondanks het feit dat hij bijna zestig was, nog steeds op zijn eigen kracht kon vertrouwen. Daar kwam nog bij dat iemand als Derek Warford, die niet in Labrador op jacht was geweest en niet het grootste deel van zijn leven in zijn eentje in de wildernis had geleefd, niet zo kon vechten als Treadway dat kon en niet zou verwachten dat Treadway zou doen wat hij had gepland. Treadway wist echter ook dat de mogelijkheid bestond dat Derek Warford hem kon overmeesteren omdat hij jonger was.

Over die mogelijkheid dacht hij diep na, en hij zat ook over boosaardigheid te piekeren. Was hij, Treadway, boosaardig en wilde hij die boosaardigheid richten op die Derek Warford? Toen hij erover nadacht, wist hij dat er van boosaardigheid geen sprake was. Hij wilde Derek Warford gewoon van deze aarde verwijderen en dat was niet in de eerste plaats een kwestie van straffen. Iemand die in staat was te doen wat Derek Warford Wayne had aangedaan moest naar de andere wereld worden geholpen. Dat was alles. Deze kleine plek op de wereld, de

Battery, moest worden ontdaan van iemand die deze misdaad had gepleegd en dat waarschijnlijk opnieuw zou doen. Het was geen misdaad waarover Treadway de politie wilde raadplegen, of iets wat op de politie leek. Hij piekerde er geen moment over om naar het politiebureau te gaan waar hij formulieren zou moeten invullen, zou moeten uitleggen wat er was gebeurd en de vrouwelijkheid van zijn zoon zou moeten verklaren. Maar boven op Signal Hill was wel iemand die Treadway wilde raadplegen.

Vanaf Military Road had Treadway een buizerd boven Signal Hill zien rondcirkelen, op een prooi zien af duiken, weer zien opvliegen en opnieuw cirkeltjes draaien. Hij had ernaar gekeken tot hij wist waar het nest van de vogel was. Nu liep hij Signal Hill op, viste de sinaasappel die hij bij Parade Street Dominion had gekocht uit zijn zak en legde hem op een afgelegen plekje op de heuvel op het gras.

Hij zat daar een aantal uren en de sinaasappel was het enige kleurige ding in het gras. Toen de buizerd kwam, streek hij niet neer. Het was een roodstaartbuizerd met glanzende roodbruine veren. Hij hing in de lucht en Treadway sprak ertegen zoals hij in Labrador tegen de ruigpootuil en andere wilde dieren sprak. Hij hoefde niet luid te spreken. Hij kon de vogel zwijgend zijn idee voorleggen de wereld te ontdoen van Derek Warford. Treadway wist dat een buizerd een genadeloos dier is. Als hier op Signal Hill toevallig een vrouw met een baby – vooral een pasgeboren baby – bosbessen of patrijsbessen plukte, moest ze uitkijken dat de buizerd de baby niet meenam. Dat was al eens eerder gebeurd – misschien wel door deze roodstaartbuizerd – en het zou opnieuw gebeuren: een buizerd was een vleeseter en kon een grote vogel of een baby meenemen en doden. Treadway had zo'n vogel ervandoor zien gaan met de grootste haan van Graham Montague. Hij verwachtte niet dat een buizerd genade zou kennen voor iemand als Derek Warford.

Maar Treadway had Pascal gelezen, en de Bijbel, en de essays van filosofen, en hij had gedichten gelezen. Tegen zijn wens in deed de buizerd hem denken aan de dingen die hij had gelezen. De vogel sprak niet tegen hem vanuit zijn eigen wildheid. Misschien omdat hij te lang had rondgecirkeld boven kerktorens, bibliotheken en musea die de gedachten van geciviliseerde mensen herbergden, dacht Treadway. Hij had niet gedacht dat een buizerd dit zou doen. Nu de vogel omlaag schoot en dicht bij hem kwam op zijn vlucht tussen de spleten van Signal Hill en de oceaan aan de voet daarvan, waar zijn eigen prooi te vinden was – lodde, jonge kabeljauw en zee-egels met perzikkleurige kuit – vertelde die hem iets ouds, telkens weer hetzelfde. Het was niet iets wat Treadway wilde horen.

'Ik zou Derek Warford graag doden op de manier die ik heb gepland,' zei Treadway tegen de vogel.

De zon ging onder en de sinaasappel glansde in het gras. De buizerd zei nog altijd niet wat Treadway hem wilde horen zeggen. Hij had gehoopt op een zegening. Hij had gedacht dat de buizerd begrip zou hebben voor bloedvergieten en wraak. Als iemand begreep hoe hij zich voelde als hij dacht aan wat Derek Warford zijn zoon had aangedaan, had hij gedacht, moest dat wel de buizerd zijn. Mogelijk had de buizerd met eigen ogen gezien wat er was gebeurd en wist hij beter dan Treadway hoe Derek Warford het verdiende met een steen naar de bodem van een bodemloze vijver te zakken. De buizerd herkende echter niets van dat alles. Hij kwam niet omlaag om de sinaasappel te pakken of in de buurt van Treadway te landen. Maar hij bleef wel recht voor hem zweven en hij bracht hem telkens weer dezelfde Bijbelse woorden in herinnering, die Treadway in zijn hut in het boek Deuteronomium, in de Brief aan de Romeinen en in de Brief aan de Hebreeën had gelezen: 'Mij komt de wraak toe, ik zal het vergelden, zegt de Heer.'

'Wanneer?' vroeg Treadway. 'Wanneer is de Heer van plan het te doen? Ik vraag dat omdat ik de klus morgen rond deze tijd kan hebben geklaard.'

Maar de buizerd gebruikte een argument dat Treadway zelf vaak genoeg had gebruikt wanneer Jacinta hem vroeg een door hem genomen beslissing te verklaren of te rechtvaardigen. De buizerd gebruikte het argument van een lange kreet, gevolgd door stilte. En in die stilte, wist Treadway, kon hij protesteren zoveel hij wilde, maar hij zou de discussie niet winnen.

34

Het vuur van uw genade

TOEN WAYNE IN DE trein van Portland naar Boston stapte, voelde hij zich precies zoals zijn vader had beloofd dat hij zich zou voelen.

'Ga niet met je pick-up,' had Treadway gezegd. 'Laat die staan en neem de bus naar Port-aux-Basques. Neem daar de veerboot naar North Sydney, maar stap daar niet op de trein. Ga naar Yarmouth en neem daar de veerboot naar Portland, dan ben je al bijna in Boston. Je moet er echt niet zelf naartoe rijden.'

Treadway had zorgvuldig een kaart bestudeerd die hij in de cadeauwinkel van het Newfoundland Hotel had gekocht. 'Je zult op je gemak willen zitten en door het raam naar buiten kunnen kijken. Je wilt niet met het ene na het andere verkeersbord en een doolhof van viaducten worden geconfronteerd. Treinen en veerboten zullen je een échte reis naar Boston bezorgen. Je pick-up brengt verantwoordelijkheden met zich mee. De juiste weg vinden is een hele klus. Een trein zal die last van je schouders nemen.'

Wayne had het gevoel dat de trein langs stukjes privéleven van gewone mensen reed: balkonnetjes en achtertuinen met een tegen het hek gezette schop, kleren die in een vochtige wind hingen waardoor ze bewogen en iets intiems kregen. Op de balkonnetjes stonden stoelen, houten stoelen en een paar beklede exemplaren die kennelijk rustig in de regen mochten blijven staan. Op sommige balkonnetjes stonden tafeltjes en de mensen die er woonden hadden er karaffen en koffiepotten op achtergelaten zodat het leek alsof er nog flarden van gesprekken hingen. Klimplanten die langs rekken groeiden, gaven de achterkant van Amerikaanse steden iets bouwvalligs en Wayne vond dat de blauwe clematis en de rode pronkbonen een vredige uitstraling hadden die hij niet kon verklaren maar wel aanvoelde. Zijn vader had gelijk gehad.

Doreen, de tante van Wally Michelin, had de telefoon opgenomen en tegen Wayne gezegd dat hij naar haar toe moest komen. Ze had een kleine logeerkamer. Wally was opgewonden omdat ze was aangenomen door het Boston Downtown Community Choir. Ja, het kaartje was voor Thomasina bestemd geweest en nee, Wally zou het niet erg vinden dat Thomasina het aan Wayne had gegeven.

'Thomasina heeft ons dat in een brief verteld en ons opdracht gegeven voor jou te zorgen,' zei Doreen.

In de weken na het bezoek van Treadway was de zomer veranderd. Er was nog geen blad van kleur veranderd, maar de lucht was wel anders geworden. De hemel was zilver- en loodkleurig en accentueerde de kleuren eronder op een manier die een zomerse hemel onbekend was. Een zomerse hemel slokte kleuren op, maar aan het eind van augustus stuurde de hemel de kleuren terug naar de aarde. Alle gebouwen en stoepen hadden scherpe randen, zelfs de bladeren van de bomen en de vlijtige liesjes in de bloembedden van alle steden waar Wayne op weg naar Wally Michelin doorheen kwam. Het licht werd scherper naarmate hij dichter in de buurt van Boston kwam en hij werd steeds banger dat hij er verkeerd aan had gedaan hierheen te gaan. Dat je een kaartje in je zak had voor een optreden van een koor was één ding. Dat gaf je toestemming het theater in te gaan en plaats te nemen. Maar gaf het je ook toestemming terug te keren in het leven van een beminde vriendin nadat jullie elkaar alleen hadden gelaten?

Wally's tante Doreen had hem verteld dat Wally blij was dat hij kwam, maar toen de trein Boston naderde, begon Wayne zich zorgen te maken over de komende ontmoeting. Hij keek weer naar de lichte wollen jas die hij aanhad, naar de dunne sjaal en de corduroybroek in de kleur van havermout. Het buitenlicht viel door het treinraampje op de broek die daardoor lichte en donkere strepen kreeg. In de trein had niemand hem een tweede blik waardig gekeurd. Hij had een kapsel waardoor hij er als een gewone jongere uitzag. Hij was naar een kapper aan Duckworth Street gegaan die zowel mannen als vrouwen knipte en hij had het meisje gevraagd hem een kapsel te geven dat bij zijn gezicht paste. Er zaten studenten in de trein naar Boston en hij zag eruit als een van hen.

Buiten de stad liep zijn trein een uur vertraging op omdat er iets mis was met de wissels. Een conducteur deelde mee dat die wissels handmatig moesten worden bediend. Toen de taxi hem eindelijk bij het adres van Wally afzette, werd hij verwelkomd door haar tante Doreen.

'Ze moest naar de repetitie. Heb je honger?'

'In de trein heb ik een broodje gegeten.'

'Ik kan je een kop bouillon aanbieden. Daarna kun je naar de repetitie gaan en als jullie allebei terug zijn gaan we samen eten.'

Wayne ontdekte dat de tante van Wally een aardige vrouw was die via je ogen tot diep in je binnenste kon kijken. Ze kon dingen zien die voor andere mensen niet zichtbaar waren. Hij voelde zich bij haar op zijn gemak en hij was zenuwachtig toen ze stopten bij het gebouw waar Wally repeteerde en haar tante zei dat hij in zijn eentje naar binnen moest.

Het was een bijgebouw van een kerk geweest, maar het hoorde niet langer bij een kerk. De kerk en de gebouwen die erbij hoorden waren vervallen, maar een groep die de Appleton Street Neigbourhood Associaton werd genoemd probeerde het pand nieuw leven in te blazen. Dat las Wayne op een bord in de gang. Hij hoorde hoe stoelen over de grond werden gesleept, achter dubbele deuren die allebei een glazen ruitje hadden. Toen hij door een van die ruitjes keek, zag hij het koor op het podium staan en hij zag ook een dirigent en een pianist. Er was net een pauze tussen twee liederen en de dirigent had het over de zuiverheid van medeklinkers. Wayne wachtte tot het koor weer zong en een muur van geluid produceerde. Er was niet veel licht en daar was hij blij om toen hij de zaal in liep. De dirigent bleef maar opnieuw beginnen en weer stoppen. Hij gaf het koor opdracht bladzijden over te slaan en soms gingen ze door met een ander lied dan waar ze oorspronkelijk mee bezig waren. Wayne had de indruk dat het de bedoeling was om de liederen in mootjes te hakken en aan die mootjes te werken alsof ze nooit meer tot hetzelfde lied zouden behoren, alsof de dirigent alleen muziekfragmenten wilde. Hij zag Wally Michelin op de achterste rij staan. Hij herkende haar niet zozeer aan haar gezicht, want dat kon hij niet zien, als wel aan de manier waarop ze stond en altijd had gestaan, en aan haar springerige haren en de vorm van haar gezicht. Hij besefte dat Wally Michelin zong, hoewel ze te horen had gekregen dat ze nooit meer zou kunnen zingen, en daar verbaasde hij zich over hoewel hij niet wist of hij het moest geloven omdat haar stem deel uitmaakte van het geluid van het koor.

Na de repetitie kwam ze naar zijn stoel toe alsof ze wist dat hij daar zat en alsof het heel normaal was dat hij bij haar in Boston was. Ze ging naast hem zitten en om hen heen was het zo druk – mensen haalden boterhammen uit hun tas, aten ze op en babbelden over de nieuwe kleinzoon van Linda en over George die op vakantie in Florida was, waardoor hij niet bij het concert zou zijn – dat Wayne het gevoel had dat Wally en hij alleen waren in een zee van geluid.

'Je bent gekomen.'

'Vind je dat niet vervelend?'

'Nee. Ik ben blij dat je er bent.'

Hij was niet alleen met haar, maar hij had wel het gevoel dat ze met hun tweetjes waren. Hij had het idee dat ze elkaar herkenden op een manier waarop niemand anders hen herkende. Als andere mensen naar hem keken zagen ze niet wat Wally

Michelin zag en misschien zagen andere mensen in haar wel hetzelfde wat hij zag, maar hij dacht van niet. Waar het om ging was grenzeloosheid. Als je bij een doorsnee persoon was, kon je een lijn trekken rond het territorium dat je samen in beslag nam en Wayne had ontdekt dat dat territorium gewoonlijk heel klein was. Het was kleiner dan een land en kleiner dan een stad en soms zelfs kleiner dan een kamer. Maar de ruimte waar ze nu in waren, bestond niet echt. Boston bestond ook niet noodzakelijkerwijs, hoewel Wayne de nabijheid van de onbekende stad met al die lichtjes, de parken en de straten achter de deuren van de repetitieruimte wel aanvoelde. Hij reageerde op de nabijheid van Wally met het gevoel dat het leven in hem opbloeide in plaats van een slapend bestaan te leiden. Hij voelde de zinderende aanwezigheid van zijn eigen leven en hij wilde niet dat er een eind kwam aan dat gevoel, ook al wist hij dat er in het verleden een eind aan was gekomen en dat het weer zou gebeuren. Ze fluisterde in zijn oor en haar adem was warm, met koele randen.

'Ik zal de kans nog niet krijgen te gebruiken wat je vader me heeft gestuurd,' zei ze. 'Niet tijdens het concert van deze week. Maar ik heb Jeremy gevraagd of hij het ooit heeft uitgevoerd en of we het tijdens een ander concert ten gehore kunnen brengen, en hij zei dat het ook een van zijn lievelingsstukken is en dat we het de volgende lente misschien kunnen uitvoeren.'

'Wat heeft mijn vader je gestuurd?'

Wayne wist er niets van dat Treadway voor Wally een nieuw exemplaar van de 'Cantique de Jean Racine' van Gabriel Fauré had besteld. Maar Wally Michelin was het niet vergeten en ze pakte het nu uit haar zwarte map. Albert J. Breton, stond erop, en Wayne kon zien dat het papier oud was en dat Wally er op veel plaatsen een groene sticker bij had gedaan. Ze sloeg het open en hij zag dat ze overal passages had gemarkeerd en in de marges had geschreven, net zoals ze dat had gedaan bij het originele exemplaar dat Treadway had weggegooid toen Wally en hij allebei twaalf jaar oud waren.

'Het is nooit als een solostuk bedoeld geweest,' zei Wally. 'Het was altijd een stuk voor vier zangers en een koor, en dat is nog maar één van de dingen die destijds niet tot me doordrongen.'

'Heeft mijn vader je dat gegeven?' Wayne had altijd gedacht dat zijn vader er geen spijt van had gehad. Van de brug, van de muziek, van wat dan ook.

'Weet je nog dat jij de altpartij zong om me te helpen bij het repeteren?'

'Ja.'

Ze boog zich naar hem toe en neuriede in zijn oor. Ze neuriede de partij die hij samen met haar op de brug had gezongen. Wayne zag dat ze nog altijd sproeten had. Nu was ze voor hem weer precies zoals ze was geweest toen ze twaalf waren en door de bogen van de brug naar de hemel keken. Ze neuriede de melodie eerst zacht. Om hen heen stapten de koorleden met veel lawaai op en klapten hun mappen dicht. Iemand zat op de piano te pingelen. Het geroezemoes nam af en begon een beetje te weergalmen toen de leden van het koor naar hun auto liepen. Wally's stem zat op een andere golflengte. Veel kracht klonk er niet in door, maar wel warmte en ze zong een paar van de woorden.

'*Répands sur nous le feu de ta grâce*... Ik kan de sopraanpartij nog niet zingen, maar ze hadden gezegd dat ik misschien nooit meer zou kunnen zingen en nu kan ik de altpartij al zingen... *De la paisible nuit nous rompons le silence*...'

Het geluid wurmde zich onder alle andere geluiden door en sloop het lichaam van Wayne in. Wally Michelin zong het lied waarvan ze altijd tegen Wayne had gezegd dat ze het op een dag zou zingen.

De volgende dag en de dag daarna, toen de avond van haar concert naderde, viel het Wayne met name op dat Wally in Boston zo'n druk leven leidde. Ze was altijd in de weer, van het ontbijt tot de inschrijving en een rondleiding over de campus waar zij zou gaan studeren, de garderobe waar ze meters satijn en linnen had gered en een nieuw leven had gegeven, twee generale repetities en ten slotte het concert zelf. Voordat hij in Boston arriveerde, had hij gedacht dat het concert het meest opwindende zou zijn wat Wally deed, maar dat was niet zo. De dag na het concert liet ze hem zien waar ze een cursus muziekgeschiedenis zou gaan volgen, twee cursussen theorie en een vierde die een introductie was voor een formele stemtraining.

Terwijl Wally Wayne rondleidde, hem de twee verdiepingen van de bibliotheek liet zien en hem vervolgens meenam naar de tuin waar studenten op het gras plattegronden van het universiteitsterrein bekeken en nummers van cursussen omcirkelden, had hij het gevoel dat hij in een soort wildernis was. In sommige opzichten was het net alsof hij met zijn vader in de bush was. De zon was fel en in de verre omtrek was niets wat op huiselijkheid leek. Alles wat je ondernam, deed je omdat je op een soort verkenningstocht ging die hetzelfde was als een jacht. De studenten om hem heen begonnen aan een reis met een open einde, zoals de reizen die zijn vader wegvoerden van de gordijnen in de keuken van zijn moeder, een uitgestrekt gebied in dat geen naam had. Als iemand het een naam gaf, kon jij die naam weer ongedaan maken. Om het terrein heen stonden geen muren. Hij bedacht zich dat zijn vader een plek als deze mooi zou hebben gevonden en hij wenste dat hij met hem was meegegaan om dit met eigen ogen te zien.

Wat Wayne ook opviel, was dat hij zich te midden van de studenten niet misplaatst voelde vanwege de tweeslachtigheid van zijn lichaam – iets wat hij wel had gevoeld in de straten van St. John's. Wayne vond dat veel van deze studenten eruitzagen alsof zij hetzelfde konden zijn als hij: hetzij man, hetzij vrouw. Hier was geen sprake van hetzelfde onderscheid tussen de seksen als in de gewone wereld buiten de campus. Er waren meisjes die er net zo uitzagen als hij en er waren ook jongens die er net zo uitzagen als hij. Bovendien waren er studenten die zich niet hadden opgemaakt en een eenvoudige schoonheid bezaten die op inzicht en intelligentie stoelde en geslachtloos was. Hij had het gevoel in een vrije wereld te zijn waartoe hij wilde behoren en hij vroeg zich af of alle campussen zo waren.

In de trein terug bleef hij daarover nadenken. Zijn vader had hem geld gegeven. Hij had niet geweten wat hij ermee moest doen toen Treadway hem dat bankboekje gaf in de buurt van de berg zout voor de wegen in St. John's. Maar nu wist hij wel wat hij ermee zou doen. Wally Michelin had hem geholpen tot dat inzicht te komen, net als zijn vader en Thomasina Baikie. Nu hij weer in de trein zat legde hij niet dezelfde route af als op de heenweg naar Boston. Tussen de grens van Vermont en de veerboot naar Newfoundland waren vijf scholen die hij met de hulp van Wally Michelin en haar tante had gevonden in brochures en studiegidsen van universiteiten. Hij was van plan ze allemaal te bezoeken. Hij wist nog niet in welke wereld hij wilde zijn, maar hij had wel een glimpje opgevangen van die werelden.

Toen de trein weer langs de achterkanten van steden reed, zag Wayne intieme details van huiselijk leven die hem ook al hadden ontroerd toen hij onderweg was naar Wally Michelin. Waslijnen met kleine katrollen, mannen en vrouwen die in de buurt van de spoorbaan leefden en een duizendtal treinen voorbij hadden zien komen. Het was een mooie wereld, de wereld in de huizen waar ketels kookten op bloemen van blauw gas. Maar hij was blij dat hij daar geen deel van uitmaakte en in dat opzicht leek hij sprekend op zijn vader.

Hij dacht aan de bruggen waar de trein overheen zou rijden en aan bruggen die nog niet waren ontworpen. Hij wist nu dat er scholen waren waar je leerde bruggen te ontwerpen die zouden worden gebouwd, bruggen die mooi waren. Dat wilde hij doen. In zijn zak zat het boekje van de Labrador Credit Union Bank, met het geld dat zijn vader voor zijn goud had gekregen. In de trein wist hij dat hij niet zoveel verschilde van zijn vader. De komende winter zou zijn vader zijn vallenroute aflopen op weg naar naamloze plaatsen en nu kon Wayne eindelijk op weg gaan naar een landschap dat voor hem even aantrekkelijk en groot was als Labrador.

Epiloog

Het Théâtre Capitole in de stad Quebec dateerde uit de jaren twintig, toen je niet naar een show maar naar een spektakel ging kijken. De stoelen waren niet in keurige rijen opgesteld. Ze stonden rond zwarte tafeltjes die net groot genoeg waren om er twee martini's op te zetten. Tegen de pauze hing er zoveel blauwe sigarettenrook dat je blij mocht zijn als je het gezicht van degene die de voorstelling gaf er als een mythische halfgod bovenuit kon zien komen. Thomasina vond het er prachtig. Ze had de kaartjes besteld en gevraagd ze bij de kassa voor haar te bewaren en het waren goede kaartjes. Op de eerste rij van de op twee na hoogste gebogen rij. Ze had tegen Wally Michelin gezegd dat zij samen met Wayne zou komen.

Thomasina had een goede kleine auto aangeschaft. Als je veertig of vijftig was, kon je nog prima met bussen en treinen reizen. Maar als je de zestig was gepasseerd was het belangrijk dat je rechtstreeks ergens naartoe kon en niet in Bridgewater hoefde te stoppen als je naar de Spring Garden Road in Halifax wilde, waar Wayne net zijn vierde jaar had afgerond aan de Technische Universiteit van Nova Scotia. Hij studeerde niet alleen bruggenbouw maar ook architectuur en stedenbouwkunde en terwijl hij samen met Thomasina Quebec binnenreed, bekeek hij dat met de ogen van iemand die niet alleen het oppervlakkige karakter van een stad begon te begrijpen maar ook dat wat daaronder lag: de lelijkheid ervan of – in dit geval – de schoonheid en de grandeur.

Het Théâtre Capitole was gerenoveerd. Alles was felrood, blauw en goudkleurig. Wayne en Thomasina zaten op stoeltjes die met fluweel waren bekleed. Je rook er zwartgeblakerde biefstuk die door de gasten werd gegeten met tweetandige vorken, en die geur vermengde zich met de geuren van Gitanes en dure zeep. Die avond zou er muziek van Schubert ten gehore worden gebracht door het Berklee College of Music uit Boston en de Juilliard School uit New York.

'Wallis,' las Wayne in het programma. 'Wallis Michelin.'

Wally Michelin had een helm op die leek te knipogen en sterren door het hele theater afschoot. Ze had een jurk met wijde mouwen aan, en een borstschild dat haar er naar het idee van Wayne deed uitzien alsof ze op het punt stond onder de golven de strijd aan te binden met Poseidon en een reeks schitterende vissen. Toen ze begon te zingen wist Wayne dat haar stem niet kwam uit het meisje dat hij onder de appelboom in Croydon Harbour had gehoord. Die stem kwam uit een andere persoon, iemand die had geleerd hoe je een geruïneerde stem weer moest opbouwen, iemand die alles had verloren en was begonnen met minder dan niets. Iemand die nooit het geloof was verloren dat ze zou zingen, dat de muziek naar haar toe zou komen, gewoon omdat ze dat wilde, omdat het moest, en ze alles zou doen wat in haar vermogen lag om het zover te brengen.

'Ga jij maar naar de artiestenfoyer,' zei Thomasina toen de voorstelling was afgelopen. 'Ik wacht hier op je.'

Wayne baande zich door het vertrekkende publiek een weg naar de trap, passeerde de pilaren en liep toen een gang door naar de kleedkamer van Wally. Hij klopte op haar deur, met bloemen in zijn hand.

Er waren lampjes rond een spiegel, en potten met make-up. Wally had haar kostuum uitgetrokken en stond in haar hemdje en slipje met een spons make-up van haar gezicht te halen.

Ze had haar kousen ook uitgetrokken en die over de rugleuning van een niet geverfde stoel gehangen. Ze had van andere mensen al bloemen gekregen: gele en rode rozen, crèmekleurige rozen en citroengele rozen met blozende randen. Er was een paradijsvogel die door fresia's werd omgeven. Maar de bloemen die Wayne aan Wally Michelin gaf waren planten uit Labrador en Thomasina had ze vers gehouden door nat rendiermos om de stengels te wikkelen. Thee uit Labrador, met de oranje onderkant van de bladeren en de mistige witte bloem. Wilde rododendrons, purper, aan een houtige steel. Zonnedauw en bekerplanten, vleesetend en dreigend en mooi op een manier die alleen iemand die uit Labrador afkomstig is bekend is. Het eerste wat Wally deed was een blad van de theeplant af breken, zodat de geur – de geur van heel Labrador – hen omgaf.

Op de bladeren van de bekerplant, die precies op kleine bekertjes lijken, zaten nog mieren en een paar kleine vliegjes vast in de kleverige substatie die de plant als val aanmaakt. Sommige wezens konden aan een bekerplant ontsnappen, andere niet. De bekerplanten vingen ook andere dingen. Ze vingen het veranderende licht van ochtenden, lente en sneeuwlicht in Labrador, en ze vingen de geluiden van harlekijneenden, eidereenden en heremietlijsters. Sommige geluiden werden mooi gevonden en andere niet, maar de bekertjes vingen ze op.

Thee met dezelfde geur groeide ongehinderd langs de kust van dat centrale meer in Labrador, het meer zonder naam waaruit rivieren zowel naar het noorden als naar het zuiden lopen. Dezelfde insecten bezochten dodelijke bekerplanten en de hemel keek erop neer. Sommigen zouden het misschien een genadeloze hemel noemen. En af en toe dreef in het water van de bekertjes een wolk voorbij, of vliegpatronen van eenden in de lente.

Treadway Blake zocht het meer op zoals hij dat altijd had gedaan, deze geboorteplaats van seizoenen, van spieringen en witte kariboes, en van een diepgewortelde kennis die iemand niet kon vinden in door mensenhanden vervaardigde dingen. Alleen in de over het land blazende wind kon Treadway de vrijheid vinden die zijn zoon elders zou zoeken. Treadway was een man van Labrador, maar zijn zoon had Labrador verlaten, zoals dochters en zoons dat doen, om de vrijheid te vinden die hun vaders niet hoeven te zoeken omdat die vrijheid al deel van hen uitmaakte.

Dankwoord

IK BEDANK MIJN GELIEFDE familie en vrienden, vooral mijn echtgenoot Jean Dandenault. Dank ook aan mijn *enginistas* Danielle Devereaux, Lina Gordaneer, Julie Paul en Alice Zorn en dat geldt ook voor Agnes Hutchings en mijn geweldige agent Shaun Bradley. Daarnaast moet ik ook Sarah MacLachlan en het personeel van House of Anansi Press bedanken. Mijn dank gaat ook uit naar Lynn Verge en het vriendelijke personeel van de Atwater Bibliotheek in Montreal. Een speciaal woord van dank richt ik tot mijn editor Lynn Henry, vanwege haar grote expertise en haar grote toewijding. En u, dierbare lezer, hebt ook recht op mijn dank.